1

LA REBELIÓN DE LAS MASAS

COLECCIÓN AUSTRAL

N.º 1

JOSÉ ORTEGA Y GASSET

LA REBELIÓN DE LAS MASAS

CON UN PRÓLOGO PARA FRANCESES, UN EPÍLOGO PARA INGLESES Y UN APÉNDICE: DINÁMICA DEL TIEMPO

DECIMOSEXTA EDICIÓN

ESPASA-CALPE, S. A.

Ediciones especialmente autorizadas por los herederos del autor para la

COLECCIÓN AUSTRAL

Primera edición:	30 - IX	- 1937
Segunda edición:	31 - III	- 1938
Tercera edición:	31 - I	- 1939
Cuarta edición:	8 - VII	- 1941
Quinta edición:	21 - IX	- 1942
Sexta edición:	21 - IX	- 1943
Séptima edición:	20 - X	- 1944
Octava edición:	15 - VI	- 1946
Novena edición:	29 - VIII	- 1947
Décima edición:	10 - XI	- 1949
Undécima edición:	10 - XII	- 1951
Duodécima edición:	15 - III	- 1955
Decimotercera edición:	10 - II	- 1956
Decimocuarta edición:	14 - XI	- 1958
Decimoquinta edición:	5 - V	- 1961
Decimosexta edición:	24 - II	- 1964

© *Espasa-Calpe, S. A., Madrid, 1964*

——

N.º *Rgtr.º: 6.587—55*
Depósito legal: M. 2.276—1964

901.9
Or 8r
62187
July 1968

Printed in Spain

Acabado de imprimir el día 24 de febrero de 1964

Talleres tipográficos de la Editorial Espasa-Calpe, S. A.
Ríos Rosas, 26. — Madrid

ÍNDICE

Páginas

PRÓLOGO PARA FRANCESES   9

PRIMERA PARTE.—*La rebelión de las masas*   37

     I.—El hecho de las aglomeraciones   37
     II.—La subida del nivel histórico   43
     III.—La altura de los tiempos   49
     IV.—El crecimiento de la vida   55
     V.—Un dato estadístico   61
     VI.—Comienza la disección del hombre-masa   66
     VII.—Vida noble y vida vulgar, o esfuerzo e inercia.   71
     VIII.—Por qué las masas intervienen en todo, y por
           qué sólo intervienen violentamente   76
     IX.—Primitivismo y técnica   82
     X.—Primitivismo e historia   89
     XI.—La época del «señorito satisfecho»   95
     XII.—La barbarie del «especialismo»   102
     XIII.—El mayor peligro, el Estado   107

SEGUNDA PARTE.—*¿Quién manda en el mundo?*   115

     XIV.—¿Quién manda en el mundo?   115
     XV.—Se desemboca en la verdadera cuestión   159

EPÍLOGO PARA INGLESES   163

     En cuanto al pacifismo   167

APÉNDICE.—*Dinámica del tiempo*   193

     Los escaparates mandan   193
     Juventud   197
     ¿Masculino, o femenino?   205

PRÓLOGO PARA FRANCESES

I

Este libro —suponiendo que sea un libro— data... Comenzó a publicarse en un diario madrileño en 1926, y el asunto de que trata es demasiado humano para que no le afecte demasiado el tiempo. Hay, sobre todo, épocas en que la realidad humana, siempre móvil, se acelera, se embala en velocidades vertiginosas. Nuestra época es de esta clase porque es de descensos y caídas. De aquí que los hechos hayan dejado atrás el libro. Mucho de lo que en él se anuncia fue pronto un presente y es ya un pasado. Además, como este libro ha circulado mucho durante estos años fuera de Francia, no pocas de sus fórmulas han llegado ya al lector francés por vías anónimas y son puro lugar común. Hubiera sido, pues, excelente ocasión para practicar la obra de caridad más propia de nuestro tiempo: no publicar libros superfluos. Yo he hecho todo lo posible en este sentido —va para cinco años que la casa Stock me propuso su versión—; pero se me ha hecho ver que el organismo de ideas enunciadas en estas páginas no consta al lector francés y que, acertado o erróneo, fuera útil someterlo a su meditación y a su crítica.

No estoy muy convencido de ello, pero no es cosa de formalizarse. Me importa, sin embargo, que no entre en su lectura con ilusiones injustificadas. Conste, pues, que se trata simplemente de una serie de artículos publicados en un diario madrileño de gran circulación. Como casi todo lo que he escrito, fueron escritas estas páginas para unos cuantos españoles que el destino me había puesto delante. ¿No es sobremanera improbable que mis palabras, cambiando ahora de destinatario, logren decir a los franceses lo que ellas pretenden enunciar? Mal puedo esperar mejor fortuna cuando estoy persuadido de que hablar es una operación mucho más ilusoria de lo que suele creerse; por supuesto, como casi todo lo que el hombre hace. Definimos el lenguaje como el medio que nos sirve para manifestar nuestros pen-

samientos. Pero una definición, si es verídica, es irónica,
implica tácitas reservas, y cuando no se la interpreta así,
produce funestos resultados. Así ésta. Lo de menos es que
el lenguaje sirva también para ocultar nuestros pensamientos, para mentir. La mentira sería imposible si el hablar
primario y normal no fuese sincero. La moneda falsa circula sostenida por la moneda sana. A la postre, el engaño
resulta ser un humilde parásito de la ingenuidad.

No; lo más peligroso de aquella definición es la añadidu-
ra optimista con que solemos escucharla. Porque ella misma no nos asegura que mediante el lenguaje podamos manifestar con suficiente adecuación todos nuestros pensamientos. No se comprende a tanto, pero tampoco nos hace
ver francamente la verdad estricta: que siendo al hombre
imposible entenderse con sus semejantes, estando condenado
a radical soledad, se extenúa en esfuerzos para llegar al
prójimo. De estos esfuerzos es el lenguaje quien consigue a
veces declarar con mayor aproximación algunas de las cosas que nos pasan dentro. Nada más. Pero de ordinario no
usamos estas reservas. Al contrario, cuando el hombre se
pone a hablar, lo hace *porque* cree que va a poder decir
cuanto piensa. Pues bien: esto es lo ilusorio. El lenguaje
no da para tanto. Dice, poco más o menos, una parte de lo
que pensamos y pone una valla infranqueable a la trans-
fusión del resto. Sirve bastante bien para enunciados y
pruebas matemáticas; ya al hablar de física empieza a hacerse equívoco e insuficiente. Pero conforme la conversación
se ocupa de temas más importantes que ésos, más humanos,
más «reales», va aumentando su imprecisión, su torpeza y
confusionismo. Dóciles al prejuicio inveterado de que hablando nos entendemos, decimos y escuchamos tan de buena fe, que acabamos muchas veces por malentendernos mucho más que si, mudos, procurásemos adivinarnos.

Se olvida demasiado que todo auténtico decir no sólo dice
algo, sino que lo dice alguien a alguien. En todo decir hay
un emisor y un receptor, los cuales no son indiferentes al
significado de las palabras. Éste varía cuando aquéllas va-
rían. *Duo si idem dicunt, non est idem.* Todo vocablo es oca-
sional (1). El lenguaje es por esencia diálogo, y todas las
otras formas del hablar depotencian su eficacia. Por eso yo
creo que un libro sólo es bueno en la medida en que nos
trae un diálogo latente, en que sentimos que el autor sabe
imaginar concretamente a su lector y éste percibe como si

_____

(1) Véase el ensayo del autor titulado *History as a System*, en el
volumen *Philosophy and History*. Homages to Ernst Cassirer, Londres,
1936. Véase edición española de *Historia como sistema*.

de entre las líneas saliese una mano ectoplásmica que palpa su persona, que quiere acariciarla —o bien, muy cortésmente, darle un puñetazo.

Se ha abusado de la palabra, y por eso ha caído en desprestigio. Como en tantas otras cosas, ha consistido aquí el abuso en el uso sin preocupaciones, sin conciencia de la limitación del instrumento. Desde hace casi dos siglos se ha creído que hablar era hablar *urbi et orbi*, es decir, a todo el mundo y a nadie. Yo detesto esta manera de hablar y sufro cuando no sé muy concretamente a quién hablo.

Cuentan, sin insistir demasiado sobre la realidad del hecho, que cuando se celebró el jubileo de Víctor Hugo fue organizada una gran fiesta en el palacio del Elíseo, a que concurrieron, aportando su homenaje, representaciones de todas las naciones. El gran poeta se hallaba en la gran sala de recepción, en solemne actitud de estatua, con el codo apoyado en el reborde de una chimenea. Los representantes de las naciones se iban adelantando ante el público, y presentaban su homenaje al vate de Francia. Un ujier, con voz de Esténtor los iba anunciando: «Monsieur le Représentant de l'Angleterre!» Y Víctor Hugo con voz de dramático trémolo, poniendo los ojos en blanco, decía: «L'Angleterre! Ah Shakespeare!» El ujier prosiguió: «Monsieur le Représentant de l'Espagne!» Y Víctor Hugo: «L'Espagne! Ah Cervantes!» El ujier: «Monsieur le Représentant de l'Allemagne!» Y Víctor Hugo: «L'Allemagne! Ah Goethe!»

Pero entonces llegó el turno a un pequeño señor, achaparrado, gordinflón y torpe de andares. El ujier exclamó: «Monsieur le Représentant de la Mésopotamie!»

Víctor Hugo, que hasta entonces había permanecido impertérrito y seguro de sí mismo, pareció vacilar. Sus pupilas, ansiosas, hicieron un gran giro circular como buscando en todo el cosmos algo que no encontraba. Pero pronto se advirtió que lo había hallado y que volvía a sentirse dueño de la situación. En efecto, con el mismo tono patético, con no menor convicción, contestó al homenaje del rotundo representante diciendo: «La Mésopotamie! Ah l'humanité!»

He referido esto a fin de declarar, sin la solemnidad de Víctor Hugo, que yo no he escrito ni hablado nunca para la Mesopotamia, y que no me he dirigido jamás a la humanidad. Esta costumbre de hablar a la humanidad, que es la forma más sublime y, por lo tanto, más despreciable de la democracia, fue adoptada hacia 1750 por intelectuales descarriados, ignorantes de sus propios límites, y que siendo, por su oficio, los hombres del decir, del *logos*, han

usado de él sin respeto ni precauciones, sin darse cuenta
de que la palabra es un sacramento de muy delicada administración.

II

Esta tesis que sustenta la exigüidad del radio de acción
eficazmente concedido a la palabra, podía parecer invali-
dada por el hecho mismo de que este volumen haya encontrado lectores en casi todas las lenguas de Europa. Yo creo,
sin embargo, que este hecho es más bien síntoma de otra
cosa, de otra grave cosa: de la pavorosa homogeneidad de
situaciones en que va cayendo todo el Occidente. Desde la
aparición de este libro, por la mecánica que en el mismo
se describe, esa identidad ha crecido en forma angustiosa.
Digo angustiosa porque, en efecto, lo que en cada país es
sentido como circunstancia dolorosa, multiplica hasta el
infinito su efecto deprimente cuando el que lo sufre advierte que apenas hay lugar en el continente donde no acon-
tezca estrictamente lo mismo. Podía antes ventilarse la
atmósfera confinada de un país abriendo las ventanas que
dan sobre otro. Por ahora no sirve de nada este expediente, porque en el otro país es la atmósfera tan irrespirable
como en el propio. De aquí la sensación opresora de asfixia.
Job, que era un terrible *pince-sans-rire*, pregunta a sus
amigos, los viajeros y mercaderes que han andado por el
mundo: *Unde sapientia venit et quis locus intelligentiae?*
«¿Sabéis de algún lugar del mundo donde la inteligencia
exista?»

Conviene, sin embargo, que en esta progresiva asimilación de las circunstancias distingamos dos dimensiones diferentes y de valor contrapuesto.

Este enjambre de pueblos occidentales que partió a volar
sobre la historia desde las ruinas del mundo antiguo, se
ha caracterizado siempre por una forma dual de vida. Pues
ha acontecido que conforme cada uno iba formando su genio peculiar, entre ellos o sobre ellos, se iba creando un
repertorio común de ideas, maneras y entusiasmos. Más
aún. Este destino que les hacía, a la par, progresivamente
homogéneos y progresivamente dispersos, ha de entenderse
con cierto superlativo de paradoja. Porque en ellos la homogeneidad no fue ajena a la diversidad. Al contrario:
cada nuevo principio uniforme fertilizaba la diversifica-
ción. La idea cristiana engendra las Iglesias nacionales: el recuerdo del *Imperium* romano inspira las diversas formas
del Estado; la «restauración de las letras» en el siglo xv
dispara las literaturas divergentes; la ciencia y el prin-

cipio unitario del hombre como «razón pura» crea los distintos estilos intelectuales que modelan diferencialmente hasta las extremas abstracciones de la obra matemática. En fin, y para colmo: hasta la extravagante idea del siglo XVIII, según la cual todos los pueblos han de tener una constitución idéntica, produce el efecto de despertar románticamente la conciencia diferencial de las nacionalidades, que viene a ser como incitar a cada uno hacia su particular vocación.

Y es que para estos pueblos llamados europeos, vivir ha sido siempre —claramente desde el siglo XI, desde Otón III— moverse y actuar en un espacio o ámbito común. Es decir, que para cada uno vivir era convivir con los demás. Esta convivencia tomaba indiferentemente aspecto pacífico o combativo. Las guerras intereuropeas han mostrado casi siempre un curioso estilo que las hace parecerse mucho a las rencillas domésticas. Evitan la aniquilación del enemigo y son más bien certámenes, luchas de emulación, como la de los mozos dentro de una aldea, o disputas de herederos por el reparto de un legado familiar. Un poco de otro modo, todos van a lo mismo. *Eadem sed aliter.* Como Carlos V decía de Francisco I: «Mi primo Francisco y yo estamos por completo de acuerdo: los dos queremos Milán.»

Lo de menos es que a ese espacio histórico común, donde todas las gentes de Occidente se sentían como en su casa, corresponda un espacio físico que la geografía denomina Europa. El espacio histórico a que aludo se mide por el radio de efectiva y prolongada convivencia —es un espacio social—. Ahora bien: convivencia y sociedad son términos equipolentes. Sociedad es lo que se produce automáticamente por el simple hecho de la convivencia. De suyo, e ineluctablemente, segrega ésta costumbres, usos, lengua, derecho, poder público. Uno de los más graves errores del pensamiento «moderno», cuyas salpicaduras aún padecemos, ha sido confundir la sociedad con la asociación, que es aproximadamente lo contrario de aquélla. Una sociedad no se constituye por acuerdo de las voluntades. Al revés: todo acuerdo de voluntades presupone la existencia de una sociedad, de gentes que conviven, y el acuerdo no puede consistir sino en precisar una u otra forma de esa convivencia, de esa sociedad preexistente. La idea de la sociedad como reunión contractual, por lo tanto, jurídica, es el más insensato ensayo que se ha hecho de poner la carreta delante de los bueyes. Porque el derecho, la realidad «derecho» —no las ideas de él del filósofo, jurista o demagogo—, es, si se me tolera la expresión barroca, se-

creción espontánea de la sociedad, y no puede ser otra
cosa. Querer que el derecho rija las relaciones entre seres
que previamente no viven en efectiva sociedad, me parece
—y perdóneseme la insolencia— tener una idea bastante
confusa y ridícula de lo que el derecho es.

No debe extrañar, por otra parte, la preponderancia de
esa opinión confusa y ridícula sobre el derecho, porque una
de las máximas desdichas del tiempo es que, al topar las
gentes de Occidente con los terribles conflictos públicos del
presente, se han encontrado pertrechadas con un utillaje
arcaico y torpísimo de nociones sobre lo que es sociedad,
colectividad, individuo, usos, ley, justicia, revolución, etcétera. Buena parte del azoramiento actual proviene de la
incongruencia entre la perfección de nuestras ideas sobre
los fenómenos físicos y el retraso escandaloso de las «ciencias morales». El ministro, el profesor, el físico ilustre y
el novelista suelen tener de esas cosas conceptos dignos
de un barbero suburbano. ¿No es perfectamente natural
que sea el barbero suburbano quien dé la tonalidad al
tiempo? (1).

Pero volvamos a nuestra ruta. Quería insinuar que los
pueblos europeos son desde hace mucho tiempo una sociedad, una colectividad, en el mismo sentido que tienen estas palabras aplicadas a cada una de las naciones que
integran aquélla. Esta sociedad manifiesta todos los atributos de tal: hay costumbres europeas, usos europeos,
opinión pública europea, derecho europeo, poder público
europeo. Pero todos estos fenómenos sociales se dan en la
forma adecuada al estado de evolución en que se encuentra la sociedad europea, que no es, claro está, tan avanzado como el de sus miembros componentes, las naciones.

Por ejemplo: la forma de presión social que es el poder público funciona en toda sociedad, incluso en aquellas
primitivas donde no existe aún un órgano especial encar-
gado de manejarlo. Si a este órgano diferenciado a quien
se encomienda el ejercicio del poder público se le quiere
llamar Estado, dígase que en ciertas sociedades no hay
Estado, pero no se diga que no hay en ellas poder público.
Donde hay opinión pública, ¿cómo podrá faltar un poder

_____

(1) Justo es decir que ha sido en Francia, y sólo en Francia, donde
se inició una aclaración y *mise au point* de todos esos conceptos. En
otro lugar hallará el lector alguna indicación sobre esto, y, además,
sobre la causa de que esa iniciación se malograse. Por mi parte, he
procurado colaborar en este esfuerzo de aclaración partiendo de la reciente tradición francesa, superior en este orden de temas a las demás.
El resultado de mis reflexiones va en el libro, próximo a publicarse,
El hombre y la gente. Allí encontrará el lector el desarrollo y justifi-
cación de cuanto acabo de decir.

público, si éste no es más que la violencia colectiva disparada por aquella opinión? Ahora bien: que desde hace siglos y con intensidad creciente existe una opinión pública europea —y hasta una técnica para influir en ella—, es cosa incómoda de negar.

Por esto recomiendo al lector que ahorre la malignidad de una sonrisa al encontrar que en los últimos capítulos de este volumen se hace con cierto denuedo, frente al cariz opuesto de las apariencias actuales, la afirmación de una pasión, de una probable unidad estatal de Europa. No niego que los Estados Unidos de Europa son una de las fantasías más módicas que existen, y no me hago solidario de lo que otros han pensado bajo estos signos verbales. Mas, por otra parte, es sumamente improbable que una sociedad, una colectividad tan madura como la que ya forman los pueblos europeos, no ande cerca de crearse su artefacto estatal mediante el cual formalice el ejercicio del poder público europeo ya existente. No es, pues, debilidad ante las solicitaciones de la fantasía ni propensión a un «idealismo» que detesto, y contra el cual he combatido toda mi vida, lo que me lleva a pensar así. Ha sido el realismo histórico el que me ha enseñado a ver que la unidad de Europa como sociedad no es un «ideal», sino un hecho y de muy vieja cotidianeidad. Ahora bien: una vez que se ha visto esto, la probabilidad de un Estado general europeo se impone necesariamente. La ocasión que lleve súbitamente a término el proceso puede ser cualquiera: por ejemplo, la coleta de un chino que asome por los Urales o bien una sacudida del gran magma islámico.

La figura de ese Estado supranacional será, claro está, muy distinta de las usadas, como, según en esos mismos capítulos se intenta mostrar, ha sido muy distinto el Estado nacional del Estado-ciudad que conocieron los antiguos. Yo he procurado en estas páginas poner en franquía las mentes para que sepan ser fieles a la sutil concepción del Estado y sociedad que la tradición europea nos propone.

Al pensamiento grecorromano no le fue nunca fácil concebir la realidad como dinamismo. No podía desprenderse de lo visible o sus sucedáneos, como un niño no entiende bien de un libro más que las ilustraciones. Todos los esfuerzos de sus filósofos autóctonos para trascender esa limitación fueron vanos. En todos sus ensayos para comprender actúa, más o menos, como paradigma, el objeto corporal, que es para ellos la «cosa» por excelencia. Sólo aciertan a ver *una* sociedad, *un* Estado donde la unidad tenga el carácter de contigüidad visual; por ejemplo, una ciudad. La vocación mental del europeo es opuesta. Toda cosa visible le parece, en cuanto tal, simple máscara aparente de una fuerza latente que la está constantemente produciendo y que es su verdadera realidad. Allí donde la fuerza, la *dynamis*, actúa unitariamente *hay* real unidad, aunque a la vista nos aparezcan como manifestación de ella sólo cosas diversas.

Sería recaer en la limitación antigua no descubrir unidad de poder público más que donde éste ha tomado máscaras ya conocidas y como solidificadas de Estado; esto es, en las naciones particulares de Europa. Niego rotundamente que el poder público decisivo actuante en cada una de ellas consista exclusivamente en su poder público interior o nacional. Conviene caer de una vez en la cuenta de que desde hace muchos siglos —y con conciencia de ello desde hace cuatro— viven todos los pueblos de Europa sometidos a un poder público que por su misma pureza dinámica no tolera otra denominación que la extraída de la ciencia mecánica: el «equilibrio europeo» o *balance of power*.

Ése es el auténtico Gobierno de Europa que regula en su vuelo por la historia al enjambre de pueblos, solícitos y pugnaces como abejas, escapados a las ruinas del mundo antiguo. La unidad de Europa no es una fantasía, sino que es la realidad misma, y la fantasía es precisamente lo otro, la creencia de que Francia, Alemania, Italia o España son realidades sustantivas e independientes.

Se comprende, sin embargo, que no todo el mundo perciba con evidencia la realidad de Europa, porque Europa no es una «cosa», sino un equilibrio. Ya en el siglo XVIII el historiador Robertson llamó al equilibrio europeo «the great secret of modern politics».

¡Secreto grande y paradojal, sin duda! Porque el equilibrio o balanza de poderes es una realidad que consiste esencialmente en la existencia de una pluralidad. Si esta pluralidad se pierde, aquella unidad dinámica se desvanecería. Europa es, en efecto, enjambre: muchas abejas y un solo vuelo.

Este carácter unitario de la magnífica pluralidad europea es lo que yo llamaría la buena homogeneidad, la que es fecunda y deseable, la que hacía ya decir a Montesquieu: «L'Europe n'est qu'une nation composée de plusieurs» (1), y a Balzac, más románticamente, le hacía hablar de la «grande famille continentale, dont tous les efforts tendent à je ne sais quel mystère de civilisation» (2).

---

(1) *Monarchie universelle: deux opuscules*, 1891, pág. 36.
(2) *Œuvres complètes* (Calmann-Lévy). Vol. XXII, pág. 248.

III

Esta muchedumbre de modos europeos que brota constantemente de su radical unidad y revierte a ella manteniéndola, es el tesoro mayor del Occidente. Los hombres de cabezas toscas no logran pensar una idea tan acrobática como esta en que es preciso brincar, sin descanso, de la afirmación de la pluralidad al reconocimiento de la unidad, y viceversa. Son cabezas pesadas nacidas para existir bajo las perpetuas tiranías de Oriente.

Triunfa hoy sobre toda el área continental una forma de homogeneidad que amenaza consumir por completo aquel tesoro. Dondequiera ha surgido el hombre-masa de que este volumen se ocupa, un tipo de hombre hecho de prisa, montado nada más que sobre unas cuantas y pobres abstracciones y que, por lo mismo, es idéntico de un cabo de Europa al otro. A él se debe el triste aspecto de asfixiante monotonía que va tomando la vida en todo el continente. Este hombre-masa es el hombre previamente vaciado de su propia historia, sin entrañas de pasado y, por lo mismo, dócil a todas las disciplinas llamadas «internacionales». Más que un hombre, es sólo *un* caparazón de hombre constituido por meros *idola fori;* carece de un «dentro», de una intimidad suya, inexorable e inalienable, de un *yo* que no se pueda revocar. De aquí que esté siempre en disponibilidad para fingir ser cualquier cosa. Tiene sólo apetitos, cree que tiene sólo derechos y no cree que tiene obligaciones: es el hombre sin la nobleza que obliga —*sine nobilitate*—, *snob* (1).

Este universal snobismo, que tan claramente aparece, por ejemplo, en el obrero actual, ha cegado las almas para comprender que, si bien toda estructura dada de la vida continental tiene que ser trascendida, ha de hacerse esto sin pérdida grave de su interior pluralidad. Como el snob está vacío de destino propio, como no siente que existe sobre el planeta para hacer algo determinado e incanjeable, es incapaz de entender que hay misiones particulares y especiales mensajes. Por esta razón es hostil al liberalismo, con una hostilidad que se parece a la del sordo hacia la palabra. La libertad ha significado siempre en Europa franquía para ser el que auténticamente somos. Se com-

---

(1) En Inglaterra las listas de vecinos indicaban junto a cada nombre el oficio y rango de la persona. Por eso, junto al nombre de los simples burgueses aparecía la abreviatura *s. nob.;* es decir, sin nobleza. Éste es el origen de la palabra *snob.*

prende que aspire a prescindir de ella quien sabe que no
tiene auténtico quehacer.

Con extraña facilidad, todo el mundo se ha puesto de
acuerdo para combatir y denostar al viejo liberalismo. La
cosa es sospechosa. Porque las gentes no suelen ponerse
de acuerdo si no es en cosas un poco bellacas o un poco
tontas. No pretendo que el viejo liberalismo sea una idea
plenamente razonable: ¡cómo va a serlo si es viejo y si
es *ismo!* Pero sí pienso que es una doctrina sobre la sociedad mucho más honda y cara de lo que suponen sus
detractores colectivistas, que empiezan por desconocerlo.
Hay además en él una intuición de lo que Europa ha sido,
altamente perspicaz.

Cuando Guizot, por ejemplo, contrapone la civilización
europea a las demás, haciendo notar que en ellas no ha
triunfado nunca en forma absoluta ningún principio, ninguna idea, ningún grupo o clase, y que a esto se debe su
crecimiento permanente y su carácter progresivo, no podemos menos de poner el oído atento (1). Este hombre sabe
lo que dice. La expresión es insuficiente porque es negativa, pero sus palabras nos llegan cargadas de visiones
inmediatas. Como del buzo emergente trascienden olores
abisales, vemos que este hombre llega efectivamente del
profundo pasado de Europa donde ha sabido sumergirse.
Es, en efecto, increíble que en los primeros años del siglo XIX, tiempo retórico y de gran confusión, se haya compuesto un libro como la *Histoire de la civilisation en Europe.* Todavía el hombre de hoy puede aprender allí cómo la
libertad y el pluralismo son dos cosas recíprocas y cómo
ambas constituyen la permanente entraña de Europa.

Pero Guizot ha tenido siempre mala prensa, como, en
general, los doctrinarios. A mí no me sorprende. Cuando
veo que hacia un hombre o grupo se dirige fácil e insis-
tente el aplauso, surge en mí la vehemente sospecha de

---

(1) «La coexistence et le combat de principes divers», op. 35.
Guizot. *Histoire de la civilisation en Europe,* pág. 35. En un hombre
tan distinto de Guizot como Ranke encontramos la misma idea: «Tan
pronto como en Europa un principio, sea el que fuere, intenta el dominio absoluto, encuentra siempre una resistencia que sale a oponér-
sele de los más profundos senos vitales.» (*OEuvres complètes,* XXXVIII,
página 110.) En otro lugar (tomos VIII y X, pág. 3): «El mundo europeo se compone de elementos de diverso origen, en cuya ulterior contraposición y lucha vienen precisamente a desarrollarse los cambios de
las épocas históricas.» ¿No hay en estas palabras de Ranke una clara
influencia de Guizot? Un factor que impide ver ciertos estratos profundos de la historia del siglo XIX es que no esté bien estudiado el intercambio de ideas entre Francia y Alemania, digamos desde 1790 a 1830.
Tal vez el resultado de ese estudio revelase que Alemania ha recibido
en esa época mucho más de Francia que inversamente.

que en ese hombre o en ese grupo, tal vez junto a dotes excelentes, hay algo sobremanera impuro. Acaso es esto un error que padezco, pero debo decir que no lo he buscado, sino que lo ha ido dentro de mí decantando la experiencia. De todas suertes, quiero tener el valor de afirmar que este grupo de los doctrinarios, de quien todo el mundo se ha reído y ha hecho mofas escurriles, es, a mi juicio, lo más valioso que ha habido en la política del continente durante el siglo XIX. Fueron los únicos que vieron claramente lo que había que hacer en Europa después de la Gran Revolución, y fueron además hombres que crearon en sus personas un gesto digno y distante, en medio de la chabacanería y la frivolidad creciente de aquel siglo. Rotas y sin vigencia casi todas las normas con que la sociedad presta una continencia al individuo, no podía éste constituirse una dignidad si no la extraía del fondo de sí mismo. Mal puede hacerse esto sin alguna exageración, aunque sea sólo para defenderse del abandono orgiástico en que vivía su contorno. Guizot supo ser, como Buster Keaton, el hombre que no ríe (1). No se abandona jamás. Se condensan en él varias generaciones de protestantes nímeses que habían vivido en perpetuo alerta, sin poder flotar a la deriva en el ambiente social, sin poder abandonarse. Había llegado en ellos a convertirse en un instinto la impresión radical de que existir es resistir, hincar los talones en tierra para oponerse a la corriente. En una época como la nuestra, de puras «corrientes» y abandonos, es bueno tomar contacto con hombres que «no se dejan llevar». Los doctrinarios son un caso excepcional de responsabilidad intelectual, es decir, de lo que más ha faltado a los intelectuales europeos desde 1750, defecto que es, a su vez, una de las causas profundas del presente desconcierto (2).

Pero yo no sé si, aun dirigiéndome a lectores franceses, puedo aludir al doctrinarismo como a una magnitud conocida. Pues se da el caso escandaloso de que no existe un solo libro donde se haya intentado precisar lo que aquel grupo de hombres pensaba (3), como, aunque parezca in-

---

(1) Con cierta satisfacción refiere a madama de Gasparin que, hablando el papa Gregorio XVI con el embajador francés, decía refiriéndose a Guizot: «È un gran ministro. Dicono che non ride mai.» (*Correspondance avec M*^{me} *de Gasparin*, pág. 283.)

(2) Véase del autor: *Discurso de la responsabilidad intelectual.*

(3) Si el lector intenta informarse, se encontrará una y otra vez con la fórmula elusiva de que los doctrinarios no tenían una doctrina idéntica, sino que variaba de uno en otro. Como si esto no aconteciese con toda escuela intelectual y no constituyese la diferencia más importante entre un grupo de hombres y un grupo de gramófonos.

creíble, no hay tampoco un libro medianamente formal
sobre Guizot ni sobre Royer-Collard (1). Verdad es que
ni uno ni otro publicaron nunca un soneto. Pero, en fin,
pensaron hondamente, originalmente, sobre los problemas
más graves de la vida pública europea, y construyeron el
doctrinal político más estimable de toda la centuria. Ni
será posible reconstruir la historia de ésta si no se cobra
intimidad con el modo en que se presentaron las grandes
cuestiones ante estos hombres (2). Su estilo intelectual no
es sólo diferente en especie, sino como de otro género y de
otra esencia que todos los demás triunfantes en Europa
antes y después de ellos. Por eso no se les ha entendido, a
pesar de su clásica claridad. Y, sin embargo, es muy posible que el porvenir pertenezca a tendencias de intelecto
muy parecidas a las suyas. Por lo menos, garantizo a
quien se proponga formular con rigor sistemático las ideas
de los doctrinarios, placeres de pensamiento no esperados
y una intuición de la realidad social y política totalmente
distinta de las usadas. Perdura en ellos activa la mejor
tradición racionalista en que el hombre se compromete consigo mismo a buscar cosas absolutas; pero a diferencia
del racionalismo linfático de enciclopedistas y revolucionarios, que encuentran lo absoluto en abstracciones *bon
marché*, descubren ellos lo histórico como el verdadero absoluto. La historia es la realidad del hombre. No tiene
otra. En ella se ha llegado a hacer tal como es. Negar el
pasado es absurdo e ilusorio, porque el pasado es «lo na-

---

(1) En estos últimos años, M. Charles H. Pouthas ha tomado sobre
sí la fatigosa tarea de despojar los archivos de Guizot y ofrecernos en
una serie de volúmenes un material sin el cual sería imposible emprender la ulterior faena de reconstrucción. Sobre Royer-Collard no hay ni
eso. A la postre resulta que es preciso recurrir a los estudios de Fa-
guet sobre el *idearium* de uno y otro. No hay nada mejor, y aunque son
sumamente vivaces, son por completo insuficientes.

(2) Por ejemplo: nadie puede quedarse con la conciencia tranquila
—se entiende quien tenga «conciencia» intelectual— cuando ha interpre-
tado la política de «resistencia» como pura y simplemente conservadora.
Es demasiado evidente que los hombres Royer-Collard, Guizot, Broglie,
no eran conservadores sin más. La palabra «resistencia», que al aparecer en la cita antedicha de Ranke documenta el influjo de Guizot
sobre este gran historiador, cobra, a su vez, un súbito cambio de sentido y, por decirlo así, nos enseña sus arcanas vísceras cuando en un
discurso de Royer-Collard leemos: «Les libertés publiques ne sont pas
autre chose que des résistances.» (Véase de Barante: *La vie et les discours de Royer-Collard*, II, 130.) He aquí una vez más la mejor inspiración europea reduciendo a dinamismo todo lo estático. El *estado
de libertad* resulta de una pluralidad de fuerzas que mutuamente se
resisten. Pero los discursos de Royer-Collard son hoy tan poco leídos,
que sonará a impertinencia si digo que son maravillosos, que su lectura
es una pura delicia de intelección, que es divertida y hasta regocijada,
y que constituyen la última manifestación del mejor estilo cartesiano.

tural del hombre y vuelve al galope». El pasado no está ahí y no se ha tomado el trabajo de pasar para que lo neguemos, sino para que lo integremos (1). Los doctrinarios despreciaban los «derechos del hombre» porque son absolutos «metafísicos», abstracciones e irrealidades. Los verdaderos derechos son los que absolutamente están ahí, porque han ido apareciendo y consolidándose en la historia: tales son las «libertades», la legitimidad, la magistratura, las «capacidades». De alentar hoy, hubieran reconocido el derecho a la huelga (no política) y el contrato colectivo. A un inglés le parecería todo esto lo más obvio; pero los continentales no hemos llegado todavía a esa estación. Tal vez desde el tiempo de Alcuino, vivimos cincuenta años, cuando menos, retrasados respecto a los ingleses.

Parejo desconocimiento del viejo liberalismo padecen los colectivistas de ahora cuando suponen, sin más ni más, como cosa incuestionable, que era individualista. En todos estos temas andan, como he dicho, las nociones sobremanera turbias. Los rusos de estos años pasados solían llamar a Rusia «el Colectivo». ¿No sería interesante averiguar qué ideas o imágenes se desperezaban al conjuro de ese vocablo en la mente un tanto gaseosa del hombre ruso que tan frecuentemente, como el capitán italiano de que habla Goethe, «bisogna aver una confusione nella testa»? Frente a todo ello, yo rogaría al lector que tomase en cuenta, no para aceptarlas, sino para que sean discutidas y pasen luego a sentencia, las tesis siguientes:

Primera. El liberalismo individualista pertenece a la flora del siglo XVIII; inspira, en parte, la legislación de la Revolución francesa; pero muere con ella.

Segunda. La creación característica del siglo XIX ha sido precisamente el colectivismo. Es la primera idea que inventa apenas nacido y que, a lo largo de sus cien años, no ha hecho sino crecer hasta inundar todo el horizonte.

Tercera. Esta idea es la de origen francés. Aparece por primera vez en los archirreaccionarios De Bonald y De Maistre. En lo esencial es inmediatamente, aceptada por todos, sin más excepción que Benjamín Constant, un «retrasado» del siglo anterior. Pero triunfa en Saint-Simon, en Ballanche, en Comte y pulula dondequiera (2).

---

(1) Véase el citado ensayo del autor *Historia como sistema*.
(2) Pretenden los alemanes ser ellos los descubridores de lo social como realidad distinta de los individuos y «anterior» a éstos. El *Bolksgeist* les parece una de sus ideas más autóctonas. Éste es uno de los casos que más recomiendan el estudio minucioso del intercambio intelectual francogermánico de 1790 a 1830, a que en nota anterior me

Por ejemplo, un médico de Lyón, M. Amard, hablará en
1821 del *collectivisme* frente al *personnalisme* (1). Léanse
los artículos que en 1830 y 1831 publica *L'Avenir* contra
el individualismo.

Pero más importante que todo esto es otra cosa. Cuando, avanzando por la centuria, llegamos hasta los grandes
teorizadores del liberalismo —Stuart Mill o Spencer—, nos
sorprende que su presunta defensa del individuo no se
basa en mostrar que la libertad beneficia o interesa a éste,
sino todo lo contrario, en que beneficia e interesa a la
sociedad. El aspecto agresivo del título que Spencer esco-
ge para su libro —*El individuo contra el Estado*— ha sido
causa de que lo malentiendan tercamente los que no leen
de los libros más que los títulos. Porque individuo y Estado significan en este título dos meros órganos de un
único sujeto —la sociedad—. Y lo que se discute es si
ciertas necesidades sociales son mejor servidas por uno
u otro órgano. Nada más. El famoso «individualismo» de
Spencer boxea continuamente dentro de la atmósfera co-
lectivista de su sociología. Resulta, a la postre, que tanto
él como Stuart Mill tratan a los individuos con la misma
crueldad socializante que los termites a ciertos de sus congéneres, a los cuales ceban para chuparles luego la sustancia. ¡Hasta ese punto era la primacía de lo colectivo,
el fondo por sí mismo evidente sobre que ingenuamente
danzaban sus ideas!

De donde se colige que mi defensa lohengrinesca del viejo liberalismo es por completo desinteresada y gratuita.
Porque es el caso que yo no soy un «viejo liberal». El
descubrimiento —sin duda glorioso y esencial— de lo social, de lo colectivo, era demasiado reciente. Aquellos hombres palpaban, más que veían, el hecho de que la colectividad es una realidad distinta de los individuos y de su
simple suma, pero no sabían bien en qué consistía y cuáles eran sus efectivos atributos. Por otra parte, los fenómenos sociales del tiempo camuflaban la verdadera economía de la colectividad, porque entonces convenía a ésta

---

refiero. Pero el término *Volksgeist* muestra demasiado claramente que
es la traducción del volteriano *esprit des nations*. El origen francés
del colectivismo no es una casualidad y obedece a las mismas causas que
hicieron de Francia la cuna de la sociología y de su rebrote hacia 1890
(Durkheim).

(1) Véase *Doctrine de Saint-Simon*, con introducción y notas de
C. Bouglé y E. Halévy (pág. 204, nota). Aparte de que esta exposición
del sansimonismo, hecha en 1829, es una obra de las más geniales del
siglo, la labor acumulada en las notas por los señores Bouglé y Halévy
constituye una de las contribuciones más importantes que yo conozco a
la efectiva aclaración del alma europea entre 1800 y 1830.

ocuparse en cebar bien a los individuos. No había aún llegado la hora de la nivelación, de la expoliación y del reparto en todos los órdenes.

De aquí que los «viejos liberales» se abriesen sin suficientes precauciones al colectivismo que respiraban. Mas cuando se ha visto con claridad lo que en el fenómeno social, en el hecho colectivo, simplemente y como tal, hay, por un lado, de beneficio, pero, por otro, de terrible, de pavoroso, sólo puede uno adherir a un liberalismo de estilo radicalmente nuevo, menos ingenuo y de más diestra beligerancia, un liberalismo que está germinando ya, próximo a florecer en la línea misma del horizonte.

Ni era posible que, siendo estos hombres, como eran, de sobra perspicaces, no entreviesen de cuando en cuando las angustias que su tiempo nos reservaba. Contra lo que suele creerse, ha sido normal en la historia que el porvenir sea profetizado (1). En Macaulay, en Tocqueville, en Comte, encontramos predibujada nuestra hora. Véase, por ejemplo, lo que hace más de ochenta años escribía Stuart Mill: «Aparte las doctrinas particulares de pensadores individuales, existe en el mundo una fuerte y creciente inclinación a extender en forma extrema el poder de la sociedad sobre el individuo, tanto por medio de la fuerza de la opinión como por la legislativa. Ahora bien: como todos los cambios que se operan en el mundo tienen por efecto el aumento de la fuerza social y la disminución del poder individual, este desbordamiento no es un mal que tienda a desaparecer espontáneamente, sino, al contrario, tiende a hacerse cada vez más formidable. La disposición de los hombres, sea como soberanos, sea como conciudadanos, a imponer a los demás como regla de conducta su opinión y sus gustos, se halla tan enérgicamente sustentada por algunos de los mejores y algunos de los peores sentimientos inherentes a la naturaleza humana, que casi nunca se contiene más que por faltarle poder. Y como el poder no parece hallarse en vía de declinar, sino de crecer, debemos esperar, a menos que una fuerte barrera de convicción moral no se eleve contra el mal, debemos esperar, digo, que en las condiciones presentes del mundo esta disposición no hará sino aumentar» (2).

_____

(1) Obra fácil y útil, que alguien debería emprender, fuera reunir los pronósticos que en cada época se han hecho sobre el próximo porvenir. Yo he coleccionado los suficientes para quedar estupefacto ante el hecho de que haya habido siempre algunos hombres que preveían el futuro.

(2) Stuart Mill, *La liberté*, trad. Dupont-White (págs. 131-132).

Pero lo que más nos interesa en Stuart Mill es su preocupación por la homogeneidad de mala clase que veía crecer en todo Occidente. Esto le hace acogerse a un gran pensamiento emitido por Humboldt en su juventud. Para que lo humano se enriquezca, se consolide y se perfeccione, es necesario, según Humboldt, que exista «variedad de situaciones» (1). Dentro de cada nación, y tomando en conjuro las naciones, es preciso que se den circunstancias diferentes. Así, al fallar una, quedan otras posibilidades abiertas. Es insensato poner la vida europea a una sola carta, a un solo tipo de hombre, a una idéntica «situación». Evitar esto ha sido el secreto acierto de Europa hasta el día, y la conciencia de este secreto es la que, clara o balbuciente, ha movido siempre los labios del perenne liberalismo europeo. En esa conciencia se reconoce a sí misma, como valor positivo, como bien y no como mal, la pluralidad continental Me importaba aclarar esto para que no se tergiversase la idea de una supernación europea que este volumen postula.

Tal y como vamos, con mengua progresiva de la «variedad de situaciones», nos dirigimos en vía recta hacia el Bajo Imperio. También fue aquél un tiempo de masas y de pavorosa homogeneidad. Ya en tiempo de los Antoninos se advierte claramente un extraño fenómeno, menos subrayado y analizado de lo que debiera: los hombres se han vuelto estúpidos. El proceso venía de tiempo atrás. Se ha dicho, con alguna razón, que el estoico Posidonio, maestro de Cicerón, es el último hombre antiguo capaz de colocarse ante los hechos con la mente porosa y activa, dispuesto a investigarlos. Después de él, las cabezas se obliteran y, salvo los alejandrinos, no van a hacer más que repetir, estereotipar.

Pero el síntoma y documento más terrible de esta forma, a un tiempo homogénea y estúpida —y lo uno por lo otro— que adopta la vida de un cabo a otro del Imperio, está donde menos se podía esperar y donde todavía, que yo sepa, nadie la ha buscado: en el idioma. La lengua, que no nos sirve para decir suficientemente lo que cada uno quisiéramos decir, revela, en cambio, y grita, sin que lo queramos, la condición más arcana de la sociedad que la habla. En la porción no helenizada del pueblo romano, la lengua vigente es la que se ha llamado «latín vulgar», matriz de nuestros romances. No se conoce bien este latín vulgar y, en buena parte, sólo se llega a él por recons-

_____

(1) *Gesammelte Schriften*, I, 106.

trucciones. Pero lo que se conoce basta y sobra para que nos produzcan espanto dos de sus caracteres. Uno es la increíble simplificación de su mecanismo gramatical en comparación con el latín clásico. La sabrosa complejidad indoeuropea, que conservaba el lenguaje de las clases superiores, quedó suplantada por un habla plebeya, de mecanismo muy fácil, pero a la vez, o por lo mismo, pesadamente mecánico, como material; gramática balbuciente y perifrástica, de ensayo y rodeo, como la infantil. Es, en efecto, una lengua pueril o *gaga*, que no permite la fina arista del razonamiento ni líricos tornasoles. Es una lengua sin luz ni temperatura, sin evidencia y sin calor de alma, una lengua triste que avanza a tientas. Los vocablos parecen viejas monedas de cobre, mugrientas y sin rotundidad, como hartas de rodar por las tabernas mediterráneas. ¡Qué vidas evacuadas de sí mismas, desoladas, condenadas a eterna cotidianeidad, se adivinan tras este seco artefacto lingüístico!

El otro carácter aterrador del latín vulgar es precisamente su homogeneidad. Los lingüistas, que acaso son, después de los aviadores, los hombres menos dispuestos a asustarse de cosa alguna, no parecen inmutarse ante el hecho de que hablasen lo mismo países tan dispares como Cartago y Galia, Tingitania y Dalmacia, Hispania y Rumania. Yo, en cambio, que soy bastante tímido, que tiemblo cuando veo cómo el viento fatiga unas cañas, no puedo reprimir ante ese hecho un estremecimiento medular. Me parece, sencillamente, atroz. Verdad es que trato de representarme cómo era por dentro eso que mirado desde fuera nos aparece, tranquilamente, como homogeneidad; procuro descubrir la realidad viviente de que ese hecho es la quieta impronta. Consta, claro está, que había africanismos, hispanismos, galicismos. Pero al constar esto quiere decirse que el torso de la lengua era común e idéntico, a pesar de las distancias, del escaso intercambio, de la dificultad de comunicaciones y de que no contribuía a fijarlo una literatura. ¿Cómo podían venir a coincidencia el celtíbero y el belga, el vecino de Hipona y el de Lutecia, el mauritano y el dacio, sino en virtud de un achatamiento general, reduciendo la existencia a su base, nulificando sus vidas? El latín vulgar está ahí en los archivos, como un escalofriante petrefacto, testimonio de que una vez la historia agonizó bajo el imperio homogéneo de la vulgaridad por haber desaparecido la fértil «variedad de situaciones».

IV

Ni este volumen ni yo somos políticos. El asunto de que aquí se habla es previo a la política y pertenece a su subsuelo. Mi trabajo es oscura labor subterránea de minero. La misión del llamado «intelectual» es, en cierto modo, opuesta a la del político. La obra intelectual aspira, con frecuencia en vano, a aclarar un poco las cosas, mientras que la del político suele, por el contrario, consistir en confundirlas más de lo que estaban. Ser de la izquierda es, como ser de la derecha, una de las infinitas maneras que el hombre puede elegir para ser un imbécil: ambas, en efecto, son formas de la hemiplejía moral. Además, la persistencia de estos calificativos contribuye no poco a falsificar más aún la «realidad» del presente, ya falsa de por sí, porque se ha rizado el rizo de las experiencias políticas a que responden, como lo demuestra el hecho de que hoy las derechas prometen revoluciones y las izquierdas proponen tiranías.

Hay obligación de trabajar sobre las cuestiones del tiempo. Esto, sin duda. Y yo lo he hecho toda mi vida. He estado siempre en la brecha. Pero una de las cosas que ahora *se* dicen —una «corriente»— es que, incluso a costa de la claridad mental, todo el mundo tiene que hacer política *sensu stricto*. Lo dicen, claro está, los que no tienen otra cosa que hacer. Y hasta lo corroboran citando de Pascal el imperativo *d'abêtissement.* Pero hace mucho tiempo que he aprendido a ponerme en guardia cuando alguien cita a Pascal. Es una cautela de higiene elemental.

El politicismo integral, la absorción de todas las cosas y de todo el hombre por la política, es una y misma cosa con el fenómeno de rebelión de las masas que aquí se describe. La masa en rebeldía ha perdido toda capacidad de religión y de conocimiento. No puede tener dentro más que política, una política exorbitada, frenética, fuera de sí, puesto que pretende suplantar al conocimiento, a la religión, a la *sagesse* —en fin, a las únicas cosas que por su sustancia son aptas para ocupar el centro de la mente humana—. La política vacía al hombre de soledad e intimidad, y por eso es la predicación del politicismo integral una de las técnicas que se usan para socializarlo.

Cuando alguien nos pregunta qué somos en política o, anticipándose con la insolencia que pertenece al estilo de nuestro tiempo, nos adscribe a una, en vez de responder, debemos preguntar al impertinente qué piensa él que es el hombre y la naturaleza y la historia, qué es la sociedad y el individuo, la colectividad, el Estado, el uso, el derecho. La política se apresura a apagar las luces para que todos estos gatos resulten pardos.

Es preciso que el pensamiento europeo proporcione sobre todos estos temas nueva claridad. Para eso está ahí, no para hacer la rueda del pavo real en las reuniones académicas. Y es preciso que lo haga pronto, o, como Dante decía, que encuentre la salida:

> *... studiate il passo*
> *mentre che l'Occidente non s'annera.*

> (*Purg.*, XXVII, 62-63.)

Eso sería lo único de que podría esperarse con alguna vaga probabilidad la solución del tremendo problema que las masas actuales plantean.

Este volumen no pretende, ni de muy lejos, nada parecido. Como sus últimas palabras hacen constar, es sólo una primera aproximación al problema del hombre actual. Para hablar sobre él más en serio y más a fondo, no habría más remedio que ponerse en traza abismática, vestirse la escafandra y descender a lo más profundo del hombre. Esto hay que hacerlo sin pretensiones, pero con decisión, y yo lo he intentado en un libro próximo a aparecer en otros idiomas bajo el título *El hombre y la gente*.

Una vez que nos hemos hecho bien cargo de cómo es este tipo humano hoy dominante, y que he llamado el hombre-masa, es cuando se suscitan las interrogaciones más fértiles y más dramáticas. ¿Se puede reformar este tipo de hombre? Quiero decir: los graves defectos que hay en él, tan graves que si no se los extirpa producirán de modo inexorable la aniquilación de Occidente, ¿toleran ser corregidos? Porque, como verá el lector, se trata precisamente de un hombre hermético, que no está abierto de verdad a ninguna instancia superior.

La otra pregunta decisiva, de la que, a mi juicio, depende toda posibilidad de salud, es ésta: ¿Pueden las masas, aunque quisieran, despertar a la vida personal? No cabe desarrollar aquí el tremebundo tema, porque está demasiado virgen. Los términos en que hay que plantearlo no constan en la conciencia pública. Ni siquiera está esbozado el estudio del distinto margen de individualidad que cada época del pasado ha dejado a la existencia humana. Porque es pura inercia mental del «progresismo» suponer que conforme avanza la historia crece la holgura que se concede al hombre para poder ser individuo personal, como

creía el honrado ingeniero, pero nulo historiador, Herbert
Spencer. No; la historia está llena de retrocesos en este
orden, y acaso la estructura de la vida en nuestra época
impide superlativamente que el hombre pueda vivir como
persona.

Al contemplar en las grandes ciudades esas inmensas
aglomeraciones de seres humanos que van y vienen por
sus calles y se concentran en festivales y manifestaciones
políticas, se incorpora en mí, obsesionante, este pensamiento: ¿Puede hoy un hombre de veinte años formarse
un proyecto de vida que tenga figura individual y que,
por lo tanto, necesitaría realizarse mediante sus iniciati-
vas independientes, mediante sus esfuerzos particulares?
Al intentar el despliegue de esta imagen en su fantasía,
¿no notará que es, si no imposible, casi improbable, porque no hay a su disposición espacio en que poder alojarla
y en que poder moverse según su propio dictamen? Pronto
advertirá que su proyecto tropieza con el prójimo, como
la vida del prójimo aprieta la suya. El desánimo le llevará, con la facilidad de adaptación propia de su edad, a
renunciar, no sólo a todo acto, sino hasta a todo deseo
personal, y buscará la solución opuesta: imaginará para sí
una vida *standard*, compuesta de *desiderata* comunes a
todos, y verá que para lograrla tiene que solicitarla o exi-
girla en colectividad con los demás. De aquí la acción
en masa.

La cosa es horrible, pero no creo que exagera la situación efectiva en que van hallándose casi todos los europeos. En una prisión donde se han amontonado muchos
más presos de los que caben, ninguno puede mover un
brazo ni una pierna por propia iniciativa, porque chocaría
con los cuerpos de los demás. En tal circunstancia, los
movimientos tienen que ejecutarse en común, y hasta los
músculos respiratorios tienen que funcionar a ritmo de
reglamento. Esto sería Europa convertida en termitera.
Pero ni siquiera esta cruel imagen es una solución. La
termitera humana es imposible, porque fue el llamado
«individualismo» el que enriqueció al mundo y a *todos* en
el mundo, y fue esta riqueza la que prolificó tan fabulosamente la planta humana. Cuando los restos de ese «individualismo» desaparecieran, haría su reaparición en Europa el famelismo gigantesco del Bajo Imperio, y la termitera sucumbiría como al soplo de un dios torvo y
vengativo. Quedarían muchos menos hombres, que lo se-
rían un poco más.

Ante el feroz patetismo de esta cuestión que, queramos
o no, está ya a la vista, el tema de la «justicia social»,

con ser tan respetable, empalidece y se degrada hasta parecer retórico e insincero suspiro romántico. Pero, al mismo tiempo, orienta sobre los caminos acertados para conseguir lo que de esa «justicia social» es posible y es justo conseguir, caminos que no parecen pasar por una miserable socialización, sino dirigirse en vía recta hacia un magnánimo solidarismo. Este último vocablo es, por lo demás, inoperante, porque hasta la fecha no se ha condensado en él un sistema enérgico de ideas históricas y sociales; antes bien, rezuma sólo vagas filantropías.

La primera condición para un mejoramiento de la situación presente es hacerse bien cargo de su enorme dificultad. Sólo esto nos llevará a atacar el mal en los estratos hondos donde verdaderamente se origina. Es, en efecto, muy difícil salvar una civilización cuando le ha llegado la hora de caer bajo el poder de los demagogos. Los demagogos han sido los grandes estranguladores de civilizaciones. La griega y la romana sucumbieron a manos de esta fauna repugnante que hacía exclamar a Macaulay: «En todos los siglos, los ejemplos más viles de la naturaleza humana se han encontrado entre los demagogos» (1). Pero no es un hombre demagogo simplemente porque se ponga a gritar ante la multitud. Esto puede ser en ocasiones una magistratura sacrosanta. La demagogia esencial del demagogo está dentro de su mente y radica en su irresponsabilidad ante las ideas mismas que maneja y que él no ha creado, sino recibido de los verdaderos creadores. La demagogia es una forma de degeneración intelectual que, como amplio fenómeno de la historia europea, aparece en Francia hacia 1750 (2). ¿Por qué entonces? ¿Por qué en Francia? Éste es uno de los puntos neurálgicos del destino occidental y, especialmente, del destino francés.

Ello es que desde entonces cree Francia, y por irradiación de ella casi todo el continente, que el método para resolver los grandes problemas humanos es el método de la revolución, entendiendo por tal lo que ya Leibniz llamaba una «revolución general» (3), la voluntad de trans-

---

(1) *Histoire de Jacques II*, I, 643.

(2) Me he permitido aventurar algunas indicaciones sobre este punto en el *Discurso de la responsabilidad intelectual*.

(3) «Je trouve même que des opinions approchantes s'insinuant peu à peu dans l'esprit des hommes du grand monde, qui règlent les autres et dont dépendent les affaires, et se glissant dans les livres à la mode disposent toutes choses à la révolution générale dont l'Europe est menacée.» (*Nouveaux Essais sur l'entendement humain*, t. IV, cap. XVI. Lo cual demuestra dos cosas. Primera: que un hombre hacia 1700, fecha aproximada en que Leibniz escribía esto, era capaz de prever lo que

formar de un golpe todo y en todos los géneros (1). Merced a ello, esta maravilla que es Francia llega en malas condiciones a la difícil coyuntura del presente. Porque ese país tiene o cree que tiene una tradición revolucionaria. Y si ser revolucionario es ya cosa grave, ¡cuán más serlo, paradójicamente, por tradición! Es cierto que en Francia se ha hecho una gran revolución y varias torvas o ridículas; pero si nos atenemos a la verdad desnuda de los anales, lo que encontramos es que esas revoluciones han servido principalmente para que durante todo un siglo, salvo unos días o unas semanas, Francia haya vivido más que ningún otro pueblo bajo formas políticas, en una u otra dosis, autoritarias y contrarrevolucionarias. Sobre todo, el gran bache moral de la historia francesa que fueron los veinte años del Segundo Imperio, se debió bien claramente a la botaratería de los revolucionarios de 1848 (2), gran parte de los cuales confesó el propio Raspail que habían sido antes clientes suyos.

En las revoluciones intenta la abstracción sublevarse contra lo concreto; por eso es consustancial a las revoluciones el fracaso. Los problemas humanos no son, como los astronómicos, o los químicos, abstractos. Son problemas de máxima concreción, porque son históricos. Y el único método de pensamiento que proporciona alguna probabilidad de acierto en su manipulación es la «razón histórica». Cuando se contempla panorámicamente la vida pública de Francia durante los últimos ciento cincuenta años, salta a la vista que sus geómetras, sus físicos y sus médicos se han equivocado casi siempre en sus juicios políticos, y que han sabido, en cambio, acertar sus historiadores. Pero el racionalismo fisicomatemático ha sido en Francia demasiado glorioso para que no tiranice a la opinión pública. Malebranche rompe con un amigo suyo porque vio sobre su mesa un Tucídides (3).

---

un siglo después aconteció. Segunda: que los males presentes de Europa se originan en regiones más profundas cronológicas y virtualmente de lo que suele presumirse.

(1)   «... notre siècle qui se croit destiné à changer les lois en tout genre...» (D'Alembert, *Discours préliminaire à l'Encyclopédie. Œuvres*, I, 56, 1821.)

(2)   «Cette honnête, irréprochable, mais imprévoyante et superficielle révolution de 1848 eut pour conséquence au bout de moins d'un an, de donner le pouvoir à l'élément les plus pesant, le moins clairvoyant, le lus obstinément conservateur de notre pays.» (Renán, *Questions contemporaines*, XVI.) Renán, que en 1848 era joven y simpático con aquel movimiento, se ve en su madurez obligado a hacer algunas reservas benévolas a su favor, suponiendo que fue «honrado e irreprochable».

(3)   J. R. Carré, *La philosophie de Fontinelle*, pág. 143.

Estos meses pasados, empujando mi soledad por las calles de París, caía en la cuenta de que yo no conocía en
verdad a nadie de la gran ciudad, salvo las estatuas. Algunas de éstas, en cambio, son viejas amistades, antiguas
incitaciones o perennes maestros de mi intimidad. Y como
no tenía con quién hablar, he conversado con ellas sobre
grandes temas humanos. No sé si algún día saldrán a la
luz estas «Conversaciones con estatuas», que han dulcifi-
cado una etapa dolorosa y estéril de mi vida. En ellas se
razona con el marqués de Condorcet, que está en el Quai
Conti, sobre la peligrosa ideal del progreso. Con el pequeño busto de Comte que hay en su departamento de la
rue Monsieur-le-Prince he hablado sobre el *pouvoir spirituel*, insuficientemente ejercido por mandarines literarios
y por una Universidad que ha quedado por completo ex-
céntrica a la efectiva vida de las naciones. Al propio
tiempo he tenido el honor de recibir el encargo de un
enérgico mensaje que ese busto dirige al otro, al grande,
erigido en la plaza de la Sorbona, y que es el busto del
falso Comte, del oficial, del de Littré. Pero era natural
que me interesase sobre todo escuchar una vez más la palabra de nuestro sumo maestro Descartes, el hombre a
quien más debe Europa.

El puro azar que zarandea mi existencia ha hecho que
redacte estas líneas teniendo a la vista el lugar de Holanda que habitó en 1642 el nuevo descubridor de la
raison. Este lugar, llamado Endegeest, cuyos árboles dan
sombra a mi ventana, es hoy un manicomio. Dos veces al
día —y en amonestadora proximidad— veo pasar los idio-
tas y los dementes que orean un rato a la intemperie su
malograda hombría.

Tres siglos de experiencia «racionalista» nos obligan a
recapacitar sobre el esplendor y los límites de aquella prodigiosa *raison* cartesiana. Esta *raison* es sólo matemática,
física, biológica. Sus fabulosos triunfos sobre la naturaleza, superiores a cuanto pudiera soñarse, subrayan tanto
más su fracaso ante los asuntos propiamente humanos e
invitan a integrarla en otra razón más radical, que es la
«razón» histórica (1).

Ésta nos muestra la vanidad de toda revolución general,
de todo lo que sea intentar la transformación súbita de
una sociedad y comenzar de nuevo la historia, como pre-
tendían los confusionarios del 89. Al método de la revolución opone el único digno de la larga experiencia que el
europeo actual tiene a su espalda. Las revoluciones, tan

---

(1) Véase *Historia como sistema.*

incontinentes en su prisa, hipócritamente generosa, de proclamar derechos, han violado siempre, hollado y roto el
derecho fundamental del hombre, tan fundamental, que es
la definición misma de su sustancia: el derecho a la continuidad. La única diferencia radical entre la historia humana y la «historia natural» es que aquélla no puede
nunca comenzar de nuevo. Köhler y otros han mostrado
cómo el chimpancé y el orangután no se diferencia del
hombre por lo que, hablando rigorosamente, llamamos inteligencia, sino porque tienen mucha menos memoria que
nosotros. Las pobres bestias se encuentran cada mañana
con que han olvidado casi todo lo que han vivido el día
anterior, y su intelecto tiene que trabajar sobre un mínimo material de experiencias. Parejamente, el tigre de hoy
es idéntico al de hace seis mil años, porque cada tigre
tiene que empezar de nuevo a ser tigre, como si no hubiese
habido antes ninguno. El hombre, en cambio, merced a su
poder de recordar, acumula su propio pasado, lo posee y
lo aprovecha. El hombre no es nunca un primer hombre:
comienza desde luego a existir sobre cierta altitud de pretérito amontonado. Éste es el tesoro único del hombre, su
privilegio y su señal. Y la riqueza menor de ese tesoro
consiste en lo que de él parezca acertado y digno de con-
servarse: lo importante es la memoria de los errores, que
nos permite no cometer los mismos siempre. El verdadero
tesoro del hombre es el tesoro de sus errores, la larga experiencia vital decantada gota a gota en milenios. Por
eso Nietzsche define el hombre superior como el ser «de
la más larga memoria».

Romper la continuidad con el pasado, querer comenzar
de nuevo, es aspirar a descender y plagiar al orangután.
Me complace que fuera un francés, Dupont-Withe, quien,
hacia 1860, se atreviese a clamar: «La continuité est un
droit de l'homme: elle est un hommage à tout ce qui le
distingue de la bête» (1).

Delante de mí está un periódico donde acabo de leer el
relato de las fiestas con que ha celebrado Inglaterra la
coronación del nuevo rey. Se dice que desde hace mucho
tiempo la monarquía inglesa es una institución meramente simbólica. Esto es verdad, pero diciéndolo así dejamos
escapar lo mejor. Porque, en efecto, la monarquía no ejerce en el Imperio británico ninguna función material y
papable. Su papel no es gobernar, ni administrar la justicia, ni mandar el ejército. Mas no por esto es una insti-

---

(1) En su prólogo a su traducción de *La liberté*, de Stuard Mill,
página 44.

tución vacía, vacante de servicio. La monarquía en Inglaterra ejerce una función determinadísima y de alta
eficacia: la de simbolizar. Por eso el pueblo inglés, con
deliberado propósito, ha dado ahora inusitada solemnidad
al rito de la coronación. Frente a la turbulencia actual del
continente, ha querido afirmar las normas permanentes
que regulan su vida. Nos ha dado una lección más. Como
siempre, ya que siempre pareció Europa un tropel de pueblos —los continentales, llenos de genio, pero exentos de
serenidad, nunca maduros, siempre pueriles, y al fondo,
detrás de ellos, Inglaterra... como la *nurse* de Europa.

Éste es el pueblo que siempre ha llegado antes al porvenir, que se ha anticipado a todos en casi todos los órdenes. Prácticamente deberíamos omitir el *casi*. Y he aquí
que este pueblo nos obliga, con cierta impertinencia del
más puro *dandysmo*, a presenciar un vetusto ceremonial y
a ver cómo actúan —porque no han dejado nunca de ser
actuales— los más viejos y mágicos trabajos de su historia, la corona y el cetro, que entre nosotros rigen sólo al
azar de la baraja. *El inglés tiene empeño en hacernos
constar que su pasado, precisamente porque ha pasado,
porque le ha pasado a él, sigue existiendo para él.* Desde
un futuro al cual no hemos llegado, nos muestra la vigencia lozana de su pretérito (1). Este pueblo circula por
todo su tiempo, es verdaderamente señor de sus siglos, que
conserva con activa posesión. Y esto es ser un pueblo de
hombres: poder hoy seguir en su ayer sin dejar por eso
de vivir para el futuro; poder existir en el verdadero
presente, ya que el presente es sólo la presencia del pasado y del porvenir, el lugar donde pretérito y futuro
efectivamente existen.

Con las fiestas simbólicas de la coronación, Inglaterra
ha opuesto, una vez más, al método revolucionario el método de la continuidad, el único que puede evitar en la
marcha de las cosas humanas ese aspecto patológico que
hace de la historia una lucha ilustre y perenne entre los
paralíticos y los epilépticos.

---

(1) No es una simple manera de hablar, sino que es verdad al pie de
la letra, puesto que vale en el orden donde la palabra «vigencia» tiene
hoy su sentido más inmediato, a saber: en el derecho. En Inglaterra,
«aucune barrière entre le présent et le passé. Sans discontinuité,
le droit positif remonte dans l'histoire jusqu'aux temps immémoriaux.
Le droit anglais est un droit *historique*. Juridiquement parlant, il n'y
a pas d'*ancien droit anglais*». «Donc en Angleterre, tout le droit est
actuel, quel qu'en soit l'âge.» (Lévy-Ullmann: *Le système juridique de
l'Angleterre*, I, págs. 38-39.)

V

Como en estas páginas se hace la anatomía del hombre
hoy dominante, procedo partiendo de su aspecto externo,
por decirlo así, de su piel, y luego penetro un poco más
en dirección hacia sus vísceras. De aquí que sean los primeros capítulos los que han caducado más. La piel del
tiempo ha cambiado. El lector debería, al leerlos, retro-
traerse a los años 1926-1928. Ya ha comenzado la crisis
en Europa, pero aún parece una de tantas. Todavía se
sienten las gentes en plena seguridad. Todavía gozan de
los lujos de la inflación. Y, sobre todo, se pensaba: ¡ahí
está América! Era la América de la fabulosa *prosperity*.
   Lo único que cuanto va dicho en estas páginas que me
inspira algún orgullo, es no haber padecido el inconcebible
error de óptica que entonces sufrieron casi todos los europeos, incluso los mismos economistas. Porque no conviene
olvidar que entonces se pensaba muy en serio que los americanos habían descubierto otra organización de la vida
que anulaba para siempre las perpetuas plagas humanas
que son las crisis. A mí me sonrojaba que los europeos,
inventores de lo más alto que hasta ahora se ha inventado
—el sentido histórico— mostrasen en aquella ocasión ca-
recer de él por completo. El viejo lugar común de que
América es el porvenir, había nublado un momento su
perspicacia. Tuve entonces el coraje de oponerme a semejante desliz, sosteniendo que América, lejos de ser el porvenir, era en realidad un remoto pasado, porque era primitivismo. Y, también contra lo que se cree, lo era y lo
es mucho más América del Norte que la América del Sur,
la hispánica. Hoy la cosa va siendo clara, y los Estados
Unidos no envían ya al viejo continente señoritas para
—como una me decía a la sazón— «convencerse de que
en Europa no hay nada interesante» (1).
   Haciéndome a mí mismo violencia, he aislado en este
casi libro, del problema total que es para el hombre, y aun
especialmente para el hombre europeo su inmediato porvenir, un solo factor: la caracterización del hombre medio que hoy va adueñándose de todo. Esto me ha obligado
a un duro ascetismo, a la abstención de expresar mis convicciones sobre cuanto toco de paso. Más aún: a presentar
con frecuencia las cosas en forma que, si era la más favorable para aclarar el tema exclusivo de este estudio,

---

(1)   Véase el ensayo *Hegel y América*, 1928, y los artículos sobre *Los
Estados Unidos* publicados poco después.

era la peor para dejar ver mi opinión sobre esas cosas.
Baste señalar una cuestión, aunque fundamental. He me-
dido al hombre medio actual en cuanto a su capacidad
para continuar la civilización moderna y en cuanto a su
adhesión a la cultura. Cualquiera diría que esas dos cosas
—la civilización y la cultura— no son para mí cuestión.
La verdad es que ellas son precisamente lo que pongo en
cuestión casi desde mis primeros escritos. Pero yo no
debía complicar los asuntos. Cualquiera que sea nuestra
actitud ante la civilización y la cultura, está ahí, como un
factor de primer orden con que hay que contar, la ano-
malía representada por el hombre-masa. Por eso urgía
aislar crudamente sus síntomas.

No debe, pues, el lector francés esperar más de este volumen, que no es, a la postre, sino un ensayo de serenidad
en medio de la tormenta.

JOSÉ ORTEGA Y GASSET.

«Het Witte Huis», Oegstgeest. Holanda, mayo 1937.

PRIMERA PARTE

LA REBELIÓN DE LAS MASAS

I

EL HECHO DE LAS AGLOMERACIONES (1)

Hay un hecho que, para bien o para mal, es el más importante en la vida pública europea de la hora presente. Este hecho es el advenimiento de las masas al pleno poderío social. Como las masas, por definición, no deben ni pueden dirigir su propia existencia, y menos regentar la sociedad, quiere decirse que Europa sufre ahora la más grave crisis que a pueblos, naciones, culturas, cabe padecer. Esta crisis ha sobrevenido más de una vez en la historia. Su fisonomía y sus consecuencias son conocidas. También se conoce su nombre. Se llama la rebelión de las masas.

Para la inteligencia del formidable hecho conviene que se evite dar desde luego a las palabras «rebelión», «masas», «poderío social», etc., un significado exclusiva o primariamente político. La vida pública no es sólo política, sino, a la par y aun antes, intelectual, moral, económica, religiosa; comprende los usos todos colectivos e incluye el modo de vestir y el modo de gozar.

Tal vez la mejor manera de acercarse a este fenómeno histórico consista en referirnos a una experiencia visual, subrayando una facción de nuestra época que es visible con los ojos de la cara.

Sencillísima de enunciar, aunque no de analizar, yo la denomino el hecho de la aglomeración, del «lleno». Las ciudades están llenas de gente. Las casas, llenas de inqui-

---

(1) En mi libro *España invertebrada*, publicado en 1921; en un artículo de *El Sol*, titulado *Masas* (1926), y en dos conferencias dadas en la Asociación de Amigos del Arte, en Buenos Aires (1928), me he ocupado del tema que el presente ensayo desarrolla. Mi propósito ahora es recoger y completar lo ya dicho por mí, de manera que resulte una doctrina orgánica sobre el hecho más importante de nuestro tiempo.

linos. Los hoteles, llenos de huéspedes. Los trenes, llenos
de viajeros. Los cafés, llenos de consumidores. Los paseos,
llenos de transeúntes. Las salas de los médicos famosos,
llenas de enfermos. Los espectáculos, como no sean muy
extemporáneos, llenos de espectadores. Las playas, llenas
de bañistas. Lo que antes no solía ser problema empieza
a serlo casi de continuo: encontrar sitio.

Nada más. ¿Cabe hecho más simple, más notorio, más
constante, en la vida actual? Vamos ahora a punzar el
cuerpo trivial de esta observación, y nos sorprenderá ver
cómo de él brota un surtidor inesperado, donde la blanca
luz del día, de este día, del presente, se descompone en
todo su rico cromatismo interior.

¿Qué es lo que vemos, y al verlo nos sorprende tanto?
Vemos la muchedumbre, como tal, posesionada de los locales y utensilios creados por la civilización. Apenas re-
flexionamos un poco, nos sorprendemos de nuestra sorpresa. Pues qué, ¿no es el ideal? El teatro tiene sus loca-
lidades para que se ocupen; por lo tanto, para que la sala
esté llena. Y lo mismo los asientos del ferrocarril, y sus
cuartos del hotel. Sí; no tiene duda. Pero el hecho es que
antes ninguno de estos establecimientos y vehículos solían
estar llenos, y ahora rebosan, queda fuera gente afanosa
de usufructuarlos. Aunque el hecho sea lógico, natural, no
puede desconocerse que antes no acontecía y ahora sí; por
lo tanto, que ha habido un cambio, una innovación, la
cual justifica, por lo menos en el primer momento, nuestra
sorpresa.

Sorprenderse, extrañarse, es comenzar a entender. Es
el deporte y el lujo específico del intelectual. Por eso su
gesto gremial consiste en mirar el mundo con los ojos di-
latados por la extrañeza. Todo en el mundo es extraño y
es maravilloso para unas pupilas bien abiertas. Esto, ma-
ravillarse, es la delicia vedada al futbolista, y que, en
cambio, lleva al intelectual por el mundo en perpetua em-
briaguez de visionario. Su atributo son los ojos en pasmo.
Por eso los antiguos dieron a Minerva la lechuza, el pájaro con los ojos siempre deslumbrados.

La aglomeración, el lleno, no era antes frecuente. ¿Por
qué lo es ahora?

Los componentes de esas muchedumbres no han surgido
de la nada. Aproximadamente, el mismo número de personas existía hace quince años. Después de la guerra parecería natural que ese número fuese menor. Aquí topa-
mos, sin embargo, con la primera nota importante. Los
individuos que integran estas muchedumbres preexistían,
pero no como muchedumbre. Repartidos por el mundo en

pequeños grupos, o solitarios, llevaban una vida, por lo visto, divergente, disociada, distante. Cada cual —individuo o pequeño grupo— ocupaba un sitio, tal vez el suyo, en el campo, en la aldea, en la villa, en el barrio de la gran ciudad.

Ahora, de pronto, aparecen bajo la especie de aglomeración, y nuestros ojos ven dondequiera muchedumbres. ¿Dondequiera? No, no; precisamente en los lugares mejores, creación relativamente refinada de la cultura humana, reservados antes a grupos menores, en definitiva, a minorías.

La muchedumbre, de pronto se ha hecho visible, se ha instalado en los lugares preferentes de la sociedad. Antes, si existía, pasaba inadvertida, ocupaba el fondo del escenario social; ahora se ha adelantado a las baterías, es ella el personaje principal. Ya no hay protagonistas: sólo hay coro.

El concepto de muchedumbre es cuantitativo y visual. Traduzcámoslo, sin alterarlo, a la terminología sociológica. Entonces hallamos la idea de masa social. La sociedad es siempre una unidad dinámica de dos factores: minorías y masas. Las minorías son individuos o grupos de individuos especialmente cualificados. La masa es el conjunto de personas no especialmente cualificadas. No se entienda, pues, por masas sólo ni principalmente «las masas obreras». Masa es el «hombre medio». De este modo se convierte lo que era meramente cantidad —la muchedumbre— en una determinación cualitativa: es la cualidad común, es lo mostrenco social, es el hombre en cuanto no se diferencia de otros hombres, sino que repite en sí un tipo genérico. ¿Qué hemos ganado con esta conversión de la cantidad a la cualidad? Muy sencillo: por medio de ésta comprendemos la génesis de aquélla. Es evidente, hasta perogrullesco, que la formación normal de una muchedumbre, implica la coincidencia de deseos, de ideas, de modo de ser, en los individuos que la integran. Se dirá que es lo que acontece con todo grupo social, por selecto que pretenda ser. En efecto; pero hay una esencial diferencia.

En los grupos que se caracterizan por no ser muchedumbre y masa, la coincidencia efectiva de sus miembros consiste en algún deseo, idea o ideal, que por sí solo excluye el gran número. Para formar una minoría, sea la que fuere, es preciso que antes cada cual se separe de la muchedumbre por razones *especiales*, relativamente individuales. Su coincidencia con los otros que forman la minoría es, pues, secundaria, posterior, a haberse cada cual singularizado, y es, por lo tanto, en buena parte, una coincidencia en no coincidir. Hay casos en que este carácter singularizador del grupo aparece a la intemperie: los grupos ingleses que se llaman a sí mismos «no conformistas», es decir, la agrupación de los que concuerdan sólo en su disconformidad respecto a la muchedumbre ilimitada. Este ingrediente de juntarse los menos, precisamente para separarse de los más, va siempre involucrado en la formación de toda minoría. Hablando del reducido público que escuchaba a un músico refinado, dice graciosamente Mallarmé que aquel público subrayaba con la presencia de su escasez la ausencia multitudinaria.

En rigor, la masa puede definirse, como hecho psicológico, sin necesidad de esperar a que aparezcan los individuos en aglomeración. Delante de una sola persona podemos saber si es masa o no. Masa es todo aquel que no se valora a sí mismo —en bien o en mal— por razones especiales, sino que se siente «como todo el mundo» y, sin embargo, no se angustia, se siente a sabor al sentirse idéntico a los demás. Imagínese un hombre humilde que al intentar valorarse por razones especiales —al preguntarse si tiene talento para esto o lo otro, si sobresale en algún orden—, advierte que no posee ninguna cualidad excelente. Este hombre se sentirá mediocre y vulgar, mal dotado; pero no se sentirá «masa».

Cuando se habla de «minorías selectas», la habitual bellaquería suele tergiversar el sentido de esta expresión, fingiendo ignorar que el hombre selecto no es el petulante que se cree superior a los demás, sino el que se exige más que los demás, aunque no logre cumplir en su persona esas exigencias superiores. Y es indudable que la división más radical que cabe hacer de la humanidad es ésta, en dos clases de criaturas: las que se exigen mucho y acumulan sobre sí mismas dificultades y deberes, y las que no se exigen nada especial, sino que para ellas vivir es ser en cada instante lo que ya son, sin esfuerzo de perfección sobre sí mismas, boyas que van a la deriva.

Esto me recuerda que el budismo ortodoxo se compone de dos religiones distintas: una, más rigorosa y difícil; otro, más laxa y trivial: el Mahayana —«gran vehículo», o «gran carril»—, el Himayona —«pequeño vehículo», «camino menor»—. Lo decisivo es si ponemos nuestra vida a uno u otro vehículo, a un máximo de exigencias o a un mínimo.

La división de la sociedad en masas y minorías excelentes no es, por lo tanto, una división en clases sociales, sino en clases de hombres, y no puede coincidir con la

jerarquización en clases superiores e inferiores. Claro está
que en las superiores, cuando llegan a serlo, y mientras
lo fueron de verdad, hay más verosimilitud de hallar hombres que adoptan el «gran vehículo», mientras las inferiores están normalmente constituidas por individuos sin
calidad. Pero, en rigor, dentro de cada clase social hay
masa y minoría auténtica. Como veremos, es característico del tiempo el predominio, aun en los grupos cuya tradición era selectiva, de la masa y el vulgo. Así, en la vida
intelectual, que por su misma esencia requiere y supone
la cualificación, se advierte el progresivo triunfo de los
seudointelectuales incualificados, incalificables y descalifi-
cados por su propia contextura. Lo mismo en los grupos
supervivientes de la «nobleza» masculina y femenina. En
cambio, no es raro encontrar hoy entre los obreros, que
antes podían valer como el ejemplo más puro de esto que
llamamos «masa», almas egregiamente disciplinadas.

Ahora bien: existen en la sociedad operaciones, actividades, funciones del más diverso orden, que son, por su
misma naturaleza, especiales, y, consecuentemente, no pueden ser bien ejecutadas sin dotes también especiales. Por
ejemplo: ciertos placeres de carácter artístico y lujoso o
bien las funciones de gobierno y de juicio político sobre
los asuntos públicos. Antes eran ejercidas estas actividades especiales por minorías calificadas —calificadas, por
lo menos, en pretensión—. La masa no pretendía intervenir en ellas: se daba cuenta de que si quería intervenir
tendría, congruentemente, que adquirir esas dotes especiales y dejar de ser masa. Conocía su papel en una salu-
dable dinámica social.

Si ahora retrocedemos a los hechos enunciados al principio, nos aparecerán inequívocamente como nuncios de un
cambio de actitud en la masa. Todos ellos indican que ésta
ha resuelto adelantarse al primer plano social y ocupar
los locales y usar los utensilios y gozar de los placeres
antes adscritos a los pocos. Es evidente que, por ejemplo,
los locales no estaban premeditados para las muchedumbres, puesto que su dimensión es muy reducida, y el gen-
tío rebosa constantemente de ellos, demostrando a los ojos
y con lenguaje visible el hecho nuevo: la masa que, sin
dejar de serlo, suplanta a las minorías.

Nadie, creo yo, deplorará que las gentes gocen hoy en
mayor medida y número que antes, ya que tienen para
ello el apetito y los medios. Lo malo es que esta decisión
tomada por las masas de asumir las actividades propias
de las minorías no se manifiesta, ni puede manifestarse,
sólo en el orden de los placeres, sino que es una manera

general del tiempo. Así —anticipando lo que luego veremos—, creo que las innovaciones políticas de los más
recientes años no significan otra cosa que el imperio político de las masas. La vieja democracia vivía templada por
una abundante dosis de liberalismo y de entusiasmo por
la ley. Al servir a estos principios, el individuo se obligaba a sostener en sí mismo una disciplina difícil. Al
amparo del principio liberal y de la norma jurídica podían
actuar y vivir las minorías. Democracia y ley, convivencia legal, eran sinónimos. Hoy asistimos al triunfo de una
hiperdemocracia en que la masa actúa directamente sin
ley, por medio de materiales presiones, imponiendo sus
aspiraciones y sus gustos. Es falso interpretar las situaciones nuevas como si la masa se hubiese cansado de la
política y encargase a personas especiales su ejercicio.
Todo lo contrario. Eso era lo que antes acontecía, eso era
la democracia liberal. La masa presumía que, al fin y al
cabo, con todos sus defectos y lacras, las minorías de los
políticos entendían un poco más de los problemas públicos
que ella. Ahora, en cambio, cree la masa que tiene derecho
a imponer y dar vigor de ley a sus tópicos de café. Yo
dudo que haya habido otras épocas de la historia en que
la muchedumbre llegase a gobernar tan directamente como
en nuestro tiempo. Por eso hablo de hiperdemocracia.

Lo propio acaece en los demás órdenes, muy especialmente en el intelectual. Tal vez padezco un error; pero el
escritor, al tomar la pluma para escribir sobre un tema
que ha estudiado largamente, debe pensar que el lector
medio, que nunca se ha ocupado del asunto, si le lee, no
es con el fin de aprender algo de él, sino, al revés, para
sentenciar sobre él cuando no coincide con las vulgaridades que este lector tiene en la cabeza. Si los individuos
que integran la masa se creyesen especialmente dotados,
tendríamos no más que un caso de error personal, pero no
una subversión sociológica. *Lo característico del momento
es que el alma vulgar, sabiéndose vulgar, tiene el denuedo
de afirmar el derecho de la vulgaridad y lo impone dondequiera.* Como se dice en Norteamérica: ser diferente es
indecente. La masa arrolla todo lo diferente, egregio, individual, calificado y selecto. Quien no sea como todo
el mundo, quien no piense como todo el mundo, corre el
riesgo de ser eliminado. Y claro está que ese «todo el mundo» no es «todo el mundo». «Todo el mundo» era, normalmente, la unidad compleja de masa y minorías discrepantes, especiales. Ahora «todo el mundo» es sólo la masa.

II

LA SUBIDA DEL NIVEL HISTÓRICO

Éste es el hecho formidable de nuestro tiempo, descrito sin ocultar la brutalidad de su apariencia. Es, además, de una absoluta novedad en la historia de nuestra civilización. Jamás, en todo su desarrollo, ha acontecido nada parejo. Si hemos de hallar algo semejante, tendríamos que brincar fuera de nuestra historia y sumergirnos en un orbe, en un elemento vital, completamente distinto del nuestro; tendríamos que insinuarnos en el mundo antiguo y llegar a su hora de declinación. La historia del Imperio romano es también la historia de la subversión, del imperio de las masas, que absorben y anulan a las minorías dirigentes y se colocan en su lugar. Entonces se produce también el fenómeno de la aglomeración, del lleno. Por eso, como ha observado muy bien Spengler, hubo que construir, al modo que ahora, enormes edificios. La época de las masas es la época de lo colosal (1).

Vivimos bajo el brutal imperio de las masas. Perfectamente; ya hemos llamado dos veces «brutal» a este imperio, ya hemos pagado nuestro tributo al dios de los tópicos; ahora, con el billete en la mano, podemos alegremente ingresar en el tema, ver por dentro el espectáculo. ¿O se creía que iba a contentarme con esa descripción, tal vez exacta, pero externa, que es sólo la haz, la vertiente, bajo las cuales se presenta el hecho tremendo cuando se le mira desde el pasado? Si yo dejase aquí este asunto y estrangulase sin más mi presente ensayo, quedaría el lector pensando, muy justamente, que este fabuloso advenimiento de las masas a la superficie de la historia no me inspiraba otra cosa que algunas palabras displicentes, desdeñosas, un poco de abominación y otro poco de repugnancia; a mí, de quien es notorio que sustento una interpretación de la historia radicalmente aristocrática (2). Es radical, porque yo no

_____

(1) Lo trágico de aquel proceso es que mientras se formaban estas aglomeraciones, comenzaba la despoblación de las campiñas, que había de traer la mengua absoluta en el número de habitantes del Imperio.

(2) Véase *España invertebrada*, 1920, fecha de su primera publicación, como serie de artículos en el diario *El Sol*.

Aprovecho esta ocasión para hacer notar a los extranjeros que generosamente escriben sobre mis libros, y encuentran a veces dificultades para precisar la fecha primera de su aparición, el hecho de que casi toda mi obra ha salido al mundo usando el antifaz de artículos periodísticos; mucha parte de ella ha tardado largos años en atreverse a ser libro (1946).

he dicho nunca que la sociedad humana *deba* ser aristocrática, sino mucho más que eso. He dicho, y sigo creyendo,
cada día con más enérgica convicción, que la sociedad humana *es* aristocrática siempre, quiera o no, por su esencia misma, hasta el punto de que es sociedad en la medida
en que sea aristocrática, y deja de serlo en la medida en
que se desaristocratice. Bien entendido que hablo de la
sociedad y no del Estado. Nadie puede creer que frente a
este fabuloso encrespamiento de la masa sea lo aristocrá-
tico contentarse con hacer un breve mohín amanerado,
como un caballerito de Versalles. Versalles —se entiende
ese Versalles de los mohines— no es aristocracia, es todo
lo contrario: es la muerte y la putrefacción de una magnífica aristocracia. Por eso, de verdaderamente aristocrá-
tico, sólo quedaba en aquellos seres la gracia digna con que
sabían recibir en su cuello la visita de la guillotina: la
aceptaban como el tumor acepta el bisturí. No; a quien
sienta la misión profunda de las aristocracias, el espectáculo de la masa le incita y enardece como al escultor la
presencia del mármol virgen. La aristocracia social no se
parece nada a ese grupo reducidísimo que pretende asumir para sí, íntegro, el nombre de «sociedad», que se llama
a sí mismo «la sociedad» y que vive simplemente de invitarse o de no invitarse. Como todo en el mundo tiene su
virtud y su misión, también tiene las suyas dentro del
vasto mundo, este pequeño «mundo elegante», pero una
misión muy subalterna e incomparable con la faena hercú-
lea de las auténticas aristocracias. Yo no tendría inconveniente en hablar sobre el sentido que posee esa vida
elegante, en apariencia tan sin sentido; pero nuestro tema
es ahora otro de mayores proporciones. Por supuesto que
esa misma «sociedad distinguida» va también con el tiempo. Me hizo meditar mucho cierta damita en flor, toda
juventud y actualidad, estrella de primera magnitud en
el zodíaco de la elegancia madrileña, porque me dijo: «Yo
no puedo sufrir un baile al que han sido invitadas menos
de ochocientas personas.» A través de esta frase vi que
el estilo de las masas triunfa hoy sobre toda el área de
la vida y se impone aun en aquellos últimos rincones que
parecían reservados a los *happy few*.

Rechazo, pues, igualmente, toda interpretación de nuestro tiempo que no descubra la significación positiva oculta bajo el actual imperio de las masas y las que lo aceptan beatamente, sin estremecerse de espanto. Todo destino es dramático y trágico en su profunda dimensión. Quien
no haya sentido en la mano palpitar el peligro del tiem-

po, no ha llegado a la entraña del destino, no ha hecho más que acariciar su mórbida mejilla. En el nuestro, el ingrediente terrible lo pone la arrolladora y violenta sublevación moral de las masas, imponente, indominable y equívoca como todo destino. ¿Adónde nos lleva? ¿Es un mal absoluto, o un bien posible? ¡Ahí está, colosal, instalada sobre nuestro tiempo como un gigante, cósmico signo de interrogación, el cual tiene siempre una forma equívoca, con algo, en efecto, de guillotina o de horca, pero también con algo que quisiera ser un arco triunfal!

El hecho que necesitamos someter a anatomía puede formularse bajo estas dos rúbricas: primera, las masas ejercitan hoy un repertorio vital que coincide en gran parte con el que antes parecía reservado exclusivamente a las minorías; segunda, al propio tiempo, las masas se han hecho indóciles frente a las minorías; no las obedecen, no las siguen, no las respetan, sino que, por el contrario, las dan de lado y las suplantan.

Analicemos la primera rúbrica. Quiero decir con ella que las masas gozan de los placeres y usan los utensilios inventados por los grupos selectos y que antes sólo éstos usufructaban. Sienten apetitos y necesidades que antes se calificaban de refinamientos, porque eran patrimonio de pocos. Un ejemplo trivial: en 1820 no habría en París diez cuartos de baño en casas particulares; véanse las *Memorias* de la *comtesse* de Boigne. Pero más aún: las masas conocen y emplean hoy, con relativa suficiencia, muchas de las técnicas que antes manejaban sólo individuos especializados.

Y no sólo las técnicas materiales, sino, lo que es más importante, las técnicas jurídicas y sociales. En el siglo XVIII, ciertas minorías descubrieron que todo individuo humano, por el mero hecho de nacer, y sin necesidad de cualificación especial alguna, poseía ciertos derechos políticos fundamentales, los llamados derechos del hombre y del ciudadano, y que, en rigor, estos derechos comunes a todos son los únicos existentes. Todo otro derecho afecto a dotes especiales quedaba condenado como privilegio. Fue esto, primero, un puro teorema e idea de unos pocos; luego, esos pocos comenzaron a usar prácticamente de esa idea, a imponerla y reclamarla: las minorías mejores. Sin embargo, durante todo el siglo XIX, la masa, que iba entusiasmándose con la idea de esos derechos como con un ideal, no los sentía en sí, no los ejercitaba ni hacía valer, sino que, de hecho, bajo las legislaciones democráticas, seguía viviendo, seguía sintiéndose a sí misma como en el antiguo régimen. El «pueblo» —según entonces se le llamaba—, el «pueblo» sabía ya que era soberano; pero no lo creía. Hoy aquel ideal se ha convertido en una realidad, no ya en las legislaciones, que son esquemas externos de la vida pública, sino en el corazón de todo individuo, cualesquiera que sean sus ideas, inclusive cuando sus ideas son reaccionarias; *es decir, inclusive cuando machaca y tritura las instituciones donde aquellos derechos se sancionan.* A mi juicio, quien no entiende esta curiosa situación moral de las masas no puede explicarse nada de lo que hoy comienza a acontecer en el mundo. La soberanía del individuo no cualificado, del individuo humano genérico y como tal, ha pasado, de idea o ideal jurídico que era, a ser un estado psicológico constitutivo del hombre medio. Y nótese bien: cuando algo que fue ideal se hace ingrediente de la realidad, inexorablemente deja de ser ideal. El prestigio y la magia autorizante, que son atributos del ideal, que son su efecto sobre el hombre, se volatilizan. Los derechos niveladores de la generosa inspiración democrática se han convertido; de aspiraciones e ideales, en apetitos y supuestos inconscientes.

Ahora bien: el sentido de aquellos derechos no era otro que sacar las almas humanas de su interna servidumbre y proclamar dentro de ellas una cierta conciencia de señorío y dignidad. ¿No era esto lo que se quería? ¿Que el hombre medio se sintiese amo, dueño, señor de sí mismo y de su vida? Ya está logrado. ¿Por qué se quejan los liberales, los demócratas, los progresistas de hace treinta años? ¿O es que, como los niños, quieren una cosa, pero no sus consecuencias? Se quiere que el hombre medio sea señor. Entonces no extrañe que actúe por sí y ante sí, que reclame todos los placeres, que imponga, decidido, su voluntad, que se niegue a toda servidumbre, que no siga dócil a nadie, que cuide su persona y sus ocios, que perfile su indumentaria: son algunos de los atributos perennes que acompañan a la conciencia de señorío. Hoy los hallamos residiendo en el hombre medio, en la masa.

Tenemos, pues, que la vida del hombre medio está ahora constituida por el repertorio vital que antes caracterizaba sólo a las minorías culminantes. Ahora bien: el hombre medio representa el área sobre que se mueve la historia de cada época; es en la historia lo que el nivel del mar en la geografía. Si, pues, el nivel medio se halla hoy donde antes sólo tocaban las aristocráticas, quiere decirse lisa y llanamente que el nivel de la historia ha subido de pronto —tras de largas y subterráneas preparaciones, pero en su manifestación, de pronto—, de un salto, en una generación. La vida humana, en totalidad, ha ascendido. El soldado del día, diríamos, tiene mucho de capitán; el ejército humano se compone ya de capitanes. Basta ver la energía, la resolución, la soltura con que cualquier individuo se mueve hoy por la existencia, agarra el placer que pasa, impone su decisión.

Todo el bien, todo el mal del presente y del inmediato porvenir tienen en este ascenso general del nivel histórico su causa y su raíz.

Pero ahora nos ocurre una advertencia impremeditada. Eso que el nivel medio de la vida sea el de las antiguas minorías, es un hecho nuevo en Europa; pero era el hecho nativo, constitucional, de América. Piense el lector, para ver clara mi intención, en la conciencia de igualdad jurídica. Ese estado psicológico de sentirse amo y señor de sí e igual a cualquier otro individuo, que en Europa sólo los grupos sobresalientes lograban adquirir, es lo que desde el siglo XVIII, prácticamente desde siempre, acontecía en América. ¡Y nueva coincidencia, aún más curiosa! Al aparecer en Europa ese estado psicológico del hombre medio, al subir el nivel de su existencia integral, el tono y maneras de la vida europea en todos los órdenes adquiere de pronto una fisonomía que hizo decir a muchos: «Europa se está americanizando.» Los que esto decían no daban al fenómeno importancia mayor; creían que se trataba de un ligero cambio en las costumbres, de una moda, y, desorientados por el parecido externo, lo atribuían a no se sabe qué influjo de América sobre Europa. Con ello, a mi juicio, se ha trivializado la cuestión, que es mucho más sutil y sorprendente y profunda.

La galantería intenta ahora sobornarme para que yo diga a los hombres de Ultramar que, en efecto, Europa se ha americanizado, y que esto es debido a un influjo de América sobre Europa. Pero no: la verdad entra ahora en colisión con la galantería, y debe triunfar. Europa no se ha americanizado. No ha recibido aún influjo grande de América. Lo uno y lo otro, si acaso, se inician ahora mismo; pero no se produjeron en el próximo pasado, de que el presente es brote. Hay aquí un cúmulo desesperante de ideas falsas que nos estorban la visión a unos y a otros, a americanos y a europeos. El triunfo de las masas y la consiguiente magnífica ascensión de nivel vital han acontecido en Europa por razones internas, después de dos siglos de educación progresista de las muchedumbres y de un paralelo enriquecimiento económico de la sociedad. Pero ello es que el resultado coincide con el rasgo más decisivo

de la existencia americana: y por eso, porque coincide la
situación moral del hombre medio europeo con la del americano, ha acaecido que por ver primera el europeo entiende la vida americana, que antes le era un enigma y un
misterio. No se trata, pues, de un influjo, que sería un
poco extraño, que sería un reflujo, sino de lo que menos
se sospecha aún: se trata de una nivelación. Desde siempre se entreveía oscuramente por los europeos, que el nivel
medio de la vida era más alto en América que en el viejo
continente. La intuición, poco analítica, pero evidente, de
este hecho, dio origen a la idea, siempre aceptada, nunca
puesta en duda, de que América era el porvenir. Se comprenderá que idea tan amplia y tan arraigada no podía
venir del viento, como dicen que las orquídeas se crian
en el aire, sin raíces. El fundamento era aquella entrevi-
sión de un nivel más elevado en la vida media de Ultramar, que contrastaba con el nivel inferior de las minorías
mejores de América comparadas con las europeas. Pero la
historia, como la agricultura, se nutre de los valles y no
de las cimas, de la altitud media social y no de las eminencias.

Vivimos en sazón de nivelaciones: se nivelan las fortunas, se nivela la cultura entre las distintas, clases sociales,
se nivelan los sexos. Pues bien: también se nivelan los
continentes. Y como el europeo se hallaba vitalmente más
bajo, en esta nivelación no ha hecho sino ganar. Por lo
tanto, mirada desde esta haz, la subvención de las masas
significa un fabuloso aumento de vitalidad y posibilidades;
todo lo contrario, pues, de lo que oímos tan a menudo sobre la decadencia de Europa. Frase confusa y tosca, donde no se sabe bien de qué se habla, si de los Estados europeos, de la cultura europea, o de lo que está bajo todo
esto e importa infinitamente más que todo esto, a saber:
de la vitalidad europea. De los Estados y de la cultura
europeos diremos algún vocablo más adelante —y acaso la
frase susodicha valga para ellos—; pero en cuanto a la
vitalidad, conviene desde luego hacer constar que se trata
de un craso error. Dicha en otro giro, tal vez mi afirmación parezca más convincente o menos inverosímil; digo,
pues, que hoy un italiano medio, un español medio, un alemán medio, se diferencian menos en tono vital de un yan-
qui o de un argentino que hace treinta años. Y éste es un
dato que no deben olvidar los americanos.

III

LA ALTURA DE LOS TIEMPOS

El imperio de las masas presenta, pues, una vertiente favorable en cuanto significa una subida de todo el nivel histórico, y revela que la vida media se mueve hoy en altura superior a la que ayer pisaba. Lo cual nos hace caer en la cuenta de que la vida puede tener altitudes diferentes, y que es una frase llena de sentido la que sin sentido suele repetirse cuando se habla de la altura de los tiempos. Conviene que nos detengamos en este punto, porque él nos proporciona manera de fijar uno de los caracteres más sorprendentes de nuestra época.

Se dice, por ejemplo, que esta o la otra cosa no es propia de la altura de los tiempos. En efecto: no el tiempo abstracto de la cronología, que es todo él llano, sino el tiempo vital o que cada generación llama «nuestro tiempo», tiene siempre cierta altitud, se eleva hoy sobre ayer, o se mantiene a la par, o cae por debajo. La imagen de caer, envainada en el vocablo decadencia, procede de esta intuición. Asimismo, cada cual siente, con mayor o menor claridad, la relación en que su vida propia encuentra con la altura del tiempo donde transcurre. Hay quien se siente en los modos de la existencia actual como un náufrago que no logra salir a flote, la velocidad del *tempo* con que hoy marchan las cosas, el ímpetu y energía con que se hace todo, angustian al hombre de temple arcaico, y esta angustia mide el desnivel entre la altura de su pulso y la altura de la época. Por otra parte, el que vive con plenitud y a gusto las formas del presente, tiene conciencia de la relación entre la altura de nuestro tiempo y la altura de las diversas edades pretéritas. ¿Cuál es esa relación?

Fuera erróneo suponer que siempre el hombre de una época siente las pasadas, simplemente porque pasadas, como más bajas de nivel que la suya. Bastaría recordar que, al *parescer* de Jorge Manrique,

> *cualquiera tiempo pasado*
> *fue mejor.*

Pero esto tampoco es verdad. Ni todas las edades se han sentido inferiores a alguna del pasado, ni todas se han creído superiores a cuantas fueron y recuerdan. Cada edad histórica manifiesta una sensación diferente ante ese extraño fenómeno de la altitud vital, y me sorprende que

no hayan reparado nunca pensadores e historiógrafos en
hecho tan evidente y sustancioso.

La impresión que Jorge Manrique declara, ha sido ciertamente la más general, por lo menos si se toma *grosso
modo*. A la mayor parte de las épocas no les pareció su
tiempo más elevado que otras edades antiguas. Al contrario, lo más sólito ha sido que los hombres supongan en un
vago pretérito tiempos mejores, de existencia más plena-
ria: la «edad de oro», decimos los educados por Grecia y
Roma; la *Alcheringa*, dicen los salvajes australianos. Esto
revela que esos hombres sentían el pulso de su propia vida
más o menos falto de plenitud, decaído, incapaz de henchir
por completo el cauce de las venas. Por esta razón respe-
taban el pasado, los tiempos «clásicos», cuya existencia se
les presentaba como algo más ancho, más rico, más perfecto y difícil que la vida de su tiempo. Al mirar atrás
e imaginar esos siglos más valiosos, les parecía no domi-
narlos, sino, al contrario, quedar bajo ellos, como un grado de temperatura, si tuviese conciencia, sentiría que no
contiene en sí el grado superior; antes bien, que hay en
éste más calorías que en él mismo. Desde ciento cincuenta
años después de Cristo, esta impresión de encogimiento vital, de venir a menos, de decaer y perder pulso, crece progresivamente en el Imperio romano. Ya Horacio había
cantado: «Nuestros padres, peores que nuestros abuelos,
nos engendraron a nosotros aún más depravados, y nosotros daremos una progenie todavía más incapaz.» (*Odas*,
libro III, 6.)

> *Aetas parentum peior avis tulit*
> *nos nequiores, mox daturos*
> *progeniem vitiosorem.*

Dos siglos más tarde no había en todo el Imperio bastantes itálicos medianamente valerosos con quienes cubrir
las plazas de centuriones, y hubo que alquilar para este
oficio a dálmatas y, luego, a bárbaros del Danubio y el
Rin. Mientras tanto, las mujeres se hicieron estériles e
Italia se despobló.

Veamos ahora otra clase de épocas que gozan de una
impresión vital, al parecer la más opuesta a ésa. Se trata
de un fenómeno muy curioso, que nos importa mucho definir. Cuando, hace no más de treinta años, los políticos
peroraban ante las multitudes, solían rechazar esta o la
otra medida de gobierno, tal o cual desmán, diciendo que
era impropio de la plenitud de los tiempos. Es curioso recordar que la misma frase aparece empleada por Trajano

en su famosa carta a Plinio, al recomendarle que no se
persiguiese a los cristianos en virtud de denuncias anónimas: *Nec nostri saeculi est*. Ha habido, pues, varias épocas en la historia que se han sentido a sí mismas como
arribadas a una altura plena, definitiva; tiempos en que
se cree haber llegado al término de un viaje, en que se
cumple un afán antiguo y plenifica una esperanza. Es la
«plenitud de los tiempos», la completa madurez de la vida
histórica. Hace treinta años, en efecto, creía el europeo
que la vida humana había llegado a ser lo que debía ser,
lo que desde muchas generaciones se venía anhelando que
fuese, lo que tendría ya que ser siempre. Los tiempos de
plenitud se sienten siempre como resultado de otras muchas edades preparatorias, de otros tiempos sin plenitud,
inferiores al propio, sobre los cuales va montada esta hora
bien granada. Vistos desde su altura, aquellos períodos
preparatorios aparecen como si en ellos se hubiese vivido
de puro afán e ilusión no lograda; tiempos de sólo deseo
insatisfecho, de ardientes precursores, de «todavía no», de
contraste penoso entre una aspiración clara y la realidad
que no le corresponde. Así ve a la Edad Media el siglo XIX.
Por fin llega un día en que ese viejo deseo, a veces mile-
nario, parece cumplirse: la realidad lo recoge y obedece.
¡Hemos llegado a la altura entrevista, a la meta anticipada, a la cima del tiempo! Al «todavía no», ha sucedido
el «por fin».

Ésta era la sensación que de su propia vida tenían nuestros padres y toda su centuria. No se olvide esto: nuestro
tiempo es un tiempo que viene después de un tiempo de
plenitud. De aquí que, irremediablemente, el que siga ads-
crito a la otra orilla, a ese próximo plenario pasado, y lo
mire todo bajo su óptica, sufrirá el espejismo de sentir
la edad presente como un caer desde la plenitud, como una
decadencia.

Pero un viejo aficionado a la historia, empedernido to-
mador de pulso de tiempos, no puede dejarse alucinar por
esa óptica de las supuestas plenitudes.

Según he dicho, lo esencial para que exista «plenitud de
los tiempos» es que un deseo antiguo, el cual venía arras-
trándose anheloso y querulante durante siglos, por fin un
día queda satisfecho. Y, en efecto, esos tiempos plenos son
tiempos satisfechos de sí mismos; a veces, como en el siglo XIX, archisatisfechos (1). Pero ahora caemos en la cuenta

---

(1)   En los cuños de las monedas de Adriano se leen cosas como éstas:
Italia felix, Saeculum aureum, Tellus stabilita, Temporum felicitas. Aparte el gran repertorio numismático de Cohen, véanse algunas monedas

de que esos siglos tan satisfechos, tan logrados, están muertos por dentro. *La auténtica plenitud vital no consiste en la satisfacción, en el logro, en la arribada.* Ya decía Cervantes que «el camino es siempre mejor que la posada». Un tiempo que ha satisfecho su deseo, su ideal, es que ya no desea nada más, que se le ha secado la fontana del desear. Es decir, que la famosa plenitud es en realidad una conclusión. Hay siglos que por no saber renovar sus deseos mueren de satisfacción, como muere el zángano afortunado después del vuelo nupcial (1).

De aquí el dato sorprendente de que esas etapas de llamada plenitud hayan sentido siempre en el poso de sí mismas una peculiarísima tristeza.

El deseo tan lentamente gestado, y que en el siglo XIX parece al cabo realizarse, es lo que, resumiendo, se denominó a sí mismo «cultura moderna». Ya el nombre es inquietante: ¡que un tiempo se llame así mismo «moderno», es decir, último, definitivo, frente al cual todos los demás son puros pretéritos, modestas preparaciones y aspiraciones hacia él! ¡Saetas sin brío que fallan el blanco! (2).

¿No se palpa ya aquí la diferencia esencial entre nuestro tiempo y ese que acaba de preterir, de transponer? Nuestro tiempo, en efecto, no se siente ya definitivo; al contrario, en su raíz misma encuentra oscuramente la intuición de que no hay tiempos definitivos, seguros, para siempre cristalizados, sino que, al revés, esa pretensión de que un tipo de vida —el llamado «cultura moderna»— fuese definitivo, nos parece una obcecación y estrechez inverosímiles del campo visual. Y al sentir así, percibimos una deliciosa impresión de habernos evadido de un recinto angosto y hermético, de haber escapado, y salir de nuevo bajo las estrellas al mundo auténtico, profundo, terrible, imprevisible e inagotable, donde todo, todo es posible: lo mejor y lo peor.

----

reproducidas en Rostovtzeff: *The social and economic history of the Roman Empire*, 1926, lám. LII y pág. 588, nota 6. Hay edición española, Espasa-Calpe, S. A.

(1) No dejen de leerse las maravillosas páginas de Hegel sobre los tiempos satisfechos, en su *Filosofía de la historia*, traducción de J. Gaos, tomo I, págs. 51 y sigs.

(2) El sentido original de «moderno», «modernidad», con que los últimos tiempos se han bautizado a sí mismos, declara muy agudamente esa sensación de «altura de los tiempos» que ahora analizo. Moderno es lo que está según el *modo*; se entiende el modo nuevo, modificación o moda que en *tal* presente ha surgido frente a los modos viejos, tradicionales, que se usaron en el pasado. La palabra «moderno» expresa, pues la conciencia de una nueva vida, superior a la antigua, y a la vez el imperativo de estar a la altura de los tiempos. Para el «moderno», no serlo equivale a caer bajo el nivel histórico.

La fe en la cultura moderna era triste: era saber que mañana iba a ser, en todo lo esencial, igual a hoy; que el progreso consistía sólo en avanzar por todos los «siempres» sobre un camino idéntico al que ya estaba bajo nuestros pies. Un camino así es más bien una prisión que, elástica, se alarga sin libertarnos.

Cuando en los comienzos del Imperio algún fino provincial llegaba a Roma —Lucano, por ejemplo, o Séneca— y veía las majestuosas construcciones imperiales, símbolo de un poder definitivo, sentía contraerse su corazón. Ya nada nuevo podía pasar en el mundo. Roma era eterna. Y si hay una melancolía de las ruinas, que se levanta de ellas como el vaho de las aguas muertas, el provincial sensible percibía una melancolía no menos premiosa, aunque de signo inverso: la melancolía de los edificios eternos.

Frente a ese estado emotivo, ¿no es evidente que la sensación de nuestra época se parece más a la alegría y alboroto de chicos que se han escapado de la escuela? Ahora ya no sabemos lo que va a pasar mañana en el mundo, y eso secretamente nos regocija; porque eso, ser imprevisible, ser un horizonte siempre abierto a toda posibilidad, es la vida auténtica, la verdadera plenitud de la vida.

Contrasta este diagnóstico, al cual falta, es cierto, su otra mitad, con la quejumbre de decadencias que lloriquea en las páginas de tantos contemporáneos. Se trata de un error óptico que proviene de múltiples causas. Otro día veremos algunas; pero hoy quiero anticipar la más obvia: proviene de que, fieles a una ideología, en mi opinión periclitada, miran de la historia sólo la política o la cultura, y no advierten que todo eso es sólo la superficie de la historia; que la realidad histórica es, antes que eso y más hondo que eso, un puro afán de vivir, una potencia parecida a las cósmicas; no la misma, pero sí hermana de la que inquieta al mar, fecundiza a la fiera, pone flor en el árbol, hace temblar a la estrella.

Frente a los diagnósticos de decadencia, yo recomiendo el siguiente razonamiento:

La decadencia es, claro está, un concepto comparativo. Se decae de un estado superior hacia un estado inferior. Ahora bien: esa comparación puede hacerse desde los puntos de vista más diferentes y varios que quepa imaginar. Para un fabricante de boquillas de ámbar, el mundo está en decadencia porque ya no se fuma apenas con boquillas de ámbar. Otros puntos de vista serán más respetables que éste, pero, en rigor, no dejan de ser parciales, arbitrarios y externos a la vida misma cuyos quilates se trata precisamente de evaluar. No hay más que un punto de vista

justificado y natural: instalarse en esa vida, contemplarla
desde dentro y ver si ella se siente a sí misma decaída, es
decir, menguada, debilitada e insípida.

Pero aun mirada por dentro de sí misma, ¿cómo se conoce que una vida se siente o no decaer? Para mí no cabe
duda respecto al síntoma decisivo: una vida que no prefiere otra ninguna de antes, de ningún antes, por lo tanto,
que se prefiere a sí misma, no puede en ningún sentido
serio llamarse decadente. A esto venía toda mi excursión
sobre el problema de la altitud de los tiempos. Pues acaece que precisamente el nuestro goza en este punto de una
sensación extrañísima; que yo sepa, única hasta ahora en
la historia conocida.

En los salones del último siglo llegaba indefectiblemente
una hora en que las damas y sus poetas amaestrados se
hacían unos a otros esta pregunta: ¿En qué época quisiera usted haber vivido? Y he aquí que cada uno, echándose
a cuestas la figura de su propia vida, se dedicaba a vagar
imaginariamente por las vías históricas en busca de un
tiempo donde encajar a gusto el perfil de su existencia.
Y es que, aun sintiéndose, o por sentirse en plenitud, ese
siglo XIX quedaba, en efecto, ligado al pasado, sobre cuyos
hombros creía estar; se veía, en efecto, como la culmina-
ción del pasado. De aquí que aún creyese en épocas relativamente clásicas —el siglo de Pericles, el Renacimiento—,
donde se habían preparado los valores vigentes. Esto bastaría para hacernos sospechar de los tiempos de plenitud;
llevan la cara vuelta hacia atrás, miran el pasado que en
ellos se cumple.

Pues bien: ¿qué diría sinceramente cualquier hombre
representativo del presente a quien se hiciese una pregunta parecida? Yo creo que no es dudoso: cualquier pasado,
sin excluir ninguno, le daría la impresión de un recinto
angosto donde no podría respirar. Es decir, que el hombre del presente siente que su vida es más vida que todas
las antiguas, o dicho viceversa, que el pasado íntegro se
le ha quedado chico a la humanidad actual. Esta intuición
de nuestra vida de hoy anula con su claridad elemental
toda lucubración sobre decadencia que no sea muy cau-
telosa.

Nuestra vida se siente, por lo pronto, de mayor tamaño
que todas las vidas. ¿Cómo podrá sentirse decadente?
Todo lo contrario: lo que ha acaecido es que, de puro sentirse más vida, ha perdido todo respeto, toda atención hacia el pasado. De aquí que por vez primera nos encontre-
mos con una época que hace tabla rasa de todo clasicismo,
que no reconoce en nada pretérito posible modelo o norma,

y sobrevenida al cabo de tantos siglos sin discontinuidad
de evolución, parece, no obstante, un comienzo, una alborada, una iniciación, una niñez. Miramos atrás, y el famoso Renacimiento nos parece un tiempo angostísimo, provincial, de vanos gestos —¿por qué no decirlo?—, *cursi.*

Yo resumía, tiempo hace, tal situación en la forma siguiente: «Esta grave disociación de pretérito y presente
es el hecho general de nuestra época, y en ella va incluida
la sospecha, más o menos confusa, que engendra el azoramiento peculiar de la vida en estos años. Sentimos que de
pronto nos hemos quedado solos sobre la tierra los hombres actuales; que los muertos no se murieron de broma,
sino completamente; que ya no pueden ayudarnos. El resto
de espíritu tradicional se ha evaporado. Los modelos, las
normas, las pautas, no nos sirven. Tenemos que resolvernos nuestros problemas sin colaboración activa del pasado, en pleno actualismo —sean de arte, de ciencia o de
política—. El europeo está solo, sin muertos vivientes a
su vera; como Pedro Schlemihl, ha perdido su sombra. Es
lo que acontece siempre que llega el mediodía» (1).

¿Cuál es, en resumen, la altura de nuestro tiempo?

No es plenitud de los tiempos, y, sin embargo, se siente
sobre todos los tiempos idos y por encima de todas las conocidas plenitudes. No es fácil de formular la impresión
que de sí misma tiene nuestra época: cree ser más que
las demás, y a la par se siente como un comienzo, sin estar segura de no ser una agonía. ¿Qué expresión elegiría-
mos? Tal vez ésta: más que los demás tiempos e inferior
a sí misma. Fortísima, y a la vez insegura de su destino.
Orgullosa de sus fuerzas y a la vez temiéndolas.

IV

EL CRECIMIENTO DE LA VIDA

El imperio de las masas y el ascenso de nivel, la altitud
del tiempo que él anuncia, no son, a su vez, más que síntomas de un hecho más completo y general. Este hecho es
casi grotesco e increíble en su misma y simple evidencia.
Es, sencillamente, que el mundo, de repente, ha crecido,
y con él y en él la vida. Por lo pronto, ésta se ha mun-
dializado efectivamente; quiero decir que el contenido de
la vida en el hombre de tipo medio es hoy todo el planeta;
que cada individuo vive habitualmente todo el mundo. Hace

(1) *La deshumanización del arte.*

poco más de un año, los sevillanos seguían hora por hora, en sus periódicos populares, lo que les estaba pasando a unos hombres junto al Polo, es decir, que sobre el fondo ardiente de la campiña bética pasaban témpanos a la deriva. Cada trozo de tierra no está ya recluido en su lugar geométrico, sino que para muchos efectos visuales actúa en los demás sitios del planeta. Según el principio físico de que las cosas están allí donde actúan, reconoceremos hoy a cualquier punto del globo la más efectiva ubicuidad. Esta proximidad de lo lejano, esta presencia de lo ausente, ha aumentado en proporción fabulosa el horizonte de cada vida.

Y el mundo ha crecido también temporalmente. La prehistoria y la arqueología han descubierto ámbitos históricos de longitud quimérica. Civilizaciones enteras e imperios de que hace poco ni el nombre se sospechaba, han sido anexionados a nuestra memoria como nuevos continentes. El periódico ilustrado y la pantalla han traído todos estos remotísimos pedazos del mundo a la visión inmediata del vulgo.

Pero este aumento espaciotemporal del mundo no significaría por sí nada. El espacio y el tiempo físicos son lo absolutamente estúpido del universo. Por eso es más justificado de lo que suele creerse el culto a la pura velocidad que transitoriamente ejercitan nuestros contemporáneos. La velocidad hecha de espacio y tiempo es no menos estúpida que sus ingredientes; pero sirve para anular aquéllos. Una estupidez no se puede dominar si no es con otra. Era para el hombre cuestión de honor triunfar del espacio y el tiempo cósmicos (1), que carecen por completo de sentido, y no hay razón para extrañarse de que nos produzca un pueril placer hacer funcionar la vacía velocidad, con la cual matamos espacio y yugulamos tiempo. Al anularlos, los vivificamos, hacemos posible su aprovechamiento vital, podemos *estar* en más sitios que antes, gozar de más idas y más venidas, consumir en menos tiempo vital más tiempo cósmico.

Pero en definitiva, el crecimiento sustantivo del mundo no consiste en sus mayores dimensiones, sino en que incluya más cosas. Cada cosa —tómese la palabra en su más amplio sentido— es algo que se puede desear, intentar, hacer, deshacer, encontrar, gozar o repeler; nombres todos que significan actividades vitales.

_____

(1) Precisamente porque el tiempo vital del hombre es limitado, precisamente porque es mortal, necesita triunfar de la distancia y de la tardanza. Para un Dios, cuya existencia es inmortal, carecería de sentido el automóvil.

Tómese una cualquiera de nuestras actividades; por ejemplo, comprar. Imagínense dos hombres, uno del presente y otro del siglo XVIII, que posean fortuna igual, proporcionalmente al valor del dinero en ambas épocas, y compárese el repertorio de cosas en venta que se ofrece a uno y a otro. La diferencia es casi fabulosa. La cantidad de posibilidades que se abren ante el comprador actual llega a ser prácticamente ilimitada. No es fácil imaginar con el deseo un objeto que no exista en el mercado, y viceversa: no es posible que un hombre imagine y desee cuanto se halla a la venta. Se me dirá que, con fortuna proporcionalmente igual, el hombre de hoy no podrá comprar más cosas que el del siglo XVIII. El hecho es falso. Hoy se pueden comprar muchas más, porque la industria ha abaratado casi todos los artículos. Pero a la postre no me importaría que el hecho fuese cierto; antes bien, subrayaría más lo que intento decir.

La actividad de comprar concluye en decidirse por un objeto; pero, por lo mismo, es antes una elección, y la elección comienza por darse cuenta de las posibilidades que ofrece el mercado. De donde resulta que la vida, en su modo «comprar», consiste primeramente en vivir las posibilidades de compra como tales. Cuando se habla de nuestra vida, suele olvidarse esto, que me parece esencialísimo: nuestra vida es en todo instante y antes que nada, conciencia de lo que nos es posible. Si en cada momento no tuviéramos delante más que una sola posibilidad, carecería de sentido llamarla así. Sería más bien pura necesidad. Pero ahí está: este extrañísimo hecho de nuestra vida posee la condición radical de que siempre encuentra ante sí varias salidas, que por ser varias adquieren el carácter de posibilidades entre las que hemos de decidir (1). Tanto vale decir que vivimos como decir que nos encontramos en un ambiente de posibilidades determinadas. A este ámbito suele llamarse «las circunstancias». Toda vida es hallarse dentro de la «circunstancia» o mundo (2). Porque éste es el sentido originario de la idea «mundo». Mundo es el repertorio de nuestras posibilidades vitales. No es, pues, algo aparte y ajeno a nuestra vida, sino que es su auténtica periferia. Representa lo que podemos ser; por lo tanto, nuestra poten-

---

(1) En el peor caso, y cuando el mundo pareciera reducido a una única salida, siempre habría dos: ésa y salirse del mundo. Pero la salida del mundo forma parte de éste, como de una habitación la puerta.

(2) Así, ya en el prólogo de mi primer libro: *Meditaciones del «Quijote»*, 1916. En *Las Atlántidas* aparece bajo el nombre de horizonte. Véase el ensayo *El origen deportivo del Estado*, 1926, recogido ahora en el tomo VII de *El espectador*.

cialidad vital. Ésta tiene que concretarse para realizarse, o,
dicho de otra manera, llegamos a ser sólo una parte mínima de lo que podemos ser. De aquí que nos parezca el
mundo una cosa tan enorme, y nosotros, dentro de él, una
cosa tan menuda. El mundo o nuestra vida posible es
siempre más que nuestro destino o vida efectiva.

Pero ahora me importa sólo hacer notar cómo ha crecido la vida del hombre en la dimensión de potencialidad.
Cuenta con un ámbito de posibilidades fabulosamente mayor que nunca. En el orden intelectual, encuentra más
caminos de posible ideación, más problemas, más datos,
más ciencias, más puntos de vista. Mientras los oficios o
carreras en la vida primitiva se numeran casi con los dedos de una mano —pastor, cazador, guerrero, mago—, el
programa de menesteres posibles hoy es superlativamente
grande. En los placeres acontece cosa parecida, si bien
—y el fenómeno tiene más gravedad de lo que se supone— no es un elenco tan exuberante como en las demás
haces de la vida. Sin embargo, para el hombre de vida
media que habita las urbes —y las urbes son la representación de la existencia actual—, las posibilidades de gozar
han aumentado, en lo que va de siglo, de una manera
fantástica.

Mas el crecimiento de la potencialidad vital no se reduce
a lo dicho hasta aquí. Ha aumentado también en un sentido
más inmediato y misterioso. Es un hecho constante y notorio que en el esfuerzo físico y deportivo se cumplen hoy *performances* que superan enormemente a cuantas se conocen
del pasado. No basta con admirar cada una de ellas y reconocer el *record* que baten, sino advertir la impresión
que su frecuencia deja en el ánimo, convenciéndonos de
que el organismo humano posee en nuestros tiempos capacidades superiores a las que nunca ha tenido. Porque cosa
similar acontece en la ciencia. En un par de lustros, no
más, ha ensanchado ésta inverosímilmente su horizonte
cósmico. La física de Einstein se mueve en espacios tan
vastos, que la antigua física de Newton ocupa en ellos sólo
una buhardilla (1). Y este crecimiento extensivo se debe a
un crecimiento intensivo en la precisión científica. La física de Einstein está hecha atendiendo a las mínimas diferencias que antes se despreciaban y no entraban en cuenta
por parecer sin importancia. El átomo, en fin, límite ayer

---

(1)   El mundo de Newton era infinito; pero esta infinitud no era un
tamaño, sino una vacía generalización, una utopía abstracta e inane.
El mundo de Einstein es finito, pero lleno y concreto en todas sus
partes; por lo tanto, un mundo más rico de cosas y, efectivamente, de
mayor tamaño.

del mundo, resulta que hoy se ha hinchado hasta convertirse en todo un sistema planetario. Y en todo esto no me refiero a lo que pueda significar como perfección de la cultura —eso no me interesa ahora—, sino al crecimiento de las potencias subjetivas que todo eso supone. No subrayo que la física de Einstein sea más exacta que la de Newton, sino que el hombre Einstein sea capaz de mayor exactitud y libertad de espíritu (1) que el hombre Newton; lo mismo que el campeón de boxeo da hoy puñetazos de calibre mayor que se han dado nunca.

Como el cinematógrafo y la ilustración ponen ante los ojos del hombre medio los lugares más remotos del planeta, los periódicos y las conversaciones le hacen llegar la noticia de estas *performances* intelectuales, que los aparatos técnicos recién inventados confirman desde los escaparates. Todo ello decanta en su mente la impresión de fabulosa prepotencia.

No quiero decir con lo dicho que la vida humana sea hoy mejor que en otros tiempos. No he hablado de la cualidad de la vida presente, sino sólo de su crecimiento, de su avance cuantitativo o potencial. Creo con ello describir vigorosamente la conciencia del hombre actual, su tono vital, que consiste en sentirse con mayor potencialidad que nunca y parecerle todo lo pretérito afectado de enanismo.

Era necesaria esta descripción para obviar las lucubraciones sobre decadencia, y en especial sobre decadencia occidental, que han pululado en el aire del último decenio. Recuérdese el razonamiento que yo hacía, y que me parece tan sencillo como evidente. No vale hablar de decadencia sin precisar qué es lo que decae. ¿Se refiere el pesimista vocablo a la cultura? ¿Hay una decadencia de la cultura europea? ¿Hay más bien sólo una decadencia de las organizaciones nacionales europeas? Supongamos que sí. ¿Bastaría eso para hablar de la decadencia occidental? En modo alguno. Porque son esas decadencias menguas parciales, relativas a elementos secundarios de la historia —cultura y naciones—. Sólo hay una decadencia absoluta: la que consiste en una vitalidad menguante; y ésta sólo existe cuando se siente. Por esta razón me he detenido a considerar un fenómeno que suele desatenderse: la conciencia o sensación que toda época tiene de su altitud vital.

---

(1) La libertad de espíritu, es decir, la potencia del intelecto, se mide por su capacidad de disociar ideas tradicionalmente inseparables. Disociar ideas cuesta mucho más que asociarlas, como ha demostrado Köhler en sus investigaciones sobre la inteligencia de los chimpancés. Nunca ha tenido el entendimiento humano más capacidad de disociación que ahora.

Esto nos llevó a hablar de la «plenitud» que han sentido algunos siglos frente a otros que, inversamente, se veían a sí mismos como decaídos de mayores alturas, de antiguas y relumbrantes edades de oro. Y concluía yo haciendo notar el hecho evidentísimo de que nuestro tiempo se caracteriza por una extraña presunción de ser más que todo otro tiempo pasado; más aún: por desentenderse de todo pretérito, no reconocer épocas clásicas y normativas, sino verse a sí mismo como una vida nueva superior a todas las antiguas e irreductible a ellas.

Dudo de que sin afianzarse bien en esta advertencia se pueda entender a nuestro tiempo. Porque éste es precisamente su problema. Si se sintiese decaído, vería otras épocas como superiores a él, y esto sería una y misma cosa con estimarlas y admirarlas y venerar los principios que las informaron. Nuestro tiempo tendría ideales claros y firmes, aunque fuese incapaz de realizarlos. Pero la verdad es estrictamente lo contrario: vivimos en un tiempo que se siente fabulosamente capaz para realizar, pero no sabe qué realizar. Domina todas las cosas, pero no es dueño de sí mismo. Se siente perdido en su propia abundancia. Con más medios, más saber, más técnicas que nunca, resulta que el mundo actual va como el más desdichado que haya habido: puramente a la deriva.

De aquí esa extraña dualidad de prepotencia e inseguridad que anida en el alma contemporánea. Le pasa como se decía del Regente durante la niñez de Luis XV: que tenía todos los talentos menos el talento para usar de ellos. Muchas cosas parecían *ya* imposibles al siglo XIX, firme en su fe progresista. Hoy, de puro parecernos todo posible, presentimos que es posible también lo peor: el retroceso, la barbarie, la decadencia (1). Por sí mismo no sería esto un mal síntoma: significaría que volvemos a tomar contacto con la inseguridad esencial a todo vivir, con la inquietud, a un tiempo dolorosa y deliciosa, que va encerrada en cada minuto si sabemos vivirlo hasta su centro, hasta su pequeña víscera palpitante y cruenta. De ordinario rehuimos palpar esa pulsación pavorosa que hace de cada instante sincero un menudo corazón transeúnte; nos esforzamos por cobrar seguridad e insensibilizarnos para el dramatismo radical de nuestro destino, vertiendo sobre él la costumbre, el uso, el tópico —todos los cloroformos—. Es, pues, benéfico que por primera vez después

(1) Éste es el origen radical de los diagnósticos de decadencia. No que seamos decadentes, sino que, dispuestos a admitir toda posibilidad, no excluimos la de decadencia.

de casi tres siglos nos sorprendamos con la conciencia de no saber lo que va a pasar mañana.

Todo el que se coloque ante la existencia en una actitud seria y se haga de ella plenamente responsable, sentirá cierto género de inseguridad que le incita a permanecer alerta. El gesto que la ordenanza romana imponía al centinela de la legión era mantener el índice sobre sus labios para evitar la somnolencia y mantenerse atento. No está mal ese ademán, que parece imperar un mayor silencio al silencio nocturno, para poder oir la secreta germinación del futuro. La seguridad de las épocas de plenitud —así en la última centuria— es una ilusión óptica que lleva a despreocuparse del porvenir, encargando de su dirección a la mecánica del universo. Lo mismo el liberalismo progresista que el socialismo de Marx, suponen que lo deseado por ellos como futuro óptimo se realizará inexorablemente, con necesidad pareja a la astronómica. Protegidos ante su propia conciencia por esa idea, soltaron el gobernalle de la historia, dejaron de estar alerta, perdieron la agilidad y la eficacia. Así, la vida se les escapó de entre las manos, se hizo por completo insumisa, y hoy anda suelta sin rumbo conocido. Bajo su máscara de generoso futurismo, el progresista no se preocupa del futuro: convencido de que no tiene sorpresas ni secretos, peripecias ni innovaciones esenciales; seguro de que ya el mundo irá en vía recta, sin desvíos ni retrocesos, retrae su inquietud del porvenir y se instala en un definitivo presente. No podrá extrañar que hoy el mundo parezca vaciado de proyectos, anticipaciones e ideales. Nadie se preocupó de prevenirlos. Tal ha sido la deserción de las minorías directoras, que se halla siempre al reverso de la rebelión de las masas.

Pero ya es tiempo de que volvamos a hablar de ésta. Después de haber insistido en la vertiente favorable que presenta el triunfo de las masas, conviene que nos deslicemos por su otra ladera, más peligrosa.

V

UN DATO ESTADÍSTICO

Este ensayo quisiera vislumbrar el diagnóstico de nuestro tiempo, de nuestra vida actual. Va enunciada la primera parte de él, que puede resumirse así: nuestra vida, como repertorio de posibilidades, es magnífica, exuberante, superior a todas las históricamente conocidas. Mas por lo mismo que su formato es mayor, ha desbordado todos los cauces, principios, normas e ideales legados por la tradición. Es más vida que todas las vidas, y por lo mismo más problemática. No puede orientarse en el pretérito (1). Tiene que inventar su propio destino.

Pero ahora hay que completar el diagnóstico. La vida, que es, ante todo, lo que podemos ser, vida posible, es también, y por lo mismo, decidir entre las posibilidades lo que en efecto vamos a ser. Circunstancia y decisión son los dos elementos radicales de que se compone la vida. La circunstancia —las posibilidades— es lo que de nuestra vida nos es dado e impuesto. Ello constituye lo que llamamos el mundo. La vida no elige su mundo, sino que vivir es encontrarse desde luego en un mundo determinado e incanjeable: en este de ahora. Nuestro mundo es la dimensión de fatalidad que integra nuestra vida. Pero esta fatalidad vital no se parece a la mecánica. No somos disparados sobre la existencia como la bala de un fusil, cuya trayectoria está absolutamente predeterminada. La fatalidad en que caemos al caer en este mundo —el mundo es siempre *éste*, este de ahora— consiste en todo lo contrario. En vez de imponernos una trayectoria, nos impone varias y, consecuentemente, nos fuerza... a elegir. ¡Sorprendente condición la de nuestra vida! Vivir es sentirse *fatalmente* forzado a ejercitar la libertad, a decidir lo que vamos a ser en este mundo. Ni un solo instante se deja descansar a nuestra actividad de decisión. Inclusive cuando desesperados nos abandonamos a lo que quiera venir, hemos decidido no decidir.

Es, pues, falso decir que en la vida «deciden las circunstancias». Al contrario: las circunstancias son el dilema, siempre nuevo, ante el cual tenemos que decidirnos. Pero el que decide es nuestro carácter.

Todo esto vale también para la vida colectiva. También en ella hay, primero, un horizonte de posibilidades, y luego, una resolución que elige y decide el modo efectivo de la existencia colectiva. Esta resolución emana del carácter que la sociedad tenga, o, lo que es lo mismo, del tipo de hombre dominante en ella. En nuestro tiempo domina el hombre-masa; es él quien decide. No se diga que esto era lo que acontecía ya en la época de la democracia, del sufragio universal. En el sufragio universal no deciden las masas, sino que su papel consistió en adherirse a la de-

---

(1) Veremos, sin embargo, cómo cabe recibir del pasado, ya que no una orientación positiva, ciertos consejos negativos. No nos dirá el pretérito lo que debemos hacer, pero sí lo que debemos evitar.

cisión de una u otra minoría. Éstas presentaban sus «programas» —excelente vocablo—. Los programas eran, en efecto, programas de vida colectiva. En ellos se invitaba a la masa a aceptar un proyecto de decisión.

Hoy acontece una cosa muy diferente. Si se observa la vida pública de los países donde el triunfo de las masas ha avanzado más —son los países mediterráneos—, sorprende notar que en ellos se vive políticamente al día. El fenómeno es sobremanera extraño. El poder público se halla en manos de un representante de masas. Éstas son tan poderosas, que han aniquilado toda posible oposición. Son dueñas del poder público en forma tan incontrastable y superlativa, que sería difícil encontrar en la historia situaciones de gobierno tan prepotentes como éstas. Y, sin embargo, el poder público, el gobierno, vive al día; no se presenta como un porvenir franco, no significa un anuncio claro de futuro, no aparece como comienzo de algo cuyo desarrollo o evolución resulte imaginable. En suma, vive sin programa de vida, sin proyecto. No sabe a dónde va, porque, en rigor, no va, no tiene camino prefijado, trayectoria anticipada. Cuando ese poder público intenta justificarse, no alude para nada al futuro, sino, al contrario, se recluye en el presente y dice con perfecta sinceridad: «soy un modo anormal de gobierno que es impuesto por las circunstancias». Es decir, por la urgencia del presente, no por cálculos del futuro. De aquí que su actuación se reduzca a esquivar el conflicto de cada hora; no a resolverlo, sino a escapar de él por de pronto, empleando los medios que sean, aun a costa de acumular, con su empleo, mayores conflictos sobre la hora próxima. Así ha sido siempre el poder público cuando lo ejercieron directamente las masas: omnipotente y efímero. El hombre-masa es el hombre cuya vida carece de proyectos y va a la deriva. Por eso no construye nada, aunque sus posibilidades, sus poderes, sean enormes.

Y este tipo de hombre decide en nuestro tiempo. Conviene, pues, que analicemos su carácter.

La clave para este análisis se encuentra cuando, retrocediendo al comienzo de este ensayo, nos preguntamos: ¿De dónde han venido todas estas muchedumbres que ahora llenan y rebosan el escenario histórico?

Hace algunos años destacaba el gran economista Werner Sombart un dato sencillísimo, que es extraño no conste en toda cabeza que se preocupe de los asuntos contemporáneos. Este simplicísimo dato basta por sí solo para aclarar nuestra visión de la Europa actual, y si no basta, pone en la pista de todo esclarecimiento. El dato es el siguien-

te: desde que en el siglo VI comienza la historia europea,
hasta el año 1800 —por lo tanto, en toda la longitud de
doce siglos—, Europa no consigue llegar a otra cifra de
población que la de 180 millones de habitantes. Pues bien:
de 1800 a 1914 —por lo tanto, en poco más de un siglo—
la población europea asciende de 180 a ¡460 millones! Pre-
sumo que el contraste de estas cifras no deja lugar a duda
respecto a las dotes prolíficas de la última centuria. En
tres generaciones ha producido gigantescamente pasta humana que, lanzada como un torrente sobre el área histórica, la ha inundado. Bastaría, repito, este dato para comprender el triunfo de las masas y cuanto en él se refleja
y se anuncia. Por otra parte, debe ser añadido como el
sumando más concreto al crecimiento de la vida que antes
hice constar.

Pero a la par nos muestra ese dato que es infundada
la admiración con que subrayamos el crecimiento de países nuevos como los Estados Unidos de América. Nos maravilla su crecimiento, que en un siglo ha llegado a cien
millones de hombres, cuando lo maravilloso es la proliferación de Europa. He aquí otra razón para corregir el
espejismo que supone una americanización de Europa. Ni
siquiera el rasgo que pudiera parecer más evidente para
caracterizar a América —la velocidad de aumento de su
población— le es peculiar. Europa ha crecido en el siglo
pasado mucho más que América. América está hecha con
el reboso de Europa.

Mas aunque no sea tan conocido como debiera el dato
calculado por Werner Sombart, era de sobra notorio el
hecho confuso de haber aumentado considerablemente la
población europea para insistir en él. No es, pues, el aumento de población lo que en las cifras transcritas me
interesa, sino que merced a su contraste ponen de relieve
la vertiginosidad del crecimiento. Ésta es la que ahora nos
importa. Porque esa vertiginosidad significa que han sido
proyectados a bocanadas sobre la historia montones y montones de hombres en ritmo tan acelerado, que no era fácil
saturarlos de la cultura tradicional.

Y, en efecto, el tipo medio del actual hombre europeo
posee un alma más sana y más fuerte que la del pasado
siglo, pero mucho más simple. De aquí que a veces produzca la impresión de un hombre primitivo surgido ines-
peradamente en medio de una viejísima civilización. En
las escuelas, que tanto enorgullecían al pasado siglo, no
ha podido hacerse otra cosa que enseñar a las masas las
técnicas de la vida moderna, pero no se ha logrado edu-
carlas. Se les han dado instrumentos para vivir inten-

samente, pero no sensibilidad para los grandes deberes
históricos; se les han inoculado atropelladamente el orgullo y el poder de los medios modernos, pero no el espíritu.
Por eso no quieren nada con el espíritu, y las nuevas generaciones se disponen a tomar el mando del mundo como
si el mundo fuese un paraíso sin huellas antiguas, sin problemas tradicionales y complejos.

Corresponde, pues, al siglo pasado la gloria y la responsabilidad de haber soltado sobre la haz de la historia las
grandes muchedumbres. Por lo mismo ofrece este hecho la
perspectiva más adecuada para juzgar con equidad a esa
centuria. Algo extraordinario, incomparable, debía de haber en ella cuando en su atmósfera se producen tales cose-
chas de fruto humano. Es frívola y ridícula toda preferencia de los principios que inspiraron cualquiera otra edad
pretérita si antes no demuestra que se ha hecho cargo de
este hecho magnífico y ha intentado digerirlo. Aparece la
historia entera como un gigantesco laboratorio donde se
han hecho todos los ensayos imaginables para obtener una
fórmula de vida pública que favoreciese la planta «hombre». Y rebosando toda posible sofisticación, nos encontramos con la experiencia de que al someter la simiente humana al tratamiento de estos dos principios, democracia
liberal y técnica, en un solo siglo se triplica la especie
europea.

Hecho tan exuberante nos fuerza, si no preferimos ser
dementes, a sacar estas consecuencias: primera, que la
democracia liberal fundada en la creación técnica es el
tipo superior de vida pública hasta ahora conocido; segunda, que ese tipo de vida no será el mejor imaginable,
pero el que imaginemos mejor tendrá que conservar lo
esencial de aquellos principios; tercera, que es suicida todo
retorno a formas de vida inferiores a la del siglo XIX.

Una vez reconocido esto con toda la claridad que demanda la claridad del hecho mismo, es preciso revolverse
contra el siglo XIX. Si es evidente que había en él algo extraordinario e incomparable, no lo es menos que debió de
padecer ciertos vicios radicales, ciertas constitutivas insuficiencias cuando ha engendrado una casta de hombres
—los hombres-masa rebeldes— que ponen en peligro los
principios mismos a que debieron la vida. Si
ese tipo humano sigue dueño de Europa y es, definitivamente, quien decide, bastarán treinta años para que nuestro continente retroceda a la barbarie. Las técnicas jurídicas y materiales se volatilizarán con la misma facilidad
con que se han perdido tantas veces secretos de fabri-

cación (1). La vida toda se contraerá. La actual abundancia de posibilidades se convertirá en efectiva mengua, escasez, impotencia angustiosa; en verdadera decadencia. Porque la rebelión de las masas es una misma cosa con lo que Rathenau llamaba «la invasión vertical de los bárbaros».

Importa, pues, mucho conocer a fondo a este hombre-masa, que es pura potencia del mayor bien y del mayor mal.

VI

COMIENZA LA DISECCIÓN DEL HOMBRE-MASA

¿Cómo es este hombre-masa que domina hoy la vida pública? —la política y la no política—. ¿Por qué es como es?; quiero decir, ¿cómo se ha producido?

Conviene responder conjuntamente a ambas cuestiones, porque se prestan mutuo esclarecimiento. El hombre que ahora intenta ponerse al frente de la existencia europea es muy distinto del que dirigió al siglo XIX, pero fue producido y preparado en el siglo XIX. Cualquiera mente perspicaz de 1820, de 1850, de 1880, pudo, por un sencillo razonamiento a priori, prever la gravedad de la situación histórica actual. Y, en efecto, nada nuevo acontece que no haya sido previsto cien años hace. «¡Las masas avanzan!», decía, apocalíptico, Hegel. «Sin un nuevo poder espiritual, nuestra época, que es una época revolucionaria, producirá una catástrofe», anunciaba Augusto Comte. «¡Veo subir la pleamar del nihilismo!», gritaba desde un risco de la Engadina el mostachudo Nietzsche. Es falso decir que la historia no es previsible. Innumerables veces ha sido profetizada. Si el porvenir no ofreciese un flanco a la profecía, no podría tampoco comprendérsele cuando luego se cumple y se hace pasado. La idea de que el historiador es un profeta del revés, resume toda la filosofía de la historia. Ciertamente que sólo cabe anticipar la estructura general del futuro; pero eso mismo es lo

---

(1)   Hermann Weyl, uno de los más grandes físicos actuales, compañero y continuador de Einstein, suele decir en conversación privada que si murieran súbitamente diez o doce determinadas personas, es casi seguro que la maravilla de la física actual se perdería para siempre en la humanidad. Ha sido menester una preparación de muchos siglos para acomodar el órgano mental a la abstracta complicación de la teoría física. Cualquier evento puede aniquilar tan prodigiosa posibilidad humana, que es, además, base de la técnica futura.

único que en verdad comprendemos del pretérito o del presente. Por eso, si quiere usted ver bien su época, mírela usted desde lejos. ¿A qué distancia? Muy sencillo: a la distancia justa que le impida ver la nariz de Cleopatra.

¿Qué aspecto ofrece la vida de ese hombre multitudinario, que con progresiva abundancia va engendrando el siglo XIX? Por lo pronto, un aspecto de omnímoda facilidad material. Nunca ha podido el hombre medio resolver con tanta holgura su problema económico. Mientras en proporción menguaban las grandes fortunas y se hacía más dura la existencia del obrero industrial, el hombre medio de cualquier clase social encontraba cada día más franco su horizonte económico. Cada día agregaba un nuevo lujo al repertorio de su *standard* vital. Cada día su posición era más segura y más independiente del arbitrio ajeno. Lo que antes se hubiera considerado como un beneficio de la suerte, que inspiraba humilde gratitud hacia el destino, se convirtió en un derecho que no se agradece, sino que se exige.

Desde 1900 comienza también el obrero a ampliar y asegurar su vida. Sin embargo, tiene que luchar para conseguirlo. No se encuentra, como el hombre medio, con un bienestar puesto ante él solícitamente por una sociedad y un Estado que son un portento de organización.

A esta facilidad y seguridad económica añádanse las físicas: el *confort* y el orden público. La vida va sobre cómodos carriles, y no hay verosimilitud de que intervenga en ella nada violento y peligroso.

Situación de tal modo abierta y franca tenía por fuerza que decantar en el estrato más profundo de esas almas medias una impresión vital, que podía expresarse con el giro, tan gracioso y agudo, de nuestro viejo pueblo: «ancha es Castilla». Es decir, que en todos esos órdenes elementales y decisivos, la vida se presentó al hombre nuevo *exenta de impedimientos*. La comprensión de este hecho y su importancia surgen automáticamente cuando se recuerda que esa franquía vital faltó por completo a los hombres vulgares del pasado. Fue, por el contrario, para ellos la vida un destino premioso —en lo económico y en lo físico—. Sintieron el vivir *a nativitate* como un cúmulo de impedimentos que era forzoso soportar, sin que cupiera otra solución que adaptarse a ellos, alojarse en la angostura que dejaban.

Pero es aún más clara la contraposición de situaciones si de lo material pasamos a lo civil y moral. El hombre medio, desde la segunda mitad del siglo XIX, no halla ante sí barreras sociales ningunas. Es decir, tampoco en las formas de la vida pública se encuentra al nacer con trabas y limitaciones. Nada le obliga a contener su vida. También aquí «ancha es Castilla». No existen los «estados» ni las «castas». No hay nadie civilmente privilegiado. El hombre medio aprende que todos los hombres son legalmente iguales.

Jamás en toda la historia había sido puesto el hombre en una circunstancia o contorno vital que se pareciera ni de lejos al que esas condiciones determinan. Se trata, en efecto, de una innovación radical en el destino humano, que es implantada por el siglo XIX. Se crea un nuevo escenario para la existencia del hombre, nuevo en lo físico y en lo social. Tres principios han hecho posible ese nuevo mundo: la democracia liberal, la experimentación científica y el industrialismo. Los dos últimos pueden resumirse en uno: la técnica. Ninguno de esos principios fue inventado por el siglo XIX, sino que proceden de las dos centurias anteriores. El honor del siglo XIX no estriba en su invención, sino en su implantación. Nadie desconoce esto. Pero no basta con el reconocimiento abstracto, sino que es preciso hacerse cargo de sus inexorables consecuencias.

El siglo XIX fue esencialmente revolucionario. Lo que tuvo de tal no ha de buscarse en el espectáculo de sus barricadas, que, sin más, no constituyen una revolución, sino en que colocó al hombre medio —a la gran masa social— en condiciones de vida radicalmente opuestas a las que siempre le habían rodeado. Volvió del revés la existencia pública. La revolución no es la sublevación contra el orden preexistente, sino la implantación de un nuevo orden que tergiversa el tradicional. Por eso no hay exageración alguna en decir que el hombre engendrado por el siglo XIX es, para los efectos de la vida pública, un hombre aparte de todos los demás hombres. El del siglo XVIII se diferencia, claro está, del dominante en el XVII, y éste del que caracteriza al XVI, pero todos ellos resultan parientes, similares y aun idénticos en lo esencial si se confronta con ellos este hombre nuevo. Para el «vulgo» de todas las épocas, «vida» había significado ante todo limitación, obligación, dependencia; en una palabra, presión. Si se quiere, dígase opresión, con tal que no se entienda por ésta sólo la jurídica y social, olvidando la cósmica. Porque esta última es la que no ha faltado nunca hasta hace cien años, fecha en que comienza la expansión de la técnica científica —física y administrativa—, prácticamente ilimitada. Antes, aun para el rico y poderoso, el mundo era un ámbito de pobreza, dificultad y peligro (1).

El mundo que desde el nacimiento rodea al hombre nuevo no le mueve a limitarse en ningún sentido, no le presenta veto ni contención alguna, sino que, al contrario, hostiga sus apetitos, que, en principio, pueden crecer indefinidamente. Pues acontece —y esto es muy importante— que ese mundo del siglo XIX y comienzos del XX, no sólo tiene las perfecciones y amplitudes que de hecho posee, sino que además sugiere a sus habitantes una seguridad radical en que mañana será aún más rico, más perfecto y más amplio, como si gozase de un espontáneo e inagotable crecimiento. Todavía hoy, a pesar de algunos signos que inician una pequeña brecha en esa fe rotunda, todavía hoy muy pocos hombres dudan de que los automóviles serán dentro de cinco años más confortables y más baratos que los del día. Se cree en esto lo mismo que en la próxima salida del sol. El símil es formal. Porque, en efecto, el hombre vulgar, al encontrarse con ese mundo técnica y socialmente tan perfecto, cree que lo ha producido la naturaleza, y no piensa nunca en los esfuerzos geniales de individuos excelentes que supone su creación. Menos todavía admitirá la idea de que todas estas facilidades siguen apoyándose en ciertas difíciles virtudes de los hombres, el menor fallo de las cuales volatilizaría rápidamente la magnífica construcción.

Esto nos lleva a apuntar en el diagrama psicológico del hombre-masa actual dos primeros rasgos: la libre expansión de sus deseos vitales —por lo tanto, de su persona— y la radical ingratitud hacia cuanto ha hecho posible la facilidad de su existencia. Uno y otro rasgo componen la conocida psicología del niño mimado. Y en efecto, no erraría quien utilice ésta como una cuadrícula para mirar a su través el alma de las masas actuales. Heredero de un pasado larguísimo y genial —genial de inspiraciones y de esfuerzos—, el nuevo vulgo ha sido mimado por el mundo en torno. Mimar es no limitar los deseos, dar la impresión a un ser de que todo le está permitido y a nada está obligado. La criatura sometida a este régimen no tiene la experiencia de sus propios confines. A fuerza de evitarle toda presión en derredor, todo choque con otros seres, llega

_____

(1) Por muy rico que un individuo fuese en relación con los demás, como la totalidad del mundo era pobre, la esfera de facilidades y comodidades que su riqueza podía proporcionarle era muy reducida. La vida del hombre medio es hoy más fácil, cómoda y segura que la del más poderoso en otro tiempo. ¿Qué le importa no ser más rico que otros si el mundo lo es y le proporciona magníficos caminos, ferrocarriles, telégrafos, hoteles, seguridad corporal y aspirina?

a creer efectivamente que sólo él existe, y se acostumbra a no contar con los demás, sobre todo a no contar con nadie como superior a él. Esta sensación de la superioridad ajena sólo podía proporcionársela quien, más fuerte que él, le hubiese obligado a renunciar a un deseo, a reducirse, a contenerse. Así habría aprendido esta esencial disciplina: «Ahí concluyo yo y empieza otro que puede más que yo. En el mundo, por lo visto, hay dos: yo y otro superior a mí.» Al hombre medio de otras épocas le enseñaba cotidianamente su mundo esta elemental sabiduría, porque era un mundo tan toscamente organizado, que las catástrofes eran frecuentes y no había en él nada seguro, abundante ni estable. Pero las nuevas masas se encuentran con un paisaje lleno de posibilidades y, además, seguro, y todo ello presto, a su disposición, sin depender de su previo esfuerzo, como hallamos el sol en lo alto sin que nosotros lo hayamos subido al hombro. Ningún ser humano agradece a otro el aire que respira, porque el aire no ha sido fabricado por nadie: pertenece al conjunto de lo que «está ahí», de lo que decimos «es natural», porque no falta. Estas masas mimadas son lo bastante poco inteligentes para creer que esa organización material y social, puesta a su disposición como el aire, es de su mismo origen, ya que tampoco falla, al parecer, y es casi tan perfecta como la natural.

Mi tesis es, pues, ésta: la perfección misma con que el siglo xix ha dado una organización a ciertos órdenes de la vida, es origen de que las masas beneficiarias no la consideren como organización, sino como naturaleza. Así se explica y define el absurdo estado de ánimo que esas masas revelan: no les preocupa más que su bienestar, y, al mismo tiempo, son insolidarias de las causas de ese bienestar. Como no ven en las ventajas de la civilización un invento y construcción prodigiosos, que sólo con grandes esfuerzos y cautelas se pueden sostener, creen que su papel se reduce a exigirlas perentoriamente, cual si fuesen derechos nativos. En los motines que la escasez provoca suelen las masas populares buscar pan, y el medio que emplean suele ser destruir las panaderías. Esto puede servir como símbolo del comportamiento que, en más vastas y sutiles proporciones, usan las masas actuales frente a la civilización que las nutre (1).

_____

(1) Abandonada a su propia inclinación, la masa, sea la que sea, plebeya o «aristocrática», tiende siempre, por afán de vivir, a destruir las causas de su vida. Siempre me ha parecido una graciosa caricatura de esta tendencia a *propter vitam, vivendi perdere causas,* lo que aconteció en Níjar, pueblo cerca de Almería, cuando el 13 de septiembre de

VII

VIDA NOBLE Y VIDA VULGAR, O ESFUERZO E INERCIA

Por lo pronto somos aquello que nuestro mundo nos invita a ser, y las facciones fundamentales de nuestra alma son impresas en ella por el perfil del contorno como por un molde. Naturalmente, vivir no es más que tratar con el mundo. El cariz general que él nos presente será el cariz general de nuestra vida. Por eso insisto tanto en hacer notar que el mundo donde han nacido las masas actuales mostraba una fisonomía radicalmente nueva en la historia. Mientras en el pretérito vivir significaba para el hombre medio encontrar en derredor dificultades, peligros, escaseces, limitaciones de destino y dependencia, el mundo nuevo aparece como un ámbito de posibilidades prácticamente ilimitadas, seguro, donde no se depende de nadie. En torno a esta impresión primaria y permanente se va a formar cada alma contemporánea, como en torno a la opuesta se formaron las antiguas. Porque esta impresión fundamental se convierte en voz interior que murmura sin cesar unas como palabras en lo más profundo de la persona y le insinúa tenazmente una definición de la vida que es a la vez un imperativo. Y si la impresión tradicional decía: «Vivir es sentirse limitado y, por lo mismo, tener que contar con lo que nos limita», la voz novísima grita: «Vivir es no encontrar limitación alguna, por lo tanto, abandonarse tranquilamente a sí mismo. Prácticamente nada es imposible, nada es peligroso y, en principio, nadie es superior a nadie.»

1759 se proclamó rey a Carlos III. Hízose la proclamación en la plaza de la villa. «Después mandaron traer de beber a todo aquel gran concurso, el que consumió 77 arrobas de Vino y cuatro pellejos de Aguardiente, cuyos espíritus los calentó de tal forma, que con repetidos vítores se encaminaron al pósito, desde cuyas ventanas arrojaron el trigo que en él había, y 900 reales de sus Arcas. De allí pasaron al Estanco del Tabaco y mandaron tirar el dinero de la Mesada y el tabaco. En las tiendas practicaron lo propio, mandando derramar, para más authorizar la función quantos géneros líquidos y comestibles havía en ellas. El Estado eclesiástico concurrió con igual eficacia, pues a voces induxeron a las Mugeres tiraran quanto havía en sus casas, lo que egecutaron con el mayor desinterés, pues no quedó en ellas pan, trigo, harina, zebada, platos, cazuelas, almireces, morteros, ni sillas, quedando dicha villa destruida.» Según un papel del tiempo en poder del señor Sánchez de Toca, citado en *Reinado de Carlos III* por don Manuel Danvila, tomo II, pág. 10, nota 2. Este pueblo, para vivir su alegría monárquica, se aniquila a sí mismo. ¡Admirable Níjar! ¡Tuyo es el porvenir!

Esta experiencia básica modifica por completo la estructura tradicional, perenne, del hombre-masa. Porque éste
se sintió siempre constitutivamente referido a limitaciones materiales y a poderes superiores sociales. Esto era,
a sus ojos, la vida. Si lograba mejorar su situación, si
ascendía socialmente, lo atribuía a un azar de la fortuna,
que le era nominativamente favorable. Y cuando no a esto,
a un enorme esfuerzo que él sabía muy bien cuánto le había costado. En uno y otro caso se trataba de una excepción a la índole normal de la vida y del mundo; excepción
que, como tal, era debida a alguna causa especialísima.

Pero la nueva masa encuentra la plena franquía vital
como estado nativo y establecido, sin causa especial ninguna. Nada de fuera la incita a reconocerse límites y, por
lo tanto, a contar en todo momento con otras instancias,
sobre todo con instancias superiores. El labriego chino
creía, hasta hace poco, que el bienestar de su vida dependía de las virtudes privadas que tuviese a bien poseer el
emperador. Por lo tanto, su vida era constantemente refe-
rida a esta instancia suprema de que dependía. *Mas el
hombre que analizamos se habitúa a no apelar de sí mismo a ninguna instancia fuera de él.* Está satisfecho tal y
como es. Igualmente, sin necesidad de ser vano, como lo
más natural del mundo, tenderá a afirmar y dar por bueno
cuanto en sí halla: opiniones, apetitos, preferencias o gustos. ¿Por qué no, si, según hemos visto, nada ni nadie le
fuerza a caer en la cuenta de que él es un hombre de segunda clase, limitadísimo, incapaz de crear ni conservar la organización misma que da a su vida esa amplitud y contentamiento, en los cuales funda tal afirmación de su persona?

Nunca el hombre-masa hubiera apelado a nada fuera
de él si la *circunstancia* no le hubiese forzado violenta-
mente a ello. Como ahora la circunstancia no le obliga, el
eterno hombre-masa consecuente con su índole, deja de
apelar y se siente soberano de su vida. En cambio, el hombre selecto o excelente está constituido por una íntima necesidad de apelar de sí mismo a una norma más allá de él,
superior a él, a cuyo servicio libremente se pone. Recuérdese que al comienzo distinguíamos al hombre excelente
del hombre vulgar diciendo que aquél es el que se exige
mucho a sí mismo, y éste, el que no se exige nada, sino
que se contenta con lo que es, y está encantado consigo (1).

_____

(1) Es, intelectualmente, masa el que ante un problema cualquiera
se contenta con pensar lo que buenamente encuentra en su cabeza. Es,
en cambio egregio el que desestima lo que halla sin previo esfuerzo en
su mente, y sólo acepta como digno de él lo que aún está por encima
de él y se exige un nuevo estirón para alcanzarlo.

Contra lo que suele creerse, es la criatura de selección, y no la masa, quien vive en esencial servidumbre. No le sabe su vida si no la hace consistir en servicio a algo trascendente. Por eso no estima la necesidad de servir como una opresión. Cuando ésta, por azar, le falta, siente desasosiego e inventa nuevas normas más difíciles, más exigentes, que le opriman. Esto es la vida como disciplina —la vida noble—. La nobleza se define por la exigencia, por las obligaciones, no por los derechos. *Noblesse oblige.* «Vivir a gusto es de plebeyo: el noble aspira a ordenación y a ley.» (Goethe.) Los privilegios de la nobleza no son originariamente concesiones o favores, sino, por el contrario, conquistas. Y, en principio, supone su mantenimiento que el privilegiado sería capaz de reconquistarlas en todo instante, si fuese necesario y alguien se lo disputase (1). Los derechos privados o *privi-legios* no son, pues, pasiva posesión y simple goce, sino que representan el perfil adonde llega el esfuerzo de la persona. En cambio, los derechos comunes, como son los «del hombre» y del ciudadano, son propiedad pasiva, puro usufructo y beneficio, don generoso del destino con que todo hombre se encuentra, y que no responde a esfuerzo ninguno, como no sea el respirar y evitar la demencia. Yo diría, pues, que el derecho impersonal se tiene, y el personal se sostiene.

Es irritante la degeneración sufrida en el vocabulario usual por una palabra tan inspiradora como «nobleza». Porque al significar para muchos «nobleza de sangre», hereditaria, se convierte en algo parecido a los derechos comunes, en una calidad estática y pasiva, que se recibe y se transmite como una cosa inerte. Pero el sentido propio, el *etymo* del vocablo «nobleza» es esencialmente dinámico. Noble significa el «conocido»: se entiende el conocido de todo el mundo, el famoso, que se ha dado a conocer sobresaliendo de la masa anónima. Implica un esfuerzo insólito que motivó la fama. Equivale, pues, noble, a esforzado o excelente. La nobleza o fama del hijo es ya puro beneficio. El hijo es conocido porque su padre logró ser famoso. Es conocido por reflejo, y, en efecto, la nobleza hereditaria tiene un carácter indirecto, es luz espejada, es nobleza lunar como hecha con muertos. Sólo queda en ella de vivo, auténtico, dinámico, la incitación que produce en el descendiente a mantener el nivel de esfuerzo que el antepasado alcanzó. Siempre, aun en este sentido desvirtuado, *noblesse oblige.* El noble originario se obliga a sí mismo,

---

(1) Véase *España invertebrada* (1927), pág. 156, el capítulo «Imperativo de selección».

y al noble hereditario le obliga la herencia. Hay, de todas
suertes, cierta contradicción en el traspaso de la nobleza,
desde el noble inicial, a sus sucesores. Más lógicos los chinos, invierten el orden de la transmisión, y no es el padre
quien ennoblece al hijo, sino el hijo quien, al conseguir
la nobleza, la comunica a sus antepasados, destacando con
su esfuerzo a su estirpe humilde. Por eso, al conceder los
rangos de nobleza, se gradúan por el número de generaciones atrás que quedan prestigiadas, y hay quien sólo
hace noble a su padre y quien alarga su fama hasta el
quinto o décimo abuelo. Los antepasados viven del hombre actual, cuya nobleza es efectiva, actuante; en suma:
es; no *fue* (1).

La «nobleza» no aparece como término formal hasta el
Imperio romano, y precisamente para oponerlo a la nobleza hereditaria, ya en decadencia.

Para mí, nobleza es sinónimo de vida esforzada, puesta
siempre a superarse a sí misma, a trascender de lo que
ya es hacia lo que se propone como deber y exigencia. De
esta manera, la vida noble queda contrapuesta a la vida
vulgar o inerte, que, estáticamente, se recluye en sí misma, condenada a perpetua inmanencia, como una fuerza
exterior no la obligue a salir de sí. De aquí que llamemos
masa a este modo de ser hombre, no tanto porque sea
multitudinario, cuanto porque es inerte.

Conforme se avanza por la existencia, va uno hartándo-
se de advertir que la mayor parte de los hombres —y de
las mujeres— son incapaces de otro esfuerzo que el estrictamente impuesto como reacción a una necesidad externa. Por lo mismo, quedan más aislados y como monu-
mentalizados en nuestra experiencia los poquísimos seres
que hemos conocido capaces de un esfuerzo espontáneo y
lujoso. Son los hombres selectos, los nobles, los únicos ac-
tivos, y no sólo reactivos, para quienes vivir es una perpetua tensión, un incesante entrenamiento. Entrenamiento = *áskesis*. Son los ascetas (2).

No sorprenda esta aparente digresión. Para definir al
hombre-masa actual, que es tan masa como el de siempre,
pero que quiere suplantar a los excelentes, hay que con-
traponerlo a las dos formas puras que en él se mezclan:
la masa normal y el auténtico noble o esforzado.

_____

(1) Como en lo anterior se trata sólo de retrotraer el vocablo «nobleza» a su sentido primordial, que excluye la herencia, no hay opor-
tunidad para estudiar el hecho de que tantas veces aparezca en la historia una «nobleza de sangre». Queda, pues, intacta esta cuestión.
(2) Véase *El origen deportivo del Estado*, en *El espectador*, VII.

Ahora podemos caminar más de prisa, porque ya somos dueños de lo que, a mi juicio, es la clave o ecuación psicológica del tipo humano dominante hoy. Todo lo que sigue es consecuencia o corolario de esa estructura radical que podría resumirse así: el mundo organizado por el siglo XIX, al producir automáticamente un hombre nuevo, ha metido en él formidables apetitos, poderosos medios de todo orden para satisfacerlos —económicos, corporales (higiene, salud media superior a la de todos los tiempos), civiles y técnicos (entiendo por éstos la enormidad de conocimientos parciales y de eficiencia práctica que hoy tiene el hombre medio y de que siempre careció en el pasado)—. Después de haber metido en él todas estas potencias, el siglo XIX lo ha abandonado a sí mismo, y entonces, siguiendo el hombre medio su índole natural, se ha cerrado dentro de sí. De esta suerte, nos encontramos con una masa más fuerte que la de ninguna época, pero, a diferencia de la tradicional, hermetizada en sí misma, incapaz de atender a nada ni a nadie, creyendo que se basta —en suma: indócil (1)—. Continuando las cosas como hasta aquí, cada día se notará más en toda Europa —y por reflejo en todo el mundo— que las masas son incapaces de dejarse dirigir en ningún orden. En las horas difíciles que llegan para nuestro continente, es posible que, súbitamente angustiadas, tengan un momento la buena voluntad de aceptar, en ciertas materias especialmente premiosas, la dirección de minorías superiores.

Pero aun esa buena voluntad fracasará. Porque la textura radical de su alma está hecha de hermetismo e indocilidad, porque les falta, de nacimiento, la función de atender a lo que está más allá de ellas, sean hechos, sean personas. Querrán seguir a alguien, y no podrán. Querrán oir, y descubrirán que son sordas.

Por otra parte, es ilusorio pensar que el hombre medio vigente, por mucho que haya ascendido su nivel vital en comparación con el de otros tiempos, va a poder regir por sí mismo el proceso de la civilización. Digo *proceso,* no ya *progreso.* El simple proceso de mantener la civilización actual es superlativamente complejo y requiere sutilezas incalculables. Mal puede gobernarlo este hombre medio que ha aprendido a usar muchos aparatos de civilización, pero que se caracteriza por ignorar de raíz los principios mismos de la civilización.

---

(1) Sobre la indocilidad de las masas, especialmente de las españolas, hablé ya en *España invertebrada* (1927), y a lo dicho allí me remito.

Reitero al lector que, paciente, haya leído hasta aquí, la conveniencia de no entender todos estos enunciados atribuyéndoles desde luego un significado político. La actividad política, que es de toda la vida pública la más eficiente y la más visible, es, en cambio, la postrera, resultante de otras más íntimas e impalpables. Así, la indocilidad política no sería grave si no proviniese de una más honda y decisiva indocilidad intelectual y moral. Por eso, mientras no hayamos analizado ésta, faltará la última claridad al teorema de este ensayo.

VIII

POR QUÉ LAS MASAS INTERVIENEN EN TODO, Y POR QUÉ SÓLO INTERVIENEN VIOLENTAMENTE

Quedamos en que ha acontecido algo sobremanera paradójico, pero que en verdad era naturalísimo: de puro mostrarse abiertos mundo y vida al hombre mediocre, se le ha cerrado a éste el alma. Pues bien: yo sostengo que en esa obliteración de las almas medias consiste la rebeldía de las masas, en que a su vez consiste el gigantesco problema planteado hoy a la humanidad.

Ya sé que muchos de los que me leen no piensan lo mismo que yo. También esto es naturalísimo y confirma el teorema. Pues aunque resulte en definitiva errónea mi opinión, siempre quedaría el hecho de que muchos de esos lectores discrepantes no han pensado cinco minutos sobre tan compleja materia. ¿Cómo van a pensar lo mismo que yo? Pero al creerse con derecho a tener una opinión sobre el asunto sin previo esfuerzo para forjársela, manifiestan su ejemplar pertenencia al modo absurdo de ser hombre que he llamado «masa rebelde». Eso es precisamente tener obliterada, hermética, el alma. En este caso se trataría de hermetismo intelectual. La persona se encuentra con un repertorio de ideas dentro de sí. Decide contentarse con ellas y considerarse intelectualmente completa. Al no echar de menos nada fuera de sí, se instala definitivamente en aquel repertorio. He ahí el mecanismo de la obliteración.

El hombre-masa se siente perfecto. Un hombre de selección, para sentirse perfecto, necesita ser especialmente vanidoso, y la creencia en su perfección no está consustancialmente unida a él, no es ingenua, sino que le llega de su vanidad, y aun para él mismo tiene un carácter ficticio, imaginario y problemático. Por eso el vanidoso necesita de los demás, busca en ellos la confirmación de la idea que quiere tener de sí mismo. De suerte que ni aun en este caso morboso, ni aun «cegado» por la vanidad, consigue el hombre noble sentirse de verdad completo. En cambio, al hombre mediocre de nuestros días, al nuevo Adán, no se le ocurre dudar de su propia plenitud. Su confianza en sí es, como de Adán, paradisíaca. El hermetismo nato de su alma le impide lo que sería condición previa para descubrir su insuficiencia: compararse con otros seres. Compararse sería salir un rato de sí mismo y trasladarse al prójimo. Pero el alma mediocre es incapaz de transmigraciones —deporte supremo.

Nos encontramos, pues, con la misma diferencia que eternamente existe entre el tonto y el perspicaz. Éste se sorprende a sí mismo siempre a dos dedos de ser tonto; por ello hace un esfuerzo para escapar de la inminente tontería, y en ese esfuerzo consiste la inteligencia. El tonto, en cambio, no se sospecha a sí mismo: se parece discretísimo, y de ahí la envidiable tranquilidad con que el necio se asienta e instala en su propia torpeza. Como esos insectos que no hay manera de extraer fuera del orificio en que habitan, no hay modo de desalojar al tonto de su tontería, llevarle de paseo un rato más allá de su ceguera y obligarle a que contraste su torpe visión habitual con otros modos de ver más sutiles. El tonto es vitalicio y sin poros. Por eso decía Anatole France que un necio es mucho más funesto que un malvado. Porque el malvado descansa algunas veces; el necio, jamás (1).

No se trata de que el hombre-masa sea tonto. Por el contrario, el actual es más listo, tiene más capacidad intelectiva que el de ninguna otra época. Pero esa capacidad no le sirve de nada; en rigor, la vaga sensación de poseerla le sirve sólo para cerrarse más en sí y no usarla. De una vez para siempre consagra el surtido de tópicos, prejuicios, cabos de ideas o simplemente, vocablos hueros que el azar ha amontonado en su interior, y con una audacia que sólo por la ingenuidad se explica, los impondrá dondequiera. Esto es lo que en el primer capítulo enunciaba yo como característico en nuestra época: no que el vulgar crea que es sobresaliente y no vulgar, sino que el vulgar proclame e imponga el derecho de la vulgaridad o la vulgaridad como un derecho.

_____

(1) Muchas veces me he planteado la siguiente cuestión: es indudable que desde siempre ha tenido que ser para muchos hombres uno de los tormentos más angustiosos de su vida el contacto, el choque con la tontería de los prójimos. ¿Cómo es posible, sin embargo, que no se haya intentado nunca —me parece— un estudio sobre ella, un *ensayo sobre la tontería?*

El imperio que sobre la vida pública ejerce hoy la vulgaridad intelectual es acaso el factor de la presente situación más nuevo, menos asimilable a nada del pretérito. Por lo menos en la historia europea hasta la fecha, nunca el vulgo había creído tener «ideas» sobre las cosas. Tenía creencias, tradiciones, experiencias, proverbios, hábitos mentales, pero no se imaginaba en posesión de opiniones teóricas sobre lo que las cosas son o deben ser —por ejemplo, sobre política o sobre literatura—. Le parecía bien o mal lo que el político proyectaba y hacía; aportaba o retiraba su adhesión, pero su actitud se reducía a repercutir, positiva o negativamente, la acción creadora de otros. Nunca se le ocurrió oponer a las «ideas» del político otras suyas; ni siquiera juzgar las «ideas» del político desde el tribunal de otras «ideas» que creía poseer. Lo mismo en arte y en los demás órdenes de la vida pública. Una innata conciencia de su limitación, de no estar calificado para teorizar (1), se lo vedaba completamente. La consecuencia automática de esto era que el vulgo no pensaba, ni de lejos, decidir en casi ninguna de las actividades públicas, que en su mayor parte son de índole teórica.

Hoy, en cambio, el hombre medio tiene las «ideas» más taxativas sobre cuanto acontece y debe acontecer en el universo. Por eso ha perdido el uso de la audición. ¿Para qué oír, si ya tiene dentro cuanto falta? Ya no es sazón de escuchar, sino, al contrario, de juzgar, de sentenciar, de decidir. No hay cuestión de vida pública donde no intervenga, ciego y sordo como es, imponiendo sus «opiniones».

Pero ¿no es esto una ventaja? ¿No representa un progreso enorme que las masas tengan «ideas», es decir, que sean cultas? En manera alguna. Las «ideas» de este hombre medio no son auténticamente ideas, ni su posesión es cultura. La idea es un jaque a la verdad. Quien quiera tener ideas necesita antes disponerse a querer la verdad y aceptar las reglas de juego que ella imponga. No vale hablar de ideas u opiniones donde no se admite una instancia que las regula, una serie de normas a que en la discusión cabe apelar. Estas normas son los principios de la cultura. No me importa cuáles. Lo que digo es que no hay cultura donde no hay normas a que nuestros prójimos puedan recurrir. No hay cultura donde no hay principios de legalidad civil a que apelar. No hay cultura donde no hay acatamiento de ciertas últimas posiciones

─────────

(1) No se pretenda escamotear la cuestión: todo opinar es teorizar.

intelectuales a que referirse en la disputa (1). No hay cultura cuando no preside a las relaciones económicas un régimen de tráfico bajo el cual ampararse. No hay cultura donde las polémicas estéticas no reconocen la necesidad de justificar la obra de arte.

Cuando faltan todas esas cosas, no hay cultura; hay, en el sentido más estricto de la palabra, barbarie. Y esto es, no nos hagamos ilusiones, lo que empieza a haber en Europa bajo la progresiva rebelión de las masas. El viajero que llega a un país bárbaro sabe que en aquel territorio no rigen principios a que quepa recurrir. No hay normas bárbaras propiamente. La barbarie es ausencia de normas y de posible apelación.

El más y el menos de cultura se mide por la mayor o menor precisión de las normas. Donde hay poca, regulan éstas la vida sólo *grosso modo;* donde hay mucha, penetran hasta el detalle en el ejercicio de todas las actividades. La escasez de la cultura intelectual española, esto es, del cultivo o ejercicio disciplinado del intelecto, se manifiesta, no en que se sepa más o menos, sino en la habitual falta de cautela y cuidados para ajustarse a la verdad que suelen mostrar los que hablan y escriben. No, pues, en que se acierte o no —la verdad no está en nuestra mano—, sino en la falta de escrúpulo que lleva a no cumplir los requisitos elementales para acertar. Seguimos siendo el eterno cura de aldea que rebate triunfante al maniqueo, sin haberse ocupado antes de averiguar lo que piensa el maniqueo.

Cualquiera puede darse cuenta de que en Europa, desde hace años, han empezado a pasar «cosas raras». Por dar algún ejemplo concreto de estas cosas raras, nombraré ciertos movimientos políticos, como el sindicalismo y el fascismo. No se diga que parecen raros simplemente porque son nuevos. El entusiasmo por la innovación es de tal modo ingénito en el europeo, que le ha llevado a producir la historia más inquieta de cuantas se conocen. No se atribuya, pues, lo que estos nuevos hechos tienen de raro a lo que tienen de nuevo, sino a la extrañísima vitola de estas novedades. Bajo las especies de sindicalismo y fascismo aparece por primera vez en Europa un tipo de hombre que *no quiere dar razones ni quiere tener razón,* sino que, sencillamente, se muestra resuelto a imponer sus opiniones. He aquí lo nuevo: el derecho a no tener

---

(1) Si alguien en su discusión con nosotros se desinteresa de ajustarse a la verdad, si no tiene la voluntad de ser verídico, es, intelectualmente, un bárbaro. De hecho, ésa es la posición del hombre-masa cuando habla, da conferencias o escribe.

razón, la razón de la sinrazón. Yo veo en ello la manifestación más palpable del nuevo modo de ser las masas,
por haberse resuelto a dirigir la sociedad sin capacidad
para ello. En su conducta política se revela la estructura
del alma nueva de la manera más cruda y contundente;
pero la clave está en el hermetismo intelectual. El hombre medio se encuentra con «ideas» dentro de sí, pero carece de la función de idear. Ni sospecha siquiera cuál es
el elemento utilísimo en que las ideas viven. Quiere opinar. De aquí que sus «ideas» no sean efectivamente sino
apetitos con palabras, como las romanzas musicales.

   Tener una idea es creer que se poseen las razones de
ella, y es, por lo tanto, creer que exista una razón, un
orbe de verdades inteligibles. Idear, opinar, es una misma cosa con apelar a tal instancia, supeditarse a ella,
aceptar su código y su sentencia, creer, por lo tanto, que
la forma superior de la convivencia es el diálogo en que
se discuten las razones de nuestras ideas. Pero el hombre-
masa se sentiría perdido si aceptase la discusión, e instintivamente repudia la obligación de acatar esa instancia suprema que se halla fuera de él. Por eso, lo «nuevo»
es en Europa «acabar con las discusiones», y se detesta
toda forma de convivencia que por sí misma implique acatamiento de normas objetivas, desde la conversación hasta
el Parlamento, pasando por la ciencia. Esto quiere decir
que se renuncia a la convivencia de cultura, que es una
convivencia bajo normas, y se retrocede a una convivencia
bárbara. Se suprimen todos los trámites normales y se va
directamente a la imposición de lo que se desea. El hermetismo del alma, que, como hemos visto antes, empuja
a la masa para que intervenga en toda la vida pública,
la lleva también, inexorablemente, a un procedimiento único de intervención: la acción directa.

   El día en que se reconstruya la génesis de nuestro tiempo, se advertirá que las primeras notas de su peculiar
melodía sonaron en aquellos grupos sindicalistas y realis-
tas franceses de hacia 1900, inventores de la manera y la
palabra «acción directa». Perpetuamente el hombre ha
acudido a la violencia: unas veces este recurso era simplemente un crimen, y no nos interesa. Pero otras era la
violencia el medio a que recurría el que había agotado
antes todos los demás para defender la razón y la justicia
que creía tener. Será muy lamentable que la condición
humana lleve una y otra vez a esta forma de violencia,
pero es innegable que ella significa el mayor homenaje
a la razón y la justicia. Como que no es tal violencia
otra cosa que la razón exasperada. La fuerza era, en

efecto, la *ultima ratio*. Un poco estúpidamente ha solido entenderse con ironía esta expresión, que declara muy bien el previo rendimiento de la fuerza a las normas racionales. La civilización no es otra cosa que el ensayo de reducir la fuerza a *ultima ratio*. Ahora empezamos a ver esto con sobrada claridad, porque la «acción directa» consiste en invertir el orden y proclamar la violencia como *prima ratio*, en rigor, como única razón. Es ella la norma que propone la anulación de toda norma, que suprime todo intermedio entre nuestro propósito y su imposición. Es la Carta Magna de la barbarie.

Conviene recordar que en todo tiempo, cuando la masa, por uno u otro motivo, ha actuado en la vida pública, lo ha hecho en forma de «acción directa». Fue, pues, siempre el modo de operar natural a las masas. Y corrobora enérgicamente la tesis de este ensayo el hecho patente de que ahora, cuando la intervención directa de las masas en la vida pública ha pasado de casual e infrecuente a ser lo normal, aparezca la «acción directa» oficialmente como norma reconocida.

Toda la convivencia humana va cayendo bajo este nuevo régimen en que se suprimen las instancias indirectas. En el trato social se suprime la «buena educación». La literatura como «acción directa», se constituye en el insulto. Las relaciones sexuales reducen sus trámites.

¡Trámites, normas, cortesía, usos intermediarios, justicia, razón! ¿De qué vino inventar todo esto, crear tanta complicación? Todo ello se resume en la palabra civilización, que, al través de la idea de *civis*, el ciudadano, descubre su propio origen. Se trata con todo ello de hacer posible la ciudad, la comunidad, la convivencia. Por eso, si miramos por dentro cada uno de esos trebejos de la civilización que acabo de enumerar, hallaremos una misma entraña en todos. Todos, en efecto, suponen, el deseo radical y progresivo de contar cada persona con las demás. Civilización es, antes que nada, voluntad de convivencia. Se es incivil y bárbaro en la medida en que no se cuente con los demás. La barbarie es tendencia a la disociación. Y así todas las épocas bárbaras han sido tiempos de desparramiento humano, pululación de mínimos grupos separados y hostiles.

La forma que en política ha representado la más alta voluntad de convivencia es la democracia liberal. Ella lleva al extremo la resolución de contar con el prójimo y es prototipo de la «acción indirecta». El liberalismo es el principio de derecho político según el cual el poder público, no obstante ser omnipotente, se limita a sí mismo

y procura, aun a su costa, dejar hueco en el Estado que
él impera para que puedan vivir los que ni piensan ni
sienten como él, es decir, como los más fuertes, como la
mayoría. El liberalismo —conviene hoy recordar esto—
es la suprema generosidad: es el derecho que la mayoría
otorga a la minoría y es, por lo tanto, el más noble grito
que ha sonado en el planeta. Proclama la decisión de convivir con el enemigo: más aún, con el enemigo débil. Era
inverosímil que la especie humana hubiese llegado a una
cosa tan bonita, tan paradójica, tan elegante, tan acrobática, tan antinatural. Por eso, no debe sorprender que
prontamente parezca esa misma especie resuelta a aban-
donarla. Es un ejercicio demasiado difícil y complicado
para que se consolide en la tierra.

¡Convivir con el enemigo! ¡Gobernar con la oposición!
¿No empieza a ser ya incomprensible semejante ternura?
Nada acusa con mayor claridad la fisonomía del presente
como el hecho de que vayan siendo tan pocos los países
donde existe la oposición. En casi todos una masa homogénea pesa sobre el poder público y aplasta, aniquila todo
grupo opositor. La masa —¿quién lo diría al ver su aspecto compacto y multitudinario?— no desea la convivencia con lo que no es ella. Odia a muerte lo que no es ella.

IX

PRIMITIVISMO Y TÉCNICA

Me importa mucho recordar aquí que estamos sumergi-
dos en el análisis de una situación —la del presente— sustancialmente equívoca. Por eso insinué al principio que
todos los rasgos actuales, y en especial la rebelión de las
masas, presentan doble vertiente. Cualquiera de ellos no
sólo tolera, sino que reclama una doble interpretación,
favorable y peyorativa. Y este equívoco no reside en nuestro juicio, sino en la realidad misma. No es que pueda
parecerme por un lado bien, por otro mal, sino que en sí
misma la situación presente es potencia bifronte de triunfo o de muerte.

No es cosa de lastrar este ensayo con toda una metafísica de la historia. Pero claro es que lo voy construyendo
sobre el cimiento subterráneo de mis convicciones filosóficas expuestas o aludidas en otros lugares. No creo en la
absoluta determinación de la historia. Al contrario, pienso
que toda vida y, por lo tanto, la histórica, se compone de
puros instantes, cada uno de los cuales está relativamente

indeterminado con respecto al anterior, de suerte que en él la realidad vacila, *piétine sur place*, y no sabe bien si decidirse por una u otra entre varias posibilidades. Este titubeo metafísico proporciona a todo lo vital esa inconfundible cualidad de vibración y estremecimiento.

La rebelión de las masas *puede*, en efecto, ser tránsito a una nueva y sin par organización de la humanidad, pero también *puede* ser una catástrofe en el destino humano. No hay razón para negar la realidad del progreso; pero es preciso corregir la noción que cree seguro este progreso. Más congruente con los hechos es pensar que no hay ningún progreso seguro, ninguna evolución sin la amenaza de involución y retroceso. Todo, todo es posible en la historia —lo mismo el progreso triunfal e indefinido que la periódica regresión—. Porque la vida, individual o colectiva, personal o histórica, es la única entidad del universo cuya sustancia es peligro. Se compone de peripecias. Es, rigorosamente hablando, drama (1).

Esto, que es verdad en general, adquiere mayor intensidad en los «momentos críticos», como es el presente. Y así, los síntomas de nueva conducta que bajo el imperio actual de las masas van apareciendo y agrupábamos bajo el título de «acción directa», *pueden* anunciar también futuras perfecciones. Es claro que toda vieja cultura arrastra en su avance tejidos caducos y no parva cargazón de materia córnea, estorbo a la vida y tóxico residuo. Hay instituciones muertas, valoraciones y respetos supervivientes y ya sin sentido, soluciones indebidamente complicadas, normas que han probado su insustancialidad. Todos estos elementos de la *acción indirecta*, de la civilización, demandan una época del frenesí simplificador. La levita y el plastrón románticos solicitan una venganza por medio del actual *déshabillé* y el «en mangas de camisa». Aquí la simplificación es higiene y mejor gusto; por lo

_____

(1) Ni que decir tiene que casi nadie tomará en serio estas expresiones, y los mejor intencionados las entenderán como simples metáforas, tal vez conmovedoras. Sólo algún lector lo bastante ingenuo para no creer que sabe ya definitivamente lo que es la vida, o por lo menos lo que no es, se dejará ganar por el sentido primario de estas frases y será precisamente el que —verdaderas o falsas— las *entienda*. Entre los demás reinará la más efusiva unanimidad, con esta única diferencia: los unos pensarán que, *hablando en serio*, vida es el proceso existencial de un alma, y los otros, que es una sucesión de reacciones químicas. No creo que mejore mi situación ante lectores tan herméticos resumir toda una manera de pensar diciendo que el sentido *primario* y radical de la palabra vida, aparece cuando se la emplea en el sentido de biografía, y no en el de biología. Por la fortísima razón de que toda biología es, en definitiva, sólo un capítulo de ciertas biografías, es lo que en su vida (biografiable) hacen los biólogos. Otra cosa es abstracción, fantasía y mito.

tanto, una solución más perfecta, como siempre que con
menos medios se consigue más. El árbol del amor romántico exigía también una poda para que cayeran las de-
masiadas magnolias falsas zurcidas a sus ramas y el
furor de lianas, volutas, retorcimientos e intrincaciones
que no lo dejaban solearse.

En general, la vida pública, sobre todo la política, re-
quería urgentemente una reducción a lo auténtico, y la
humanidad europea no podría dar el salto elástico que el
optimista reclama de ella si no se pone antes desnuda, si
no se aligera hasta su pura esencialidad, hasta cumplir
consigo misma. El entusiasmo que siento por esta disciplina de nudificación, de autenticidad, la conciencia de que
es imprescindible para franquear el paso a un futuro estimable, me hace reivindicar plena libertad de ideador
frente a todo el pasado. Es el porvenir quien debe imperar sobre el pretérito, y de él recibimos la orden para
nuestra conducta frente a cuanto fue (1).

Pero es preciso evitar el pecado mayor de los que diri-
gieron el siglo XIX: la defectuosa conciencia de su responsabilidad, que les hizo no mantenerse alerta y en vigilan-
cia. Dejarse deslizar por la pendiente favorable que presenta el curso de los acontecimientos y embotarse para la
dimensión de peligro y mal cariz que aun la hora más
jocunda posee, es precisamente faltar a la misión de responsable. Hoy se hace menester suscitar una hiperestesia
de responsabilidad en los que sean capaces de sentirla, y
parece lo más urgente subrayar el lado palmariamente funesto de los síntomas actuales.

Es indudable que en un balance diagnóstico de nuestra
vida pública los factores adversos superan con mucho a
los favorables, si el cálculo se hace no tanto pensando en
el presente como en lo que anuncian y prometen.

Todo el crecimiento de posibilidades concretas que ha
experimentado la vida corre riesgo de anularse a sí mismo al topar con el más pavoroso problema sobrevenido en
el destino europeo y que de nuevo formulo: se ha apode-
rado de la dirección social un tipo de hombre a quien no
interesan los principios de la civilización. No los de ésta o

(1)   Esta holgura de movimientos frente al pasado no es, pues, una
petulante rebeldía, sino por el contrario, una clarísima obligación de
toda «época crítica». Si yo defiendo el liberalismo del siglo XIX contra las
masas que incivilmente lo atacan, no quiere decir que renuncie a una
plena libertad frente a ese propio liberalismo. Viceversa: el primitivismo, que en este ensayo aparece bajo su haz peor, es, por otra parte y en
cierto sentido, condición de todo gran avance histórico. Véase lo que
hace no pocos años decía yo sobre esto en el ensayo *Biología y pedagogía* (*El espectador*, III, «La paradoja del salvajismo»).

los de aquélla, sino —a lo que hoy puede juzgarse— los
de ninguna. Le interesan, evidentemente, los anestésicos,
los automóviles y algunas cosas más. Pero esto confirma
su radical desinterés hacia la civilización. Pues esas cosas
son sólo productos de ella, y el fervor que se les dedica
hace resaltar más crudamente la insensibilidad para los
principios de que nacen. Baste hacer constar este hecho:
desde que existen las *nuove scienze*, las ciencias físicas
—por lo tanto, desde el Renacimiento—, el entusiasmo
hacia ellas había aumentado sin colapso a lo largo del
tiempo. Más concretamente: el número de gentes que en
proporción se dedicaban a esas puras investigaciones era
mayor en cada generación. El primer caso de retroceso
—repito, proporcional— se ha producido en la generación
que hoy va de los veinte a los treinta. En los laboratorios
de ciencia pura empieza a ser difícil atraer discípulos. Y
esto acontece cuando la industria alcanza su mayor desarrollo y cuando las gentes muestran mayor apetito por
el uso de aparatos y medicinas creados por la ciencia.

Si no fuera prolijo, podría demostrarse pareja incongruencia en política, en arte, en moral, en religión y en
las zonas cotidianas de la vida.

¿Qué nos significa situación tan paradójica? Este ensayo pretende haber preparado la respuesta a tal pregunta.
Significa que el hombre hoy dominante es un primitivo, un
Naturmensch emergiendo en medio de un mundo civilizado.
Lo civilizado es el mundo, pero su habitante no lo es: ni
siquiera ve en él la civilización, sino que usa de ella como
si fuese naturaleza. El nuevo hombre desea el automóvil y
goza de él; pero cree que es fruta espontánea de un árbol
edénico. En el fondo de su alma desconoce el carácter artificial, casi inverosímil, de la civilización, y no alargará
su entusiasmo por los aparatos hasta los principios que
los hacen posibles. Cuando más arriba, transponiendo unas
palabras de Rathenau, decía yo que asistimos a la «invasión vertical de los bárbaros», pudo juzgarse —como es
sólito— que se trataba sólo de una «frase». Ahora se ve
que la expresión podrá enunciar una verdad o un error,
pero que es lo contrario de una «frase», a saber: una
definición formal que condensa todo un complicado análisis. El hombre-masa actual es, en efecto, un primitivo,
que por los bastidores se ha deslizado en el viejo escenario de la civilización.

A toda hora se habla hoy de los progresos fabulosos de
la técnica; pero yo no veo que se hable, ni por los mejores,
con una conciencia de su porvenir suficientemente dramático. El mismo Spengler, tan sutil y tan hondo —aunque

tan maniático—, me parece en este punto demasiado optimista. Pues cree que a la «cultura» va a suceder una
época de «civilización», bajo la cual entiende sobre todo la
técnica. La idea que Spengler tiene de la «cultura», y en
general de la historia, es tan remota de la presupuesta
en este ensayo, que no es fácil, ni aun para rectificarlas,
traer aquí a comento sus conclusiones. Sólo brincando sobre distancias y precisiones, para reducir ambos puntos
de vista a un común denominador, pudiera plantearse así
la divergencia: Spengler cree que la técnica puede seguir
viviendo cuando ha muerto el interés por los principios de
la cultura. Yo no puedo resolverme a creer tal cosa. La
técnica es, consustancialmente, ciencia, y la ciencia no
existe si no interesa en su pureza y por ella misma, y
no puede interesar si las gentes no continúan entusiasma-
das con los principios generales de la cultura. Si se em-
bota este fervor —como parece ocurrir—, la técnica sólo
puede pervivir un rato, el que le dure la inercia del impulso cultural que la creó. Se vive con la técnica, pero no
de la técnica. Ésta no se nutre ni respira a sí misma, no
es *causa sui*, sino precipitado útil, práctico, de preocupaciones superfluas, imprácticas (1).

Voy, pues, a la advertencia de que el actual interés por
la técnica no garantiza nada, y menos que nada el progreso mismo o la perduración de la técnica. Bien está que se
considere el tecnicismo como uno de los rasgos característicos de la «cultura moderna», es decir, de una cultura que
contiene un género de ciencia, el cual resulta material-
mente aprovechable. Por eso, al resumir la fisonomía novísima de la vida implantada por el siglo XIX, me quedaba
yo con estas dos solas facciones: democracia liberal y
técnica (2). Pero repito que me sorprende la ligereza con
que al hablar de la técnica se olvida que su víscera cor-
dial es la ciencia pura, y que las condiciones de su perpetuación involucran las que hacen posible el puro ejercicio científico. ¿Se ha pensado en todas las cosas que
necesitan seguir vigentes en las almas para que pueda

---

(1) De aquí que, a mi juicio, no dice nada quien cree haber dicho algo
definiendo a Norteamérica por su «técnica». Una de las cosas que per-
turban más gravemente la conciencia europea es el conjunto de juicios
pueriles sobre Norteamérica, que oye uno sustentar aun a las personas
más cultas. Es un caso particular de la desproporción que más adelante
apunto entre la complejidad de los problemas actuales y la capacidad
de las mentes.
(2) En rigor, la democracia liberal y la técnica se implican e inter-
suponen a su vez tan estrechamente, que no es concebible la una sin
la otra, y por lo tanto, fuera deseable un tercer nombre, más genérico,
que incluyese ambas. Éste sería el verdadero nombre, el substantivo de
la última centuria.

seguir habiendo de verdad «hombres de ciencia»? ¿Se cree
en serio que mientras haya dólares habrá ciencia? Esta
idea en que muchos se tranquilizan no es sino una prueba
más de primitivismo.

¡Ahí es nada la cantidad de ingredientes, los más dispares entre sí, que es menester reunir y agitar para obtener el *cocktail* de la ciencia fisicoquímica! Aun conten-
tándose con la presión más debil y somera del tema, salta
ya el clarísimo hecho de que en toda la amplitud de la
tierra y en toda la del tiempo, la fisicoquímica sólo ha
logrado constituirse, establecerse plenamente en el breve
cuadrilátero que inscriben Londres, Berlín, Viena y París.
Y aun dentro de ese cuadrilátero, sólo en el siglo XIX. Esto
demuestra que la ciencia experimental es uno de los productos más improbables de la historia. Magos, sacerdotes,
guerreros y pastores han pululado donde y como quiera.
Pero esta fauna del hombre experimental requiere, por
lo visto, para producirse, un conjunto de condiciones más
insólito que el que engendra al unicornio. Hecho tan sobrio y tan magro debía hacer reflexionar un poco sobre
el carácter supervolátil, evaporante, de la inspiración científica (1). ¡Lucido va quien crea que si Europa desapareciese podrían los norteamericanos *continuar* la ciencia!

Importaría mucho tratar a fondo el asunto y especificar
con toda minucia cuáles son los supuestos históricos, vitales de la ciencia experimental y, consecuentemente, de la
técnica. Pero no se espere que, aun aclarada la cuestión,
el hombre-masa se daría por enterado. El hombre-masa
no atiende a razones, y sólo aprende en su propia carne.

Una observación me impide hacerme ilusiones sobre la
eficacia de tales prédicas, que a fuer de racionales ten-
drían que ser sutiles. ¿No es demasiado absurdo que en
las circunstancias actuales no sienta el hombre medio, espontáneamente y sin prédicas, fervor superlativo hacia
aquellas ciencias y sus congéneres las biológicas? Porque
repárese en cuál es la situación actual: mientras, evidentemente, todas las demás cosas de la cultura se han vuelto
problemáticas —la política, el arte, las normas sociales, la
moral misma—, hay una que cada día comprueba, de la
manera más indiscutible y más propia para hacer efecto
al hombre-masa, su maravillosa eficiencia: la ciencia empírica. Cada día facilita un nuevo invento que ese hombre medio utiliza; cada día produce un nuevo analgésico

---

(1) No hablemos de cuestiones más internas. La mayor parte de los
investigadores mismos no tienen hoy la más ligera sospecha de la gra-
vísima, peligrosísima crisis íntima que hoy atraviesa su ciencia.

o vacuna, de que ese hombre medio se beneficia. Todo el
mundo sabe que, no cediendo la inspiración científica, si
se triplicasen o decuplicasen los laboratorios, se multipli-
carían automáticamente riqueza, comodidades, salud, bienestar. ¿Puede imaginarse propaganda más formidable y
contundente en favor de un principio vital? ¿Cómo, no
obstante, no hay sombra de que las masas se pidan a sí
mismas un sacrificio de dinero y de atención para dotar
mejor la ciencia? Lejos de eso, la posguerra ha convertido
al hombre de ciencia en el nuevo paria social. Y conste que
me refiero a físicos, químicos, biólogos —no a los filósofos—. La filosofía no necesita ni protección, ni atención,
ni simpatía de la masa. Cuida su aspecto de perfecta inutilidad (1), y con ello se liberta de toda supeditación al
hombre medio. Se sabe a sí misma, por esencia, problemática, y abraza alegre su libre destino de pájaro del
Buen Dios, sin pedir a nadie que cuente con ella, ni reco-
mendarse, ni defenderse. Si a alguien, buenamente, le aprovecha para algo, se regocija por simple simpatía humana; pero no vive de ese provecho ajeno, ni lo premedita,
ni lo espera. ¿Cómo va a pretender que nadie la tome
en serio, si ella comienza por dudar de su propia existencia, si no vive más que en la medida en que se com-
bata a sí misma, en que se desviva a sí misma? Dejemos,
pues, a un lado la filosofía, que es aventura de otro rango.

Pero las ciencias experimentales sí necesitan de la masa,
como ésta necesita de ellas, so pena de sucumbir, ya que
en un planeta sin fisicoquímica no puede sustentarse el
número de hombres hoy existentes.

¿Qué razonamientos pueden conseguir lo que no consigue el automóvil, donde van y vienen esos hombres, y la
inyección de pantopón, que fulmina, *milagrosa*, sus dolo-
res? La desproporción entre el beneficio constante y patente que la ciencia les procura, y el interés que por ella
muestran es tal que no hay modo de sobornarse a sí mismo con ilusorias esperanzas y esperar más que barbarie
de quien así se comporta. *Máxime si, según veremos, este
despego hacia la ciencia como tal, aparece, quizá con mayor claridad que en ninguna otra parte, en la masa de los
técnicos mismos —de médicos, ingenieros*, etc., los cuales
suelen ejercer su profesión con un estado de espíritu idéntico en lo esencial al de quien se contenta con usar del
automóvil o comprar el tubo de aspirina—, sin la menor
solidaridad íntima con el destino de la ciencia, de la civilización.

_____

(1) Aristóteles: *Metafísica*, 893 a 910.

Habrá quien se sienta más sobrecogido por otros síntomas de barbarie emergente que, siendo de cualidad positiva, de acción, y no de omisión, saltan más a los ojos y se
materializan en espectáculo. Para mí es este de la desproporción entre el provecho que el hombre medio recibe
de la ciencia y la gratitud que le dedica —que no le dedica— el más aterrador (1). Sólo acierto a explicarme esta
ausencia del adecuado reconocimiento si recuerdo que en
el centro de África los negros van también en automóvil
y se aspirinizan. El europeo que *empieza* a predominar
—ésta es mi hipótesis— sería, *relativamente a la compleja
civilización en que ha nacido,* un hombre primitivo, un
bárbaro emergiendo por escotillón, un «invasor vertical».

X

PRIMITIVISMO E HISTORIA

La naturaleza está siempre ahí. Se sostiene a sí misma.
En ella, en la selva, podemos impunemente ser salvajes.
Podemos, inclusive, resolvernos a no dejar de serlo nunca,
sin más riesgo que el advenimiento de otros seres que no
lo sean. Pero, en principio, son posibles pueblos perenne-
mente primitivos. Los hay. Breyssig los ha llamado «los
pueblos de la perpetua aurora», los que se han quedado
en una alborada detenida, congelada, que no avanza hacia
ningún mediodía.

Esto pasa en el mundo que es sólo naturaleza. Pero no
pasa en el mundo que es civilización, como el nuestro. La
civilización no está ahí, no se sostiene a sí misma. Es ar-
tificio y requiere un artista o artesano. Si usted quiere
aprovecharse de las ventajas de la civilización, pero no
se preocupa usted de sostener la civilización..., se ha fas-
tidiado usted. En un dos por tres se queda usted sin civilización. ¡Un descuido, y cuando mira usted en derredor,
todo se ha volatilizado! Como si hubiese recogido unos ta-
pices que tapaban la pura naturaleza, reaparece repristi-
nada la selva primitiva. La selva siempre es primitiva. Y
viceversa: todo lo primitivo es selva.

---

(1) Centuplica la monstruosidad del hecho que —como he indicado—
todos los demás principios vitales —política, derecho, arte, moral, religión— se hallan, efectivamente, y *por sí* mismos, en crisis, en, por lo
menos, transitoria falla. Sólo la ciencia no falla, sino que cada día
cumple con fabulosas creces cuanto promete y más de lo que promete.
No tiene, pues, concurrencia, no cabe disculpar el despego hacia ella,
suponiendo al hombre medio distraído por algún otro entusiasmo de
cultura.

A los románticos de todos los tiempos les dislocaban estas escenas de violación, en que lo natural e infrahumano volvía a oprimir la palidez humana de la mujer, y pintaban al cisne sobre Leda, estremecido; al toro con Pasifae y a Antíope bajo el capro. Generalizando, hallaron un espectáculo más sutilmente indecente en el paisaje con ruinas, donde la piedra civilizada, geométrica, se ahoga bajo el abrazo de la silvestre vegetación. Cuando un buen romántico divisa un edificio, lo primero que sus ojos buscan es, sobre la acrótera o el tejado, el «amarillo jaramago». Él anuncia que, en definitiva, todo es tierra, que dondequiera la selva rebrota.

Sería estúpido reírse del romántico. *También* el romántico tiene razón. Bajo esas imágenes inocentemente perversas late un enorme y sempiterno problema: el de las relaciones entre la civilización y lo que quedó tras ella —la naturaleza—, entre lo racional y lo cósmico. Reclamo, pues, la franquía para ocuparme de él en otra ocasión y para ser en la hora oportuna romántico.

Pero ahora me encuentro en faena opuesta. Se trata de contener la selva invasora. El «buen europeo» tiene que dedicarse ahora a lo que constituye, como es sabido, grave preocupación de los Estados australianos: a impedir que las chumberas ganen terreno y arojen a los hombres al mar. Hacia el año cuarenta y tantos, un emigrante meridional, nostálgico de su paisaje —¿Málaga, Sicilia?—, llevó a Australia un tiesto con una chumberita de nada. Hoy los presupuestos de Oceanía se cargan con partidas onerosas destinadas a la guerra contra la chumbera, que ha invadido el continente y cada año gana en sección más de un kilómetro.

El hombre-masa cree que la civilización en que ha nacido y que usa es tan espontánea y primigenia como la naturaleza, e *ipso facto* se convierte en primitivo. La civilización se le antoja selva. Ya lo he dicho. Pero ahora hay que añadir algunas precisiones.

Los principios en que se apoya el mundo civilizado —el que hay que sostener— no existen para el hombre medio actual. No le interesan los valores fundamentales de la cultura, no se hace solidario de ellos, no está dispuesto a ponerse en su servicio. ¿Cómo ha pasado esto? Por muchas causas; pero ahora voy a destacar sólo una.

La civilización, cuanto más avanza, se hace más compleja y más difícil. Los problemas que hoy plantea son archiintrincados. Cada vez es menor el número de personas cuya mente está a la altura de esos problemas. La posguerra nos ofrece un ejemplo bien claro de ello. La

reconstrucción de Europa —se va viendo— es un asunto
demasiado algebraico, y el europeo vulgar se revela inferior a tan sutil empresa. No es que falten medios para
la solución. Faltan cabezas. Más exactamente: hay algunas cabezas, muy pocas, pero el cuerpo vulgar de la Europa central no quiere ponérselas sobre los hombros.

Este desequilibrio entre la sutileza complicada de los problemas y la de las mentes será cada vez mayor si no se
pone remedio, y constituye la más elemental tragedia de
la civilización. De puro ser fértiles y certeros los principios que la informan, aumenta su cosecha en cantidad y
en agudeza hasta rebosar la receptividad del hombre normal. No creo que esto haya acontecido nunca en el pasado.
Todas las civilizaciones han fenecido por la insuficiencia
de sus principios. La europea amenaza sucumbir por lo
contrario. En Grecia y Roma no fracasó el hombre, sino
sus principios. El Imperio romano finiquita por falta de
técnica. Al llegar a un grado de población grande y exigir
tan vasta convivencia la solución de ciertas urgencias materiales que sólo la técnica podía hallar, comenzó el mundo antiguo a involucionar, a retroceder y consumirse.

Mas ahora es el hombre quien fracasa por no poder seguir emparejado con el progreso de su misma civilización.
Da grima oír hablar sobre los temas más elementales del
día a las personas relativamente más cultas. Parecen toscos labriegos que con dedos gruesos y torpes quieren co-
ger una aguja que está sobre u mesa. Se manejan, por
ejemplo, los temas políticos y sociales con el instrumental
de conceptos romos que sirvieron hace doscientos años para
afrontar situaciones de hecho doscientas veces menos sutiles.

Civilización avanzada es una y misma cosa con problemas arduos. De aquí que cuanto mayor sea el progreso,
más en peligro está. La vida es cada vez mejor, pero, bien
entendido, cada vez más complicada. Claro es que al com-
plicarse los problemas se van perfeccionando también los
medios para resolverlos. Pero es menester que cada nueva
generación se haga dueña de esos medios adelantados.
Entre éstos —por concretar un poco— hay uno perogru-
llescamente unido al avance de una civilización, que es
tener mucho pasado a su espalda, mucha experiencia; en
suma: historia. El saber histórico es una técnica de primer orden para conservar y continuar una civilización
provecta. No porque dé soluciones positivas al nuevo cariz
de los conflictos vitales —la vida es siempre diferente de
lo que fue—, sino porque evita cometer los errores inge-
nuos de otros tiempos. Pero si usted, encima de ser viejo,

y, por lo tanto, de que su vida empieza a ser difícil, ha
perdido la memoria del pasado, no aprovecha usted su experiencia, entonces todo son desventajas. Pues yo creo que
ésta es la situación de Europa. Las gentes más «cultas»
de hoy padecen una ignorancia histórica increíble. Yo sostengo que hoy sabe el europeo dirigente mucha menos
historia que el hombre del siglo XVIII, y aun del XVII. Aquel
saber histórico de las minorías gobernantes —gobernantes
sensu lato— hizo posible el avance prodigioso del siglo XIX.
Su política está pensada —por el XVIII— precisamente para
evitar los errores de todas las políticas antiguas, está idea-
da en *vista* de esos errores y resume en su sustancia la más
larga experiencia. Pero ya el siglo XIX comenzó a perder
«cultura histórica», a pesar de que en su transcurso los especialistas la hicieron avanzar muchísimo como ciencia (1).
A este abandono no se deben en buena parte sus peculiares errores, que hoy gravitan sobre nosotros. En su último
tercio se inició —aún subterráneamente— la involución,
el retroceso a la barbarie, esto es, a la ingenuidad y primitivismo de quien no tiene u olvida su pasado.

Por eso son *bolchevismo* y *fascismo*, los dos intentos
«nuevos» de política que en Europa y sus aledaños se están haciendo, dos claros ejemplos de regresión sustancial.
No tanto por el contenido positivo de sus doctrinas que,
aislado, tiene naturalmente una verdad parcial —¿quién
en el universo no tiene una porciúncula de razón?—, como
por la manera *anti*-histórica, anacrónica, con que tratan su
parte de razón. Movimientos típicos de hombres-masas, dirigidos, como todos los que lo son, por hombres mediocres,
extemporáneos y sin larga memoria, sin «conciencia histórica», se comportan desde un principio como si hubiesen
pasado ya, como si acaeciendo en esta hora perteneciesen
a la fauna de antaño.

La cuestión no está en ser o no ser comunista y bolche-
vique. No discuto el credo. Lo que es inconcebible y ana-
crónico es que un comunista de 1917 se lance a hacer una
revolución que es, en su forma, idéntica a todas las que
antes ha habido y en que no se corrigen lo más mínimo
los defectos y errores de las antiguas. Por eso no es interesante históricamente lo acontecido en Rusia; por eso es
estrictamente lo contrario que un comienzo de vida humana. Es, por lo contrario, una monótona repetición de la
revolución de siempre, es el perfecto lugar común de las
revoluciones. Hasta el punto de que no hay frase hecha,

---

(1)   Ya aquí entrevemos la diferencia entre el estado de las ciencias
de una época y el estado de su cultura, que pronto nos va a ocupar.

de las muchas que sobre las revoluciones la vieja experiencia humana ha hecho, que no reciba deplorable confirmación cuando se aplica a ésta. «La revolución devora
a sus propios hijos.» «La revolución comienza por un partido mesurado, pasa en seguida a los extremistas y comienza muy pronto a retroceder hacia una restauración»,
etcétera, etc. A los cuales tópicos venerables podían agre-
garse algunas otras verdades menos notorias, pero no menos probables, entre ellas ésta: una revolución no dura más
de quince años, período que coincide con la vigencia de
una generación (1).

Quien aspire verdaderamente a crear una nueva realidad social o política necesita preocuparse ante todo de que
esos humildísimos lugares comunes de la experiencia histórica queden invalidados por la situación que él suscita.
Por mi parte, reservaré la calificación de genial para el
político que apenas comience a operar comiencen a volver-
se locos los profesores de Historia de los institutos, en vista de que todas las «leyes» de su ciencia resultan caduca-
das, interrumpidas y hechas cisco.

Invirtiendo el signo que afecta el bolchevismo, podríamos
decir cosas similares del fascismo. Ni uno ni otro ensayo
están «a la altura de los tiempos», no llevan dentro de sí
escorzado todo el pretérito, condición irremisible para superarlo. Con el pasado no se lucha cuerpo a cuerpo. El
porvenir lo vence porque se lo traga. Como deje algo de
él fuera, está perdido.

Uno y otro —bolchevismo y fascismo— son dos seudo-
alboradas; no traen la mañana de mañana, sino la de un
arcaico día, ya usado una y muchas veces; son primitivismo. Y esto serán todos los movimientos que recaigan
en la simplicidad de entablar un pugilato con tal o cual
porción del pasado, en vez de proceder a su digestión.

No cabe duda de que es preciso superar el liberalismo
del siglo XIX. Pero esto es justamente lo que no puede hacer quien, como el fascismo, se declara antiliberal. Porque
eso —ser antiliberal o no liberal— es lo que hacía el hom-

---

(1) Una generación actúa alrededor de treinta años. Pero esa actuación se divide en dos etapas y toma dos formas: durante la primera
mitad —aproximadamente— de ese período, la nueva generación hace
la propaganda de sus ideas, preferencias y gustos, que al cabo adquieren vigencia y son lo dominante en la segunda mitad de su carrera.
Mas la generación educada bajo su imperio trae ya otras ideas, preferencias y gustos, que empieza a inyectar en el aire público. Cuando las
ideas, preferencias y gustos de la generación imperante son extremistas,
y por ello revolucionarios, la nueva generación es antiextremista y an-
tirrevolucionaria, es decir, de alma sustancialmente restauradora. Claro
que por restauración no ha de entenderse simple «vuelta a lo antiguo»,
cosa que nunca han sido las restauraciones.

bre anterior al liberalismo. Y como ya una vez éste triunfó de aquél, repetirá su victoria innumerables veces o se
acabará todo —liberalismo y antiliberalismo— en una destrucción de Europa. Hay una cronología vital inexorable.
El liberalismo es en ella posterior al antiliberalismo, o lo
que es lo mismo, es más vida que éste, como el cañón es
más arma que la lanza.

Al primer pronto, una actitud *anti*-algo parece posterior a este algo, puesto que significa una reacción contra
él y supone su previa existencia. Pero la innovación que
el *anti* representa se desvanece en vacío además negador
y deja sólo como contenido positivo una «antigualla». El
que se declara anti-Pedro no hace, traduciendo su actitud
a lenguaje positivo, más que declararse partidario de un
mundo donde Pedro no exista. Pero esto es precisamente
lo que acontecía al mundo cuando aún no había nacido
Pedro. El antipedrista, en vez de colocarse después de
Pedro, se coloca antes y retrotrae toda la película a la
situación pasada, al cabo de la cual está inexorablemente
la reaparición de Pedro. Les pasa, pues, a todos estos
anti lo que, según la leyenda, a Confucio. El cual nació,
naturalmente, después que su padre; pero, ¡diablo!, nació
ya con ochenta años, mientras su progenitor no tenía más
que treinta. Todo *anti* no es más que un simple y hueco *no*.

Sería todo muy fácil si con un *no* mundo y lirondo ani-
quilásemos el pasado. Pero el pasado es por esencia *reve-
nant*. Si se le echa, vuelve, vuelve irremediablemente. Por
eso su única auténtica separación es no echarlo. Contar
con él. Comportarse en vista de él para sortearlo, para
evitarlo. En suma, vivir a «la altura de los tiempos», con
hiperestésica conciencia de la coyuntura histórica.

El pasado tiene razón, la suya. Si no se le da esa que
tiene, volverá a reclamarla y, de paso, a imponer la que
no tiene. El liberalismo tenía una razón, y ésa hay que
dársela *per saccula saeculorum*. Pero no tenía toda la razón, y esa que no tenía es la que hay que quitarle. Europa
necesita conservar su esencial liberalismo. Ésta es la condición para superarlo.

Si he hablado aquí de fascismo y bolchevismo, no ha
sido más que oblicuamente, fijándome sólo en su facción
anacrónica. Ésta es, a mi juicio, inseparable de todo lo
que hoy parece triunfar. Porque hoy triunfa el hombre-
masa y, por lo tanto, sólo intentos por él informados, saturados de su estilo primitivo, pueden celebrar una aparente victoria. Pero, aparte de esto, no discuto ahora la
entraña del uno ni la del otro, como no pretendo dirimir
el perenne dilema entre revolución y evolución. Lo más

que este ensayo se atreve a solicitar es que revolución o
evolución sean históricas y no anacrónicas.

El tema que persigo en estas páginas es políticamente
neutro, porque alienta en estrato mucho más profundo
que la política y sus disensiones. No es más ni menos masa
el conservador que el radical, y esta diferencia —que en
toda época ha sido muy superficial— no impide ni de lejos que ambos sean un mismo hombre, vulgo rebelde.

Europa no tiene remisión si su destino no es puesto en
manos de gentes verdaderamente «contemporáneas» que
sientan bajo sí palpitar todo el subsuelo histórico, que co-
nozcan la altitud presente de la vida y repugnen todo gesto arcaico y silvestre. Necesitamos de la historia íntegra
para ver si logramos escapar de ella, no recaer en ella.

XI

LA ÉPOCA DEL «SEÑORITO SATISFECHO»

Resumen: El nuevo hecho social que aquí se analiza es
éste: la historia europea parece, por vez primera, entregada a la decisión del hombre vulgar como tal. O dicho
en voz activa: el hombre vulgar, antes dirigido, ha resuelto gobernar el mundo. Esta resolución de adelantarse al
primer plano social se ha producido en él, automáticamente, apenas llegó a madurar el nuevo tipo de hombre
que él representa. Si atendiendo a los efectos de vida pública se estudia la estructura psicológica de este nuevo
tipo de hombre-masa, se encuentra lo siguiente: 1.º, una
impresión nativa y radical de que la vida es fácil, sobrada, sin limitaciones trágicas; por lo tanto, cada individuo
medio encuentra en sí una sensación de dominio y triunfo
que, 2.º, le invita a afirmarse a sí mismo tal cual es, dar
por bueno y completo su haber moral e intelectual. Este
contentamiento consigo le lleva a cerrarse para toda instancia exterior, a no escuchar, a no poner en tela de juicio sus opiniones y a no contar con los demás. Su sensación íntima de dominio le incita constantemente a ejercer
predominio. Actuará, pues, como si sólo él y sus congéneres existieran en el mundo; por lo tanto, 3.º, intervén-
drá en todo imponiendo su vulgar opinión sin miramien-
tos, contemplaciones, trámites ni reservas, es decir, según
un régimen de «acción directa».

Este repertorio de facciones nos hizo pensar en ciertos
modos deficientes de ser hombres, como el «niño mimado»
y el primitivo rebelde, es decir, el bárbaro. (El primitivo
normal, por el contrario, es el hombre más dócil a ins-

tancias superiores que ha existido nunca: religión, tabús,
tradición social, costumbre.) No es necesario entrañarse
de que yo acumule dicterios sobre esta figura de ser humano. El presente ensayo no es más que un primer ensayo de ataque a ese hombre triunfante, y el anuncio de
que unos cuantos europeos van a revolverse enérgicamente contra su pretensión de tiranía. Por ahora se trata de
un ensayo de ataque nada más: el ataque a fondo vendrá
luego, tal vez muy pronto, en forma muy distinta de la
que este ensayo reviste. El ataque a fondo tiene que venir
en forma que el hombre-masa no pueda precaverse contra
él, lo vea ante sí y no sospeche que aquello, precisamente
aquello, es el ataque a fondo.

Este personaje, que ahora anda por todas partes y dondequiera impone su barbarie íntima, es, en efecto, el niño
mimado de la historia humana. El niño mimado es el heredero que se comporta exclusivamente como heredero.
Ahora la herencia es la civilización —las comodidades, la
seguridad en suma, las ventajas de la civilización—. Como
hemos visto, sólo dentro de la holgura vital que ésta ha
fabricado en el mundo puede surgir un hombre constituido por aquel repertorio de facciones inspirado por tal carácter. Es una de tantas deformaciones como el lujo produce en la materia humana. Tenderíamos ilusoriamente a
creer que una vida nacida en un mundo sobrado sería
mejor, más vida y de superior calidad a la que consiste
precisamente en luchar con la escasez. Pero no hay tal.
Por razones muy rigurosas y archifundamentales que no
es ahora ocasión de enunciar. Ahora, en vez de esas razones, basta con recordar el hecho siempre repetido que
constituye la tragedia de toda aristocracia hereditaria.
El aristócrata hereda, es decir, encuentra atribuidas a
su persona unas condiciones de vida que él no ha creado, por tanto, que no se producen orgánicamente unidas
a su vida personal y propia. Se halla, al nacer, instalado,
de pronto y sin saber cómo, en medio de su riqueza y de
sus prerrogativas. Él no tiene, íntimamente, nada que ver
con ellas, porque no vienen de él. Son el caparazón gigantesco de otra persona, de otro ser viviente: su antepasado. Y tiene que vivir *como* heredero, esto es, tiene que
usar el caparazón de otra vida. ¿En qué quedamos? ¿Qué
vida va a vivir el «aristócrata» de herencia: la suya, o la
del prócer inicial? Ni la una ni la otra. Está condenado a
representar al otro, por lo tanto, a *no ser* ni el otro ni él
mismo. Su vida pierde, inexorablemente, autenticidad, y
se convierte en pura representación o ficción de otra vida.
La sobra de medios que está obligado a manejar no le deja

vivir su propio y personal destino, atrofia su vida. *Toda vida es la lucha, el esfuerzo por ser sí misma.* Las dificultades con que tropiezo para realizar mi vida son precisamente lo que despierta y moviliza mis actividades, mis capacidades. Si mi cuerpo no me pesase, yo no podría andar. Si la atmósfera no me oprimiese, sentiría mi cuerpo como una cosa vaga, fofa, fantasmática. Así, en el «aristócrata» heredero toda su persona se va envejeciendo, por falta de uso y esfuerzo vital. El resultado es esa específica bobería de las viejas noblezas, que no se parece a nada y que, en rigor, nadie ha descrito todavía en su interno y trágico mecanismo —el interno y trágico mecanismo que conduce a toda aristocracia hereditaria a su irremediable degeneración.

Vaya esto tan sólo para contrarrestar nuestra ingenua tendencia a creer que la sobra de medios favorece la vida. Todo lo contrario. Un mundo sobrado (1) de posibilidades produce automáticamente graves deformaciones y viciosos tipos de existencia humana —los que se pueden reunir en la clase general «hombre heredero» de que el «aristócrata» no es sino un caso particular, y otro el niño mimado, y otro, mucho más amplio y radical, el hombre-masa de nuestro tiempo—. (Por otra parte, cabría aprovechar más detalladamente la anterior alusión al «aristócrata», mostrando cómo muchos de los rasgos característicos de éste, en todos los pueblos y tiempos, se dan de manera germinal en el hombre-masa. Por ejemplo: la propensión a hacer ocupación central de la vida los juegos y los deportes; el cultivo de su cuerpo —régimen higiénico y atención a la belleza del traje—, falta de romanticismo en la relación con la mujer; divertirse con el intelectual, pero, en el fondo, no estimarlo y mandar que los lacayos o los esbirros le azoten; preferir la vida bajo la autoridad absoluta a un régimen de discusión (2), etc., etc.)

---

(1) No se confunda el aumento, y aun la abundancia de medios, con la sobra. En el siglo XIX aumentaban las facilidades de vida, y ello produce el prodigioso crecimiento —cuantitativo y cualitativo— de ella que he apuntado más arriba. Pero ha llegado un momento en que el mundo civilizado, puesto en relación con la capacidad del hombre medio, adquiría un cariz *sobrado*, excesivamente rico, superfluo. Un solo ejemplo de esto, la seguridad que parecía ofrecer el progreso (= aumento siempre creciente de ventajas vitales) desmoralizó al hombre medio, inspirándole una confianza que es falsa, atrófica, viciosa.

(1) En esto, como en otras cosas, la aristocracia inglesa parece una excepción de lo dicho. Pero, con ser su caso admirabilísimo, bastaría con dibujar las líneas generales de la historia británica para hacer ver que esta excepción, aun siéndolo, confirma la regla. Contra lo que suele decirse, la nobleza inglesa ha sido la menos «sobrada» de Europa, y ha vivido en más constante peligro que ninguna otra. Y porque ha vivido

Insisto, pues, con leal pesadumbre, en hacer ver que este hombre lleno de tendencias inciviles, que este novísimo bárbaro, es un producto automático de la civilización moderna especialmente de la forma que esta civilización adoptó en el siglo XIX. No ha venido de fuera al mundo civilizado como los «grandes bárbaros blancos» del siglo v; no ha nacido tampoco dentro de él por generación espontánea y misteriosa como, según Aristóteles, los renacuajos en la alberca, sino que es su fruto natural. Cabe formular esta ley que la paleontología y biogeografía confirman: la vida humana ha surgido y ha progresado sólo cuando los medios con que contaba estaban equilibrados por los problemas que sentía. Esto es verdad, lo mismo en el orden espiritual que en el físico. Así, para referirme a una dimensión muy concreta de la vida corporal, recordaré que la especie humana ha brotado en zonas del planeta donde la estación caliente quedaba compensada por una estación de frío intenso. En los trópicos el animal hombre degenera, y viceversa, las razas inferiores —por ejemplo, los pigmeos— han sido empujados hacia los trópicos por razas nacidas después que ellas y superiores en la escala de la evolución (1).

Pues bien: la civilización del siglo XIX es de índole tal que permite al hombre medio instalarse en un mundo sobrado del cual percibe sólo la superabundancia de medios, pero no las angustias. Se encuentra rodeado de instrumentos prodigiosos, de medicinas benéficas, de Estados previsores, de derechos cómodos. Ignora, en cambio, lo difícil que es inventar esas medicinas e instrumentos y asegurar para el futuro su producción; no advierte lo inestable que es la organización del Estado, y apenas si siente dentro de sí obligaciones. Este desequilibrio le falsifica, le vacía en su raíz de ser viviente, haciéndole perder contacto con la sustancia misma de la vida, que es absoluto peligro, radical problematismo. La forma más contradictoria de la vida humana que puede aparecer en la vida humana es el «señorito satisfecho». Por eso, cuando se hace figura predominante, es preciso dar la voz de alarma y anunciar que la vida se halla amenazada de dege-

---

siempre en peligro, ha sabido y logrado hacerse siempre respetar, lo cual supone haber permanecido sin descanso en la brecha. Se olvida el dato fundamental de que Inglaterra ha sido, hasta muy dentro del siglo XVIII, el país más pobre de Occidente. La nobleza se salvó por esto mismo. Como no era sobrada de medios, tuvo que aceptar desde luego la ocupación comercial e industrial —innoble en el continente—, es decir, se decidió muy pronto a vivir económicamente en forma creadora, y a no atenerse a los privilegios.

(1)   Véase Olbricht: *Klima und Entwicklung*, 1923.

neración; es decir, de relativa muerte. Según esto, el nivel
vital que representa la Europa de hoy es superior a todo
el pasado humano; pero si se mira el porvenir, hace temer que ni conserve su altura, ni produzca otro nivel más
elevado, sino, por el contrario, que retroceda y recaiga en
altitudes inferiores.

Esto, pienso, hace ver con suficiente claridad la anor-
malidad superlativa que representa el «señorito satisfecho». Porque es un hombre que ha venido a la vida para
hacer lo que le dé la gana. En efecto, esta ilusión se hace
«el hijo de familia». Ya sabemos por qué: en el ámbito
familiar, todo, hasta los mayores delitos, puede quedar a
la postre impune. El ámbito familiar es relativamente artificial y tolera dentro de él muchos actos que en la sociedad, en el aire de la calle, traerían automáticamente consecuencias desastrosas e ineludibles para su autor. Pero
el «señorito» es el que cree poder comportarse fuera de
casa como en casa, el que cree que nada es fatal, irremediable e irrevocable. Por eso cree que puede hacer lo que
le dé la gana (1). ¡Gran equivocación! *Vossa mercê irá a
onde o levem*, como se dice al loro en el cuento del portu-
gués. No es que no se *deba* hacer lo que le dé a uno la
gana; es que no se *puede* hacer sino lo que cada cual
tiene que hacer, *tiene* que ser. Lo único que cabe es ne-
garse a hacer eso que hay que hacer; pero esto no nos
deja en franquía para hacer otra cosa que nos dé la gana.
En este punto poseemos sólo una libertad negativa de albedrío —la voluntad—. Podemos perfectamente desertar
de nuestro destino más auténtico; pero es para caer prisioneros en los pisos inferiores de nuestro destino. Yo no
puedo hacer esto evidente a cada lector en lo que su destino individualísimo tiene de tal, porque no conozco a
cada lector; pero sí es posible hacérselo ver en aquellas
porciones o facetas de su destino que son idénticas a las
de otros. Por ejemplo, todo europeo actual sabe, con una
certidumbre mucho más vigorosa que la de todas sus
«ideas» y «opiniones» expresas, que el hombre europeo
actual *tiene* que ser liberal. No discutamos si esta o la
otra forma de libertad es la que tiene que ser. Me refiero
a que el europeo más reaccionario sabe, en el fondo de

_____

(1) Lo que la casa es frente a la sociedad, lo es más en grande la
nación frente al conjunto de las naciones. Una de las manifestaciones,
a la vez, más claras y voluminosas del «señoritismo» vigente es, como
veremos, la decisión que algunas naciones han tomado de «hacer lo que
les dé la gana» en la convivencia internacional. A esto llaman ingenuamente «nacionalismo». Y yo, que repugno la supeditación beata a la
internacionalidad, encuentro, por otra parte, grotesco ese transitorio
«señoritismo» de las naciones menos granadas.

su conciencia, que eso que ha intentado Europa en el último siglo con el nombre de liberalismo es, en última instancia, algo ineludible, inexorable, que el hombre occidental de hoy *es*, quiera o no.

Aunque se demuestre, con plena e incontrastable verdad, que son falsas y funestas todas las maneras concretas en que se ha intentado hasta ahora realizar ese imperativo irremisible de ser políticamente libre, inscrito en
el destino europeo, queda en pie la última evidencia de
que en el siglo último tenía *sustancialmente* razón. Esta
evidencia última *actúa* lo mismo en el comunista europeo
que en el fascista, por muchos gestos que hagan para con-
vencernos o convencerse de lo contrario, como actúa —quiera o no, *créalo o no*— en el católico, que presta más leal
adhesión al *Syllabus* (1). Todos «saben» que más allá de
las justas críticas con que se combaten las manifestaciones del liberalismo, queda la irrevocable verdad de éste,
una verdad que no es teórica, científica, intelectual, sino
de un orden radicalmente distinto y más decisivo que todo
eso —a saber, una verdad de destino—. Las verdades teóricas no sólo son discutibles, sino que todo su sentido y
fuerza están en ser discutidas; nacen de la discusión,
viven en tanto se discuten y están hechas *exclusivamente*
para la discusión. Pero el destino —lo que vitalmente se
tiene que ser o no se tiene que ser— no se discute, sino
que se acepta o no. Si lo aceptamos, somos auténticos; si
no lo aceptamos, somos la negación, la falsificación de nosotros mismos (2). El destino no consiste en aquello que

---

(1) El que *cree* copérnicamente que el sol no cae en el horizonte, sigue *viéndolo caer*, y como el ver implica una convicción primaria, sigue
creyéndolo. Lo que pasa es que su *creencia* científica detiene constantemente los efectos de su *creencia* primaria o espontánea. Así, ese católico niega con su creencia dogmática su propia, *auténtica* creencia liberal.
Esta alusión al caso de ese católico va aquí sólo como ejemplo para
aclarar la idea que expongo ahora; pero no se refiere a él la censura
radical que dirijo al hombre-masa de nuestro tiempo, el «señorito satisfecho». Coincide con éste sólo en un punto. Lo que echo en cara al
«señorito satisfecho» es la falta de autenticidad en casi todo su ser. El
católico no es auténtico en algunos puntos de su ser. Pero aun esta
coincidencia parcial es sólo aparente. El católico no es auténtico en una
parte de su ser —todo lo que tiene, quiera o no, de hombre moderno—,
porque quiere ser fiel a otra parte efectiva de su ser, que es su fe religiosa. Esto significa que el destino de ese católico es en sí mismo trágico. Y al aceptar esa porción de inautenticidad, cumple con su deber. El
«señorito satisfecho», en cambio, deserta de sí mismo por pura frivolidad y del todo —precisamente para eludir toda tragedia.

(2) Envilecimiento, encanallamiento, no es otra cosa que el modo de
vida que le queda al que se ha negado a ser el que tiene que ser. Este
su auténtico ser no muere por eso, sino que se convierte en sombra
acusadora, en fantasma, que le hace sentir constantemente la inferiori-
dad de la existencia que lleva respecto a la que tenía que llevar. El en-
vilecido es el suicida superviviente.

tenemos ganas de hacer; más bien se reconoce y muestra
su claro, rigoroso perfil en la conciencia de *tener* que hacer lo que no tenemos ganas.

Pues bien: el «señorito satisfecho» se caracteriza por
«saber» que ciertas cosas no pueden ser y, sin embargo, y
por lo mismo, fingir con sus actos y palabras la convicción contraria. El fascista se movilizará contra la libertad política, precisamente porque sabe que ésta no faltará
nunca a la postre y en serio, sino que está ahí, irremediablemente, en la sustancia misma de la vida europea, y
que en ella se recaerá siempre que la verdad haga falta,
a la hora de la seriedad. Porque ésta es la tónica de la
existencia en el hombre-masa: la inseriedad, la «broma».
Lo que hacen lo hacen sin el carácter de irrevocable, como
hace sus travesuras el «hijo de familia». Toda esa prisa
por adoptar en todos los órdenes actitudes aparentemente trágicas, últimas, tajantes, es sólo apariencia. Juegan
a la tragedia porque creen que no es verosímil la tragedia
efectiva en el mundo civilizado.

Bueno fuera que estuviésemos forzados a aceptar como
auténtico ser de una persona lo que ella pretendía mos-
trarnos como tal. Si alguien se obstina en afirmar que
cree dos más dos igual a cinco y no hay motivo para su-
ponerlo demente, debemos asegurar que no lo cree, por
mucho que grite y aunque se deje matar por sostenerlo.

Un ventarrón de farsa general y omnímoda sopla sobre
el terruño europeo. Casi todas las posiciones que se toman y ostentan son internamente falsas. Los únicos esfuerzos que se hacen van dirigidos a huir del propio destino, a cegarse ante su evidencia y su llamada profunda,
a evitar cada cual el careo con *ese que tiene que ser*. Se
vive humorísticamente, y tanto más cuanto más tragicota
sea la máscara adoptada. Hay humorismo dondequiera que
se vive de actitudes revocables en que la persona no se
hinca entera y sin reservas. El hombre-masa no afirma
el pie sobre la firmeza inconmovible de su sino; antes bien,
vegeta suspendido ficticiamente en el espacio. De aquí que
nunca como ahora estas vidas sin peso y sin raíz —*dé-
racinées* de su destino— se dejen arrastrar por la más
ligera corriente. Es la época de las «corrientes» y del «dejarse arrastrar». Casi nadie presenta resistencia a los superficiales torbellinos que se forman en arte o en ideas,
o en política, o en los usos sociales. Por lo mismo, más que
nunca, triunfa la retórica. El superrealista cree haber superado toda la historia literaria cuando ha escrito (aquí
una palabra que no es necesario escribir) donde otros
escribieron «jazmines, cisnes y faunesas». Pero claro es

que con ello no ha hecho sino extraer otra retórica que
hasta ahora yacía en las letrinas.

Aclara la situación actual advertir, no obstante la sin-
gularidad de su fisonomía, la porción que de común tiene
con otras del pasado. Así acaece que apenas llega a su
máxima altitud la civilización mediterránea —hacia el
siglo III antes de Cristo—, hace su aparición el cínico. Diógenes patea con sus sandalias hartas de barro las alfom-
bras de Aristipo. El cínico se hizo un personaje pululante,
que se hallaba tras cada esquina y en todas las alturas.
Ahora bien: el cínico no hacía otra cosa que sabotear la
civilización aquella. Era el nihilista del helenismo. Jamás
creó ni hizo nada. Su papel era deshacer; mejor dicho,
intentar deshacer, porque tampoco consiguió su propósito.
El cínico, parásito de la civilización, vive de negarla, por
lo mismo que está convencido de que no faltará. ¿Qué
haría el cínico en un pueblo salvaje donde todos, naturalmente y en serio, hacen lo que él, en farsa, considera como
su papel personal? ¿Qué es un fascista si no habla mal
de la libertad, y un superrealista si no perjura del arte?

No podía comportarse de otra manera este tipo de hombre nacido en un mundo demasiado bien organizado, del
cual sólo percibe las ventajas y no los peligros. El contorno lo mima, porque es «civilización» —esto es, una
casa—, y el «hijo de familia» no siente nada que le haga
salir de su temple caprichoso, que incite a escuchar instancias externas superiores a él, y mucho menos que le
obligue a tomar contacto con el fondo inexorable de su
propio destino.

XII

LA BARBARIE DEL «ESPECIALISMO»

La tesis era que la civilización del siglo XIX ha producido automáticamente el hombre-masa. Conviene no cerrar
su exposición general sin analizar, en un caso particular,
la mecánica de esa producción. De esta suerte, al concretarse, la tesis gana en fuerza persuasiva.

Esta civilización del siglo XIX, decía yo, puede resumirse
en dos grandes dimensiones: democracia liberal y técnica.
Tomemos ahora sólo la última. La técnica contemporánea
nace de la copulación entre el capitalismo y la ciencia experimental. No toda técnica es científica. El que fabricó
las hachas de sílex, en el período chelense, carecía de
ciencia y, sin embargo, creó una técnica. La China llegó a
un alto grado de tecnicismo sin sospechar lo más mínimo

la existencia de la física. Sólo la técnica moderna de Europa tiene una raíz científica, y de esa raíz le viene su carácter específico, la posibilidad de un ilimitado progreso. Las demás técnicas —mesopotámica, nilota, griega, romana, oriental— se estiran hasta un punto de desarrollo que no pueden sobrepasar, y apenas lo tocan comienzan a retroceder en lamentable involución.

Esta maravillosa técnica occidental ha hecho posible la maravillosa proliferación de la casta europea. Recuérdese el dato de que tomó su vuelo este ensayo y que, como dije, encierra germinalmente todas estas meditaciones. Del siglo V a 1800, Europa no consigue tener una población mayor de 180 millones. De 1800 a 1914 asciende a más de 460 millones. El brinco es único en la historia humana. No cabe dudar de que la técnica —junto con la democracia liberal— ha engendrado al hombre-masa en el sentido cuantitativo de esta expresión. Pero estas páginas han intentado mostrar que también es responsable de la existencia del hombre-masa en el sentido cualitativo y peyorativo del término.

Por «masa» —prevenía yo al principio— no se entiende especialmente al obrero; no designa aquí una clase social, sino una clase o modo de ser hombre que se da hoy en todas las clases sociales, que por lo mismo representa a nuestro tiempo, sobre el cual predomina e impera. Ahora vamos a ver esto con sobrada evidencia.

¿Quién ejerce hoy el poder social? ¿Quién impone la estructura de su espíritu en la época? Sin duda, la burguesía.

¿Quién, dentro de esa burguesía, es considerado como el grupo superior, como la aristocracia del presente? Sin duda, el técnico: ingeniero, médico, financiero, profesor, etcétera, etc. ¿Quién, dentro del grupo técnico, lo representa con mayor altitud y pureza? Sin duda, el hombre de ciencia. Si un personaje astral visitase a Europa, y con ánimo de juzgarla, le preguntase por qué tipo de hombre, entre los que la habitan, prefería ser juzgada, no hay duda de que Europa señalaría, complacida y segura de una sentencia favorable, a sus hombres de ciencia. Claro que el personaje astral no preguntaría por individuos excepcionales, sino que buscaría la regla, el tipo genérico «hombre ciencia», cima de la humanidad europea.

Pues bien: resulta que el hombre de ciencia actual es el prototipo del hombre-masa. Y no por casualidad, ni por defecto unipersonal de cada hombre de ciencia, sino porque la ciencia misma —raíz de la civilización— lo convierte automáticamente en hombre-masa; es decir, hace de él un primitivo, un bárbaro moderno.

La cosa es harto sabida: innumerables veces se ha hecho constar; pero sólo articulada en el organismo de este ensayo adquiere la plenitud de su sentido y la evidencia de su gravedad.

La ciencia experimental se inicia al finalizar el siglo XVI (Galileo), logra constituirse a fines del siglo XVII (Newton) y empieza a desarrollarse a mediados del XVIII. El desarrollo de algo es cosa distinta de su constitución y está sometido a condiciones diferentes. Así, la constitución de la física, nombre colectivo de la ciencia experimental, obligó a un esfuerzo de unificación. Tal fue la obra de Newton y demás hombres de su tiempo. Pero el desarrollo de la física inició una faena de carácter opuesto a la unificación. Para progresar, la ciencia necesitaba que los hombres de ciencia se especializasen. Los hombres de ciencia, no ella misma. La ciencia no es especialista. *Ipso facto* dejaría de ser verdadera. Ni siquiera la ciencia empírica, tomada en su integridad, es verdadera si se la separa de la matemática, de la lógica, de la filosofía. Pero el trabajo en ella sí tiene —irremisiblemente— que ser especializado.

Sería de gran interés, y mayor utilidad que la aparente a primera vista, hacer una historia de las ciencias físicas y biológicas mostrando el proceso de creciente especialización en la labor de los investigadores. Ella haría ver cómo, generación tras generación, el hombre de ciencia ha ido constriñéndose, recluyéndose, en un campo de ocupación intelectual cada vez más estrecho. Pero no es esto lo importante que esa historia nos enseñaría, sino más bien lo inverso: cómo en cada generación el científico, por tener que reducir su órbita de trabajo, iba progresivamente perdiendo contacto con las demás partes de la ciencia, con una interpretación integral del universo, que es lo único merecedor de los nombres de ciencia, cultura, civilización europea.

La especialización comienza precisamente en un tiempo que llama hombre civilizado al hombre «enciclopédico». El siglo XIX inicia sus destinos bajo la dirección de criaturas que viven enciclopédicamente, aunque su producción tenga ya un carácter de especialismo. En la generación subsiguiente, la ecuación se ha desplazado, y la especialidad empieza a desalojar dentro de cada hombre de ciencia a la cultura integral. Cuando en 1890 una tercera generación toma el mando intelectual de Europa, nos encontramos con un tipo de científico sin ejemplo en la historia. Es un hombre que, de todo lo que hay que saber para ser un personaje discreto, conoce sólo una ciencia determinada, y aun de esa ciencia sólo conoce bien la pequeña porción en que él es activo investigador. Llega a proclamar como una virtud el no enterarse de cuanto quede fuera del angosto paisaje que especialmente cultiva, y llama *dilettantismo* a la curiosidad por el conjunto del saber.

El caso es que, recluido en la estrechez de su campo visual, consigue, en efecto, descubrir nuevos hechos y hacer avanzar su ciencia, que él apenas conoce, y con ella la enciclopedia del pensamiento, que concienzudamente desconoce. ¿Cómo ha sido y es posible cosa semejante? Porque conviene recalcar la extravagancia de este hecho innegable: la ciencia experimental ha progresado en buena parte merced al trabajo de hombres fabulosamente mediocres, y aun menos que mediocres. Es decir, que la ciencia moderna, raíz, y símbolo de la civilización actual, da acogida dentro de sí al hombre intelectualmente medio y le permite operar con buen éxito. La razón de ello está en lo que es, a la par, ventaja mayor y peligro máximo de la ciencia nueva y de toda civilización que ésta dirige y representa: la mecanización. Una buena parte de las cosas que hay que hacer en física o en biología es faena mecánica de pensamiento que puede ser ejecutada por cualquiera, o poco menos. Para los efectos de innumerables investigaciones es posible dividir la ciencia en pequeños segmentos, encerrarse en uno y desentenderse de los demás. La firmeza y exactitud de los métodos permiten esta transitoria y práctica desarticulación del saber. Se trabaja con uno de esos métodos como con una máquina, y ni siquiera es forzoso, para obtener abundantes resultados, poseer ideas rigorosas sobre el sentido y fundamento de ellos. Así, la mayor parte de los científicos empujan el progreso general de la ciencia encerrados en la celdilla de su laboratorio, como la abeja en la de su panal o como el pachón de asador en su cajón.

Pero esto crea una casta de hombres sobremanera extraños. El investigador que ha descubierto un nuevo hecho de la naturaleza tiene por fuerza que sentir una impresión de dominio y seguridad en su persona. Con cierta aparente justicia, se considerará como «un hombre que sabe». Y, en efecto, en él se da un pedazo de algo que junto con otros pedazos no existentes en él constituyen verdaderamente el saber. Ésta es la situación íntima del especialista, que en los primeros años de este siglo ha llegado a su más frenética exageración. El especialista «sabe» muy bien su mínimo rincón de universo; pero ignora de raíz todo el resto.

He aquí un precioso ejemplar de este extraño hombre nuevo que he intentado, por una y otra de sus vertientes

y haces, definir. He dicho que era una configuración humana sin par en toda la historia. El especialista nos sirve
para concretar enérgicamente la especie y hacernos ver
todo el radicalismo de su novedad. Porque antes los hombres podían dividirse, sencillamente, en sabios e ignorantes, en más o menos sabios y más o menos ignorantes.
Pero el especialista no puede ser subsumido bajo ninguna
de esas dos categorías. No es un sabio, porque ignora for-
malmente cuanto no entra en su especialidad; pero tampoco es un ignorante, porque es «un hombre de ciencia»
y conoce muy bien su porciúncula de universo. Habremos
de decir, que es un sabio-ignorante, cosa sobremanera
grave, pues significa que es un señor el cual se comportará
en todas las cuestiones que ignora, no como un ignorante,
sino con toda la petulancia de quien en su cuestión especial es un sabio.

Y, en efecto, éste es el comportamiento del especialista.
En política, en arte, en los usos sociales, en las otras
ciencias tomará posiciones de primitivo, de ignorantísimo;
pero las tomará con energía y suficiencia, sin admitir —y
esto es lo paradójico— especialistas de esas cosas. Al es-
pecializarlo, la civilización le ha hecho hermético y satisfecho dentro de su limitación; pero esta misma sensación
íntima de dominio y valía le llevará a querer predominar
fuera de su especialidad. De donde resulta que aun en este
caso, que representa un máximun de hombre cualificado
—especialismo— y, por lo tanto, lo más opuesto al hombre-
masa, el resultado es que se comportará sin cualificación y
como hombre-masa en casi todas las esferas de la vida.

La advertencia no es vaga. Quienquiera puede observar
la estupidez con que piensan, juzgan y actúan hoy en política, en arte, en religión y en los problemas generales
de la vida y el mundo los «hombres de ciencia», y claro
es, tras ellos, médicos, ingenieros, financieros, profesores,
etcétera. Esa condición de «no escuchar», de no someterse
a instancias superiores que reiteradamente he presentado
como característica del hombre-masa, llega al colmo precisamente en estos hombres parcialmente cualificados.
Ellos simbolizan, y en gran parte constituyen, el imperio
actual de las masas, y su barbarie es la causa inmediata
de la desmoralización europea.

Por otra parte, significan el más claro y preciso ejemplo de cómo la civilización del último siglo, *abandonada
a su propia inclinación*, ha producido este rebrote de primitivismo y barbarie.

El resultado más inmediato de este especialismo *no com-
pensado* ha sido que hoy, cuando hay mayor número de

«hombres de ciencia» que nunca, haya muchos menos hombres «cultos» que, por ejemplo, hacia 1750. Y lo peor es que con esos pachones del asador científico ni siquiera está asegurado el progreso íntimo de la ciencia. Porque ésta necesita de tiempo en tiempo, como orgánica regulación de su propio incremento, una labor de reconstitución, y, como he dicho, esto requiere un esfuerzo de unificación, cada vez más difícil, que cada vez complica regiones más vastas del saber total. Newton pudo crear su sistema físico sin saber mucha filosofía, pero Einstein ha necesitado saturarse de Kant y de Mach para poder llegar a su aguda síntesis. Kant y Mach —con estos nombres se simboliza sólo la masa enorme de pensamientos filosóficos y psicológicos que han influido en Einstein— han servido para *liberar* la mente de éste y dejarle la vía franca hacia su innovación. Pero Einstein no es suficiente. La física entra en la crisis más honda de su historia, y sólo podrá salvarla una nueva enciclopedia más sistemática que la primera.

El especialismo, pues, que ha hecho posible el progreso de la ciencia experimental durante un siglo, se aproxima a una etapa en que no podrá avanzar por sí mismo si no se encarga una generación mejor de construirle un nuevo asador más poderoso.

Pero si el especialista desconoce la fisiología interna de la ciencia que cultiva, mucho más radicalmente ignora las condiciones históricas de su perduración, es decir, cómo tienen que estar organizados la sociedad y el corazón del hombre para que pueda seguir habiendo investigadores. El descenso de vocaciones científicas que en estos años se observa —y a que ya aludí— es un síntoma preocupador para todo el que tenga una idea clara de lo que es civilización, la idea que suele faltar al típico «hombre de ciencia», cima de nuestra actual civilización. También él cree que la civilización *está ahí*, simplemente, como la corteza terrestre y la selva primigenia.

XIII

EL MAYOR PELIGRO, EL ESTADO

En una buena ordenación de las cosas públicas, la masa es lo que no actúa por sí misma. Tal es su misión. Ha venido al mundo para ser dirigida, influida, representada, organizada —hasta para dejar de ser masa o, por lo menos, aspirar a ello—. Pero no ha venido al mundo para

hacer todo eso por sí. Necesita referir su vida a la instancia superior, constituida por las minorías excelentes.
Discútase cuanto se quiera quiénes son los hombres excelentes; pero que sin ellos —sean unos o sean otros— la
humanidad no existiría en lo que tiene de más esencial, es
cosa sobre la cual conviene que no haya duda alguna,
aunque lleve Europa todo un siglo metiendo la cabeza debajo del alón, al modo de los estrucios, para ver si consigue no ver tan radiante evidencia. Porque no se trata de
una opinión fundada en hechos más o menos frecuentes
y probables, sino en una ley de la «física» social, mucho
más inconmovible que las leyes de la física de Newton. El
día que vuelva a imperar en Europa una auténtica filosofía (1) —única cosa que puede salvarla— se volverá a
caer en la cuenta de que el hombre es, tenga de ello ganas o no, un ser constitutivamente forzado a buscar una
instancia superior. Si logra por sí mismo encontrarla, es
que es un hombre excelente; si no, es que es un hombre-
masa y necesita recibirla de aquél.

Pretender la masa actuar por sí misma es, pues, rebelarse contra su propio destino, y como eso es lo que hace
ahora, hablo yo de la rebelión de las masas. Porque a la
postre la única cosa que sustancialmente y con verdad
puede llamarse rebelión es la que consiste en no aceptar
cada cual su destino, en rebelarse contra sí mismo. En rigor, la rebelión del arcángel Luzbel no lo hubiera sido
menos si en vez de empeñarse en ser Dios —lo que no
era su destino— se hubiese empecinado en ser el más íntimo de los ángeles, que tampoco lo era. (Si Luzbel hubiera sido ruso, como Tolstoi, habría acaso preferido este
último estilo de rebeldía, que no es más ni menos contra
Dios que el otro tan famoso.)

Cuando la masa actúa por sí misma, lo hace sólo de
una manera, porque no tiene otra: lincha. No es completamente casual que la ley de Lynch sea americana, ya
que América es, en cierto modo, el paraíso de las masas.
Ni mucho menos podrá extrañar que ahora, cuando las
masas triunfan, triunfe la violencia y se haga de ella la
única *ratio*, la única doctrina. Va para mucho tiempo que
hacía yo notar este progreso de la violencia como nor-

_____

(1) Para que la filosofía impere no es menester que los filósofos im-
peren —como Platón quiso primero—, ni siquiera que los emperadores
filosofen —como quiso, más modestamente, después—. Ambas cosas son,
en rigor, funestísimas. Para que la filosofía impere, basta con que la
haya; es decir, con que los filósofos sean filósofos. Desde hace casi una
centuria los filósofos son todo menos eso —son políticos, son pedagogos,
son literatos o son hombres de ciencia.

ma (1). Hoy ha llegado a un máximo desarrollo, y esto
es un buen síntoma, porque significa que automáticamente
va a iniciarse su descenso. Hoy es ya la violencia la retórica del tiempo; los retóricos, los inanes, la hacen suya.
Cuando una realidad humana ha cumplido su historia, ha
naufragado y ha muerto, las olas la escupen en las cos-
tas de la retórica, donde, cadáver, pervive largamente. La
retórica es el cementerio de las realidades humanas, cuando más, su hospital de inválidos. A la realidad sobrevive
su nombre, que, aun siendo sólo palabra, es, al fin y al
cabo, nada menos que palabra, y conserva siempre algo
de su poder mágico.

Pero aun cuando no sea imposible que haya comenzado
a menguar el prestigio de la violencia como norma cíni-
camente establecida, continuaremos bajo su régimen; bien
que en otra forma.

Me refiero al peligro mayor que hoy amenaza a la civilización europea. Como todos los demás peligros que ame-
nazan a esta civilización, también éste ha nacido de ella.
Más aún: constituye una de sus glorias; es el Estado contemporáneo. Nos encontramos, pues, con una réplica de lo
que en el capítulo anterior se ha dicho sobre la ciencia: la
fecundidad de sus principios la empuja hacia un fabuloso
progreso; pero éste impone inexorablemente la especialización, y la especialización amenaza con ahogar a la ciencia.

Lo mismo acontece con el Estado.

Rememórese lo que era el Estado a fines del siglo XVIII
en todas las naciones europeas. ¡Bien poca cosa! El primer
capitalismo y sus organizaciones industriales, donde por
primera vez triunfa la técnica, la nueva técnica, la racio-
nalizada, habían producido un primer crecimiento de la
sociedad. Una nueva clase social apareció, más poderosa
en número y potencia que las preexistentes: la burguesía.
Esta indina burguesía poseía, ante todo y sobre todo, una
cosa: talento, talento práctico. Sabía organizar, discipli-
nar, dar continuidad y articulación al esfuerzo. En medio
de ella, como en un océano, navegaba azarosa la «nave
del Estado». La nave del Estado es una metáfora reinven-
tada por la burguesía, que se sentía a sí mismo oceánica,
omnipotente y encinta de tormentas. Aquella nave era cosa
de nada o poco más: apenas si tenía soldados, apenas si
tenía burócratas, apenas si tenía dinero. Había sido fa-
bricada en la Edad Media por una clase de hombres muy
distintos de los burgueses: los nobles, gente admirable
por su coraje, por su don de mando, por su sentido de

(1) Véase *España invertebrada*, 1921.

responsabilidad. Sin ellos no existirían las naciones de
Europa. Pero con todas esas virtudes del corazón, los
nobles andaban, han andado siempre, mal de cabeza. Vivían de la otra víscera. De inteligencia muy limitada, sen-
timentales, instintivos, intuitivos; en suma, «irracionales».
Por eso no pudieron desarrollar ninguna técnica, cosa que
obliga a la racionalización. No inventaron la pólvora. Se
fastidiaron. Incapaces de inventar nuevas armas, dejaron
que los burgueses —tomándola de Oriente u otro sitio—
utilizaran la pólvora y con ello, automáticamente, gana-
ran la batalla al guerrero noble, al «caballero», cubierto
estúpidamente de hierro, que apenas podía moverse en la
lid, y a quien no se le había ocurrido que el secreto eterno
de la guerra no consiste tanto en los medios de defensa
como en los de agresión; secreto que iba a redescubrir
Napoleón (1).

   Como el Estado es una técnica —de orden público y de
administración—, el «antiguo régimen» llega a los fines
del siglo XVIII con un Estado debilísimo, azotado de todos
lados por una ancha y revuelta sociedad. La desproporción entre el poder del Estado y el poder social es tal en
ese momento, que comparando la situación con la vigente
en tiempos de Carlomagno, aparece el Estado del siglo XVIII
como una degeneración. El Estado carolingio era, claro
está, mucho menos pudiente que el de Luis XVI; pero, en
cambio, la sociedad que lo rodeaba no tenía fuerza ninguna (2). El enorme desnivel entre la fuerza social y la

   (1)   Esta imagen sencilla del gran cambio histórico en que se sustituye la supremacía de los nobles por el predominio de los burgueses, se
debe a Ranke; pero claro es que su verdad simbólica y esquemática requiere no pocos aditamentos para ser completamente verdadera. La pólvora era conocida de tiempo inmemorial. La invención de la carga en
un tubo se debió a alguien de la Lombardía. Aun así no fue eficaz hasta
que se inventó la bala fundida. Los «nobles» usaron en pequeña dosis
el arma de fuego, pero era demasiado cara. Sólo los ejércitos burgueses, mejor organizados económicamente, pudieron emplearla en grande.
Queda, sin embargo, como literalmente cierto que los nobles, represen-
tados por el ejército del tipo medieval de los borgoñones, fueron derro-
tados de manera definitiva por el nuevo ejército, no profesional, sino
de burgueses, que formaron los suizos. Su fuerza primaria consistió en
la nueva disciplina y la nueva racionalización de la táctica.
   (2)   Merecería la pena de insistir sobre este punto y hacer notar que
la época de las monarquías absolutas europeas ha operado con Estados
muy débiles. ¿Cómo se explica esto? Ya la sociedad en torno comenzaba
a crecer. ¿Por qué, si el Estado lo podía todo —era «absoluto»—, no se
hacía más fuerte? Una de las causas es la apuntada: incapacidad técnica, racionalizadora, burocrática, de las aristocracias de sangre. Pero no
basta esto. Además de eso, aconteció que el Estado absoluto, que *aquellas
aristocracias, no quisieron agrandar* el Estado a costa de *la sociedad.*
Contra lo que se cree, el Estado absoluto respeta instintivamente la sociedad mucho más que nuestro Estado democrático, más inteligente, pero
con menos sentido de la responsabilidad histórica.

del poder público hizo posible la revolución, las revoluciones (hasta 1848).

Pero con la revolución se adueñó del poder público la burguesía y aplicó al Estado sus innegables virtudes, y en poco más de una generación creó un Estado poderoso, que acabó con las revoluciones. Desde 1848, es decir, desde que comienza la segunda generación de gobiernos burgueses, no hay en Europa verdaderas revoluciones. Y no ciertamente porque no hubiese motivos para ellas, sino porque no había medios. Se niveló el poder público con el poder social. *¡Adiós revoluciones para siempre!* Ya no cabe en Europa más que lo contrario: el golpe de Estado. Y todo lo que con posterioridad pudo darse aires de revolución, no fue más que un golpe de Estado con máscara.

En nuestro tiempo, el Estado ha llegado a ser una máquina formidable que funciona prodigiosamente, de una maravillosa eficiencia por la cantidad y precisión de sus medios. Plantada en medio de la sociedad, basta tocar un resorte para que actúen sus enormes palancas y operen fulminantes sobre cualquier trozo del cuerpo social.

El Estado contemporáneo es el producto más visible y notorio de la civilización. Y es muy interesante, es revelador, percatarse de la actitud que ante él adopta el hombre-masa. Éste lo ve, lo admira, sabe que *está* ahí, asegurando su vida; pero no tiene conciencia de que es una creación humana inventada por ciertos hombres y sostenida por ciertas virtudes y supuestos que hubo ayer en los hombres y que puede evaporarse mañana. Por otra parte, el hombre-masa ve en el Estado un poder anónimo, y, como él se siente a sí mismo anónimo —vulgo—, cree que el Estado es cosa suya. Imagínese que sobreviene en la vida pública de un país cualquiera dificultad, conflicto o problema: el hombre-masa tenderá a exigir que inmediatamente lo asuma el Estado, que se encargue directamente de resolverlo con sus gigantescos e incontrastables medios.

Éste es el mayor peligro que hoy amenaza a la civilización: la estatificación de la vida, el intervencionismo del Estado, la absorción de toda espontaneidad social por el Estado; es decir, la anulación de la espontaneidad histórica, que en definitiva sostiene, nutre y empuja los destinos humanos. Cuando la masa siente alguna desventura o, simplemente, algún fuerte apetito, es una gran tentación para ella esa permanente y segura posibilidad de conseguir todo —sin esfuerzo, lucha, duda, ni riesgo— sin más que tocar el resorte y hacer funcionar la portentosa máquina. La masa se dice: «El Estado soy yo», lo cual es un

perfecto error. El Estado es la masa sólo en el sentido en
que puede decirse de dos hombres que son idénticos, porque ninguno de los dos se llama Juan. Estado contemporáneo y masa coinciden sólo en ser anónimos. Pero el caso
es que el hombre-masa cree, en efecto, que él es el Estado, y tenderá cada vez más a hacerlo funcionar con cualquier pretexto, a aplastar con él toda minoría creadora
que lo perturbe —que lo perturbe en cualquier orden: en
política, en ideas, en industria.

El resultado de esta tendencia será fatal. La espontaneidad social quedará violentada una vez y otra por la
intervención del Estado; ninguna nueva simiente podrá
fructificar. La sociedad tendrá que vivir *para* el Estado;
el hombre, *para* la máquina del gobierno. Y como a la
postre no es sino una máquina cuya existencia y mantenimiento dependen de la vitalidad circundante que la man-
tenga, el Estado, después de chupar el tuétano a la sociedad, se quedará hético, esquelético, muerto con esa
muerte herrumbrosa de la máquina, mucho más cadavérica
que la del organismo vivo.

Éste fue el sino lamentable de la civilización antigua.
No tiene duda que el Estado imperial creado por los Ju-
lios y los Claudios fue una máquina admirable, incompa-
rablemente superior como artefacto al viejo Estado repu-
blicano de las familias patricias. Pero, curiosa coincidencia, apenas llegó a su pleno desarrollo, comienza a decaer
el cuerpo social. Ya en los tiempos de los Antoninos (siglo II) el Estado gravita con una antivital supremacía sobre la sociedad. Ésta empieza a ser esclavizada, a no poder
vivir más que *en servicio del Estado. La vida toda se
burocratiza.* ¿Qué acontece? La burocratización de la vida
produce su mengua absoluta —en todos los órdenes—. La
riqueza disminuye y las mujeres paren poco. Entonces el
Estado, para subvenir a sus propias necesidades, fuerza
más la burocratización de la existencia humana. Esta burocratización en segunda potencia es la militarización de
la sociedad. La urgencia mayor del Estado en su aparato
bélico, su ejército. El Estado es, ante todo, productor de
seguridad (la seguridad de que nace el hombre-masa, no
se olvide). Por eso es, ante todo, ejército. Los Severos, de
origen africano, militarizan el mundo. ¡Vana faena! La
miseria aumenta, las matrices son cada vez menos fecundas. Faltan hasta soldados. Después de los Severos el ejército tiene que ser reclutado entre extranjeros.

¿Se advierte cuál es el proceso paradójico y trágico del
estatismo? La sociedad, para vivir mejor ella, crea, como
un utensilio, el Estado. Luego, el Estado se sobrepone, y

la sociedad tiene que empezar a vivir para el Estado (1).
Pero, al fin y al cabo, el Estado se compone aún de los
hombres de aquella sociedad. Mas pronto no basta con
éstos para sostener el Estado y hay que llamar a extranjeros: primero, dálmatas; luego, germanos. Los extranjeros se hacen dueños del Estado, y los restos de la sociedad, del pueblo inicial, tienen que vivir esclavos de
ellos, de gente con la cual no tiene nada que ver. A esto
lleva el intervencionismo del Estado: el pueblo se convierte en carne y pasta que alimentan el mero artefacto
y máquina que es el Estado. El esqueleto se come la carne
en torno a él. El andamio se hace propietario e inquilino
de la casa.

Cuando se sabe esto, azora un poco oir que Mussolini
pregona con ejemplar petulancia, como un prodigioso descubrimiento hecho ahora en Italia, la fórmula: *Todo por
el Estado; nada fuera del Estado; nada contra el Estado.*
Bastaría esto para descubrir en el fascismo un típico movimiento de hombre-masa. Mussolini se encontró con un
Estado admirablemente construido —no por él, sino precisamente por las fuerzas e ideas que él combate: por la
democracia liberal—. Él se limita a usarlo incontinente-
mente; y sin que yo me permita ahora juzgar el detalle
de su obra, es indiscutible que los resultados obtenidos
hasta el presente no pueden compararse con los logrados
en la función política y administrativa por el Estado liberal. Si algo ha conseguido, es tan menudo, poco visible y
nada sustantivo, que difícilmente equilibra la acumulación
de poderes anormales que le consiente emplear aquella
máquina en forma extrema.

El estatismo es la forma superior que toman la violencia y la acción directa constituidas en norma. Al través
y por medio del Estado, máquina anónima, las masas actúan por sí mismas.

Las naciones europeas tienen ante sí una etapa de grandes dificultades en su vida interior, problemas económicos,
jurídicos y de orden público sobremanera arduos. ¿Cómo
no temer que bajo el imperio de las masas se encargue el
Estado de aplastar la independencia del individuo, del
grupo, y agostar así definitivamente el porvenir?

Un ejemplo concreto de este mecanismo lo hallamos en
uno de los fenómenos más alarmantes de estos últimos
treinta años: el aumento enorme en todos los países de
las fuerzas de Policía. El crecimiento social ha obligado

---

(1) Recuérdense las últimas palabras de Septimio Severo a sus hijos:
«Permaneced unidos, pagad a los soldados y despreciad el resto.»

ineludiblemente a ello. Por muy habitual que nos sea, no debe perder su terrible paradojismo ante nuestro espíritu el hecho de que la población de una gran urbe actual, para caminar pacíficamente y acudir a sus negocios, necesita, sin remedio, una Policía que regule la circulación. Pero es una inocencia de las gentes de «orden» pensar que estas «fuerzas de orden público», creadas para el orden, se van a contentar con imponer siempre el que aquéllas quieran. Lo inevitable es que acaben por definir y decidir ellas el orden que van a imponer —y que será, naturalmente, el que les convenga.

Conviene que aprovechemos el roce de esta materia para hacer notar la diferente reacción que ante una necesidad pública puede sentir una u otra sociedad. Cuando, hacia 1800, la nueva industria comienza a crear un tipo de hombre —el obrero industrial— más criminoso que los tradicionales, Francia se apresura a crear una numerosa Policía. Hacia 1810 surge en Inglaterra, por las mismas causas, un aumento de la criminalidad, y entonces caen los ingleses en la cuenta de que ellos no tienen Policía. Gobiernan los conservadores. ¿Qué harán? ¿Crearán una Policía? Nada de eso. Se prefiere aguantar, hasta donde se pueda, el crimen. «La gente se resigna a hacer su lugar al desorden, considerándolo como rescate de la libertad.» «En París —escribe John William Ward— tienen una Policía admirable; pero pagan caras sus ventajas. Prefiero ver que cada tres o cuatro años se degüella a media docena de hombres en Ratcliffe Road, que estar sometido a visitas domiciliarias, al espionaje y a todas las maquinaciones de Fouché (1). Son dos ideas distintas del Estado. El inglés quiere que el Estado tenga límites.

_____

(1) Véase Elie Halécy: *Histoire du peuple anglais au XIX siècle* (tomo I, pág. 40, 1912).

SEGUNDA PARTE
¿QUIÉN MANDA EN EL MUNDO?

XIV

¿QUIÉN MANDA EN EL MUNDO?

La civilización europea —he repetido una y otra vez— ha producido automáticamente la rebelión de las masas. Por su anverso, el hecho de esta rebelión presenta un cariz óptimo; ya lo hemos dicho: la rebelión de las masas es una y misma cosa con el crecimiento fabuloso que la vida humana ha experimentado en nuestro tiempo. Pero el reverso del mismo fenómeno es tremebundo; mirada por esa haz, la rebelión de las masas es una y misma cosa con la desmoralización radical de la humanidad. Miremos ésta ahora desde nuevos puntos de vista.

1

La sustancia o índole de una nueva época histórica es resultante de variaciones internas —del hombre y su espíritu— o externas —formales y como mecánicas—. Entre estas últimas, la más importante, casi sin duda, es el desplazamiento del poder. Pero éste trae consigo un desplazamiento del espíritu.

Por eso, al asomarnos a un tiempo con ánimo de comprenderlo, una de nuestras primeras preguntas debe ser ésta: «¿Quién manda en el mundo a la sazón?» Podrá ocurrir que a la sazón la humanidad esté dispersa en varios trozos sin comunicación entre sí, que forman mundos interiores e independientes. En tiempo de Milcíades, el mundo mediterráneo ignoraba la existencia del mundo extremoooriental. En casos tales tendríamos que referir nuestra pregunta: «¿Quién manda en el mundo?», a cada grupo de convivencia. Pero desde el siglo XVI ha entrado la humanidad toda en un proceso gigantesco de unificación que

en nuestros días ha llegado a su término insuperable. Ya
no hay trozo de humanidad que viva aparte —no hay
islas de humanidad—. Por lo tanto, desde aquel siglo puede decirse que quien manda en el mundo ejerce, en efecto,
su influjo autoritario sobre todo él. Tal ha sido el papel del
grupo homogéneo formado por los pueblos europeos. durante tres siglos. Europa mandaba, y bajo su unidad de
mando el mundo vivía con un estilo unitario, o al menos
progresivamente unificado.

Ese estilo de vida suele denominarse «Edad Moderna»,
nombre gris e inexpresivo bajo el cual se oculta esta realidad: época de la hegemonía europea.

Por «mando» no se entiende aquí primordialmente ejercicio de poder material, de coacción física. Porque aquí se
aspira a evitar estupideces, por lo menos las más gruesas
y palmarias. Ahora bien: esa relación estable y normal
entre hombres que se llama «mando», *no descansa nunca
en la fuerza,* sino al revés: porque un hombre o grupo de
hombres ejerce el mando, tiene a su disposición ese aparato o máquina social que se llama «fuerza». Los casos
en que a primera vista parece ser la fuerza el fundamento del mando, se revelan ante una inspección ulterior como
los mejores ejemplos para confirmar aquella tesis. Napoleón dirigió a España una agresión, sostuvo esta agresión
durante algún tiempo; pero no mandó propiamente en
España ni un solo día. Y eso que tenía la fuerza y precisamente porque tenía sólo la fuerza. Conviene distinguir
entre un hecho o proceso de agresión y una situación de
mando. El mando es el ejercicio normal de la autoridad.
El cual se funda siempre en la opinión pública —siempre,
hoy como hace diez mil años, entre los ingleses como entre los botocudos—. Jamás ha mandado nadie en la tierra
nutriendo su mando esencialmente de otra cosa que de la
opinión pública.

¿O se cree que la soberanía de la opinión pública fue
un invento hecho por el abogado Dantón en 1789 o por
Santo Tomás de Aquino en el siglo XIII? La noción de
esta soberanía habrá sido descubierta aquí o allá, en esta
o la otra fecha; pero el hecho de que la opinión pública
es la fuerza radical que en las sociedades humanas produce
el fenómeno de mandar, es cosa tan antigua y perenne
como el hombre mismo. Así, en la física de Newton, la
gravitación es la fuerza que produce el movimiento. Y la
ley de la opinión pública es la gravitación universal de
la historia política. Sin ella, ni la ciencia histórica sería
posible. Por eso muy agudamente insinúa Hume que el
tema de la historia consiste en demostrar cómo la sobera-

nía de la opinión pública, lejos de ser una aspiración utópica, es lo que ha pesado siempre y a toda hora en las sociedades humanas. Pues hasta quien pretende gobernar con los jenízaros depende de la opinión de éstos y de la que tengan sobre éstos los demás habitantes.

La verdad es que no se manda con los jenízaros. Así, Talleyrand pudo decir a Napoleón: «Con las bayonetas, sire, se puede hacer todo, menos una cosa: sentarse sobre ellas.» Y mandar no es gesto de arrebatar el poder, sino tranquilo ejercicio de él. En suma, mandar es sentarse. Trono, silla curul, banco azul, poltrona ministerial, sede. Contra lo que una óptica inocente y folletinesca supone, el mandar no es tanto cuestión de puños como de posaderas. El Estado es, en definitiva, el estado de la opinión: una situación de equilibrio, de estática.

Lo que pasa es que a veces la opinión pública no existe. Una sociedad dividida en grupos discrepantes, cuya fuerza de opinión queda recíprocamente anulada, no da lugar a que se constituya un mando. Y como la naturaleza le horripila el vacío, ese hueco que deja la fuerza ausente de opinión pública se llena con la fuerza bruta. A lo sumo, pues, se adelanta ésta como sustituto de aquélla.

Por eso, si se quiere expresar con toda precisión la ley de la opinión pública como ley de la gravitación histórica, conviene tener en cuenta esos casos de ausencia, y entonces se llega a una fórmula que es el conocido, venerable y verídico lugar común: no se puede mandar contra la opinión pública.

Esto nos lleva a caer en la cuenta de que mando significa prepotencia de una opinión; por lo tanto, de un espíritu; de que mando no es, a la postre, otra cosa que poder espiritual. Los hechos históricos confirman esto escrupulosamente. Todo mando primitivo tiene un carácter «sacro», porque se funda en la religión, y lo religioso es la forma primera bajo la cual aparece siempre lo que luego va a ser espíritu, idea, opinión; en suma, lo inmaterial y ultrafísico. En la Edad Media se reproduce con formato mayor el mismo fenómeno. El Estado o poder público primero que se forma en Europa, es la Iglesia —con su carácter específico y ya nominativo de «poder espiritual»—. De la Iglesia aprende el poder político que él también no es originariamente sino poder espiritual, vigencia de ciertas ideas, y se crea el *Sacro* Romano Imperio. De este modo luchan dos poderes igualmente espirituales que, no pudiendo diferenciarse en la sustancia —ambos son espíritu—, vienen al acuerdo de instalarse cada uno en un

modo del tiempo: el temporal y el eterno. Poder temporal
y poder religioso son idénticamente espirituales; pero el
uno es espíritu del tiempo —opinión pública intramunda-
na y cambiante—, mientras el otro es espíritu de eterni-
dad —la opinión de Dios, la que Dios tiene sobre el hombre y sus destinos.

Tanto vale, pues, decir: en tal fecha manda tal hombre, tal pueblo o tal grupo homogéneo de pueblos, como
decir: en tal fecha predomina en el mundo tal sistema de
opiniones —ideas, preferencias, aspiraciones, propósitos.

¿Cómo ha de entenderse este predominio? La mayor
parte de los hombres no tiene opinión, y es preciso que
ésta le venga de fuera a presión, como entra el lubricante
en las máquinas. Por eso es preciso que el espíritu —sea
el que fuere— tenga poder y lo ejerza, para que la gente
que no opina —y es la mayoría— opine. Sin opiniones, la
convivencia humana sería el caos; menos aún: la nada
histórica. Sin opiniones, la vida de los hombres carecería
de arquitectura, de organicidad. Por eso, sin un poder espiritual, *sin alguien que mande*, y en la medida en que ello
falte, reina en la humanidad el caos. Y parejamente, *todo
desplazamiento* del poder, todo cambio de imperantes, es a
la vez un cambio de opiniones y, consecuentemente, nada
menos que un cambio de gravitación histórica.

Volvamos ahora al comienzo. Durante varios siglos ha
mandado en el mundo Europa, un conglomerado de pueblos con espíritu afín. En la Edad Media no mandaba
nadie en el mundo temporal. Es lo que ha pasado en todas
las edades medias de la historia. Por eso representa siempre un relativo caos y una relativa barbarie, un déficit de
opinión. Son tiempos en que se ama, se odia, se ansía, se
repugna, y todo ello en gran medida. Pero, en cambio, se
opina poco. No carecen de delicia tiempos así. Pero, en los
grandes tiempos es de la opinión de lo que vive la humanidad, y por eso hay orden. Del otro lado de la Edad Media hallamos nuevamente una época en que, como en la
Moderna, manda alguien, bien que sobre una porción aco-
tada del mundo: Roma, la gran mandona. Ella puso orden
en el Mediterráneo y aledaños.

En estas jornadas de la posguerra comienza a decirse
que Europa no manda ya en el mundo. ¿Se advierte toda
la gravedad de ese diagnóstico? Con él se anuncia un desplazamiento del poder. ¿Hacia dónde se dirige? ¿Quién
va a suceder a Europa en el mando del mundo? Pero ¿se
está seguro de que va sucederle alguien? Y si no fuese
nadie, ¿qué pasaría?

2

La pura verdad es que en el mundo pasa en todo instante y, por lo tanto, ahora, infinidad de cosas. La pretensión de decir qué es lo que ahora pasa en el mundo ha de
entenderse, pues, como ironizándose a sí misma. Mas por
lo mismo que es imposible conocer directamente la plenitud de lo real, no tenemos más remedio que construir arbitrariamente una realidad, suponer que las cosas son de
una cierta manera. Esto nos proporciona un esquema, es
decir, un concepto o enrejado de conceptos. Con él, como
al través de una cuadrícula, miramos luego la efectiva
realidad, y entonces, sólo entonces, conseguimos una visión aproximada de ella. En esto consiste el método científico. Más aún: en esto consiste todo uso del intelecto.
Cuando al ver llegar a nuestro amigo por la vereda del
jardín decimos: «Éste es Pedro», cometemos deliberadamente, irónicamente, un error. Porque Pedro significa para
nosotros un esquemático repertorio de modos de comportarse física y moralmente —lo que llamamos «carácter»—,
y la pura verdad es que nuestro amigo Pedro no se parece,
a ratos, en casi nada a la idea «nuestro amigo Pedro».

Todo concepto, el más vulgar como el más técnico, va
montado en la ironía de sí mismo, en los dientecillos de
una sonrisa alciónica, como el geométrico diamante va
montado en la dentadura de oro de su engarce. Él dice
muy seriamente: «Esta cosa es *A*, y esta otra cosa es *B*.»
Pero es la suya la seriedad de un *pince-sans-rire*. Es la
seriedad inestable de quien se ha tragado una carcajada
y si no aprieta bien los labios, la vomita. Él sabe muy
bien que ni esta cosa es *A*, así a rajatabla, ni la otra es *B*,
así, sin reservas. Lo que el concepto piensa en rigor es un
poco otra cosa que lo que dice, y en esta duplicidad consiste la ironía. Lo que verdaderamente piensa es esto: yo
sé que, hablando con todo rigor, esta cosa no es *A*, ni
aquélla *B;* pero, admitiendo que son *A* y *B*, yo me entiendo conmigo mismo para los efectos de mi comportamiento vital frente a una y otra cosa.

Esta teoría del conocimiento de la razón hubiera irri-
tado a un griego. Porque el griego creyó haber descubierto
en la razón, en el concepto, la realidad misma. Nosotros,
en cambio, creemos que la razón, el concepto, es un instrumento doméstico del hombre, que éste necesita y usa
para aclarar su propia situación en medio de la infinita
y archiproblemática realidad que es su vida. Vida es lucha
con las cosas para sostenerse entre ellas. Los conceptos

son el plan estratégico que nos formamos para responder
a su ataque. Por eso, si se escruta bien la entraña última
de cualquier concepto, se halla que no nos dice nada de la
cosa misma, sino que resume lo que un hombre puede hacer con esa cosa o padecer de ella. Esta opinión taxativa,
según la cual el contenido de todo concepto es siempre
vital, es siempre acción posible, o padecimiento posible de
un hombre, no ha sido hasta ahora, que yo sepa, sustentada por nadie; pero es, a mi juicio, el término indefectible
del proceso filosófico que se inicia con Kant. Por eso, si
revisamos a su luz todo el pasado de la filosofía hasta
Kant, nos parecerá que *en el fondo* todos los filósofos han
dicho lo mismo. Ahora bien: todo el descubrimiento filosófico no es más que un descubrimiento y un traer a la superficie lo que estaba en el fondo.

Pero semejante introito es desmesurado para lo que voy
a decir, tan ajeno a problemas filosóficos. Yo iba a decir,
sencillamente, que lo que ahora pasa en el mundo —se
entiende el histórico— es exclusivamente esto: durante
tres siglos Europa ha mandado en el mundo, y ahora Europa no está segura de mandar ni de seguir mandando.
Reducir a fórmula tan simple la infinitud de cosas que integran la realidad histórica actual, es, sin duda, y en el
mejor caso, una exageración, y yo necesitaba por eso recordar que pensar es, quiérase o no, exagerar. Quien pre-
fiera no exagerar tiene que callarse; más aún: tiene que
paralizar su intelecto y ver la manera de idiotizarse.

Creo, en efecto, que es aquello lo que verdaderamente
está pasando en el mundo, y que todo lo demás es consecuencia, condición, síntoma o anécdota de eso.

Yo no he dicho que Europa haya dejado de mandar, sino
estrictamente que en estos años Europa siente graves du-
das sobre si manda o no, sobre si mañana mandará. A
esto corresponde en los demás pueblos de la tierra un
estado de espíritu congruente: dudar de si ahora son man-
dados por alguien. Tampoco están seguros de ello.

Se ha hablado mucho en estos años de la decadencia de
Europa. Yo suplico fervorosamente que no se siga come-
tiendo la ingenuidad de pensar en Spengler simplemente
porque se hable de decadencia de Europa o de Occidente.
Antes de que su libro apareciera, todo el mundo hablaba
de ello, y el éxito de su libro se debió, como es notorio,
a que tal sospecha o preocupación preexistía en todas las
cabezas, con los sentidos y por las razones más hetero-
géneas.

Se ha hablado tanto de la decadencia europea, que muchos han llegado a darla por un hecho. No que crean en

serio y con evidencia en él, sino que se han habituado a
darlo por cierto, aunque no recuerdan sinceramente haberse convencido resueltamente de ello en ninguna fecha
determinada. El reciente libro de Waldo Frank, *Redescu-*
brimiento de América, se apoya íntegramente en el supuesto de que Europa agoniza. No obstante, Frank ni analiza ni discute, ni se hace cuestión de tan enorme hecho,
que le va a servir de formidable premisa. Sin más averi-
guación, parte de él como de algo inconcuso. Y esa ingenuidad en el punto de partida me basta para pensar que
Frank no está convencido de la decadencia de Europa;
lejos de eso, ni siquiera se ha planteado tal cuestión. La
toma como un tranvía. Los lugares comunes son los tran-
vías del transporte intelectual.

Y como él, lo hacen muchas gentes. Sobre todo, lo hacen
los pueblos, los pueblos enteros.

Es un paisaje de ejemplar puerilidad el que ahora ofrece el mundo. En la escuela, cuando alguien notifica que el
maestro se ha ido, la turba parvular se encabrita e indis-
ciplina. Cada cual siente la delicia de evadirse a la presión que la presencia del maestro imponía, de arrojar los
yugos de las normas, de echar los pies por alto, de sentirse dueño del propio destino. Pero como quitada la norma que fijaba las ocupaciones y las tareas, la turba parvular, no tiene un quehacer propio, una ocupación formal,
una tarea con sentido, continuidad y trayectoria, resulta
que no puede ejecutar más que una cosa: la cabriola.

Es deplorable el frívolo espectáculo que los pueblos menores ofrecen. En vista de que, según se dice, Europa decae y, por lo tanto, deja de mandar, cada nación y na-
cioncita brinca, gesticula, se pone cabeza abajo o se en-
galla y estira dándose aires de persona mayor que rige
sus propios destinos. De aquí el vibriónico panorama de
«nacionalismos» que se nos ofrece por todas partes.

En los capítulos anteriores he intentado filiar un nuevo tipo de hombre que hoy predomina en el mundo: le he
llamado hombre-masa, y he hecho notar que su principal
característica consiste en que, sintiéndose vulgar, proclama el derecho a la vulgaridad y se niega a reconocer instancias superiores a él. Era natural que si ese modo de
ser predomina dentro de cada pueblo, el fenómeno se produzca también cuando miramos el conjunto de las naciones. También hay, relativamente, pueblos-masa resueltos a
rebelarse contra los grandes pueblos creadores, minoría de
estirpes humanas, que han organizado la historia. Es verdaderamente cómico contemplar cómo esta o la otra repu-
bliquita, desde su perdido rincón, se pone sobre la punta

de sus pies e increpa a Europa y declara su cesantía en
la historia universal.

¿Qué resulta? Europa había creado un sistema de normas cuya eficacia y fertilidad han demostrado los siglos.
Esas normas no son, ni mucho menos, las mejores posibles. Pero son, sin duda, definitivas mientras no existan o
se columbren otras. Para superarlas es inexcusable parir
otras. Ahora los pueblos-masa han resuelto dar por caducado aquel sistema de normas que es la civilización europea, pero como son incapaces de crear otro, no saben qué
hacer, y para llenar el tiempo se entregan a la cabriola.

Ésta es la primera consecuencia que sobreviene cuando
en el mundo deja de mandar alguien: que los demás, al
rebelarse, se quedan sin tarea, sin programa de vida.

3

El gitano se fue a confesar; pero el cura, precavido,
comenzó por preguntarle si sabía los mandamientos de la
ley de Dios. A lo que el gitano respondió: *Misté, padre;
yo loh iba a aprendé; pero he oído un runrún de que loh
iban a quitá.*

¿No es ésta la situación presente del mundo? Corre el
runrún de que ya no rigen los mandamientos europeos y
en vista de ello las gentes —hombres y pueblos— aprovechan la ocasión para vivir sin imperativos. Porque existían sólo los europeos. No se trata de que —como otras
veces ha acontecido— una germinación de normas nuevas
desplace las antiguas y un fervor novísimo absorba en su
fuego joven los viejos entusiasmos de menguante temperatura. Eso sería lo corriente. Es más: lo viejo resulta
viejo, no por propia senescencia, sino porque ya está ahí
un principio nuevo que sólo con ser nuevo aventaja de
pronto al preexistente. Si no tuviéramos hijos, no sería-
mos viejos o tardaríamos mucho más en serlo. Lo propio
pasa con los artefactos. Un automóvil de hace diez años
parece más viejo que una locomotora de hace veinte, simplemente porque los inventos de la técnica automovilista
se han sucedido con mayor rapidez. Esta decadencia que
se origina en el brote de nuevas juventudes es un síntoma de salud.

Pero lo que ahora pasa en Europa es cosa insalubre y
extraña. Los mandamientos europeos han perdido vigencia sin que otros se vislumbren en el horizonte. Europa
—se dice— deja de mandar, y no se ve quién pueda sustituirla. Por Europa se entiende, ante todo y propiamen-

te, la trinidad Francia, Inglaterra, Alemania. En la re-
gión del globo que ellas ocupan ha madurado el módulo
de existencia humana conforme al cual ha sido organizado
el mundo. Si, como ahora se dice, esos tres pueblos están
en decadencia y su programa de vida ha perdido validez,
no es extraño que el mundo se desmoralice.

Y ésta es la pura verdad. Todo el mundo —naciones, individuos— está desmoralizado. Durante una temporada esta
desmoralización divierte y hasta vagamente ilusiona. Los
inferiores piensan que les han quitado un peso de encima.
Los decálogos conservan del tiempo en que eran inscritos
sobre piedra o sobre bronce su carácter de pesadumbre.
La etimología de mandar significa cargar, ponerle a uno
algo en las manos. El que manda es, sin remisión, cargan-
te. Los inferiores de todo el mundo están ya hartos de que
les carguen y encarguen, y aprovechan con aire festival
este tiempo exonerado de gravosos imperativos. Pero la
fiesta dura poco. Sin mandamientos que nos obliguen a
vivir de un cierto modo, queda nuestra vida en pura disponibilidad. Ésta es la horrible situación íntima en que se
encuentran ya las juventudes mejores del mundo. De puro
sentirse libres, exentas de trabas, se sienten vacías. Una
vida en disponibilidad es mayor negación de sí misma que
la muerte. Porque vivir es tener que hacer algo determinado —es cumplir un encargo—, y en la medida en que
eludamos poner a algo nuestra existencia, evacuamos nuestra vida. Dentro de poco se oirá un grito formidable en
todo el planeta, que subirá, como el aullido de canes innumerables, hasta las estrellas, pidiendo alguien y algo que
mande, que imponga un quehacer u obligación.

Vaya esto dicho para los que, con inconsciencia de chicos, nos anuncian que Europa ya no manda. Mandar es
dar quehacer a las gentes, meterlas en su destino, en su
quicio: impedir su extravagancia, la cual suele ser vagan-
cia, vida vacía, desolación.

No importaría que Europa dejase de mandar si hubiera alguien capaz de sustituirla. Pero no hay sombra de
tal. Nueva York y Moscú no son nada nuevo con respecto
a Europa. Son uno y otro dos parcelas del mandamiento
europeo que, al disociarse del resto, han perdido su sentido. En rigor, da grima hablar de Nueva York y de Moscú. Porque uno no sabe con plenitud lo que son: sólo sabe
que ni sobre uno ni sobre otro se han dicho aún palabras
decisivas. Pero aun sin saber plenamente lo que son, se
alcanza lo bastante para comprender su carácter genérico.
Ambos, en efecto, pertenecen de lleno a lo que algunas
veces he llamado «fenómeno de *camouflage* histórico». El

camouflage es, por esencia, una realidad que no es la que parece. Su aspecto oculta, en vez de declarar, su sustancia. Por eso engaña a la mayor parte de las gentes. Sólo se puede librar de la equivocación y en general que el se puede librar de la equivocación que el *camouflage* produce quien sepa de antemano y en general que el *camouflage* existe. Lo mismo pasa con el espejismo. El concepto corrige a los ojos.

En todo hecho de *camouflage* histórico hay dos realidades que se superponen: una profunda, efectiva, sustancial; otra aparente, accidental y de superficie. Así, en Moscú hay una película de ideas europeas —el marxismo— pensadas en Europa en vista de realidades y problemas europeos. Debajo de ella hay un pueblo no solo distinto como materia étnica del europeo, sino —lo que importa mucho más— de una edad diferente que la nuestra. Un pueblo aún en fermento; es decir, juvenil. Que el marxismo haya triunfado en Rusia —donde no hay industria— sería la contradicción mayor que podía sobrevenir al marxismo. Pero no hay tal contradicción, porque no hay tal triunfo. Rusia es marxista aproximadamente como eran romanos los tudescos del Sacro Imperio *Romano*. Los pueblos nuevos no tienen *ideas*. Cuando crecen en un ámbito donde existe o acaba de existir una vieja cultura, se embozan en la idea que ésta les ofrece. Aquí está el *camouflage* y su razón. Se olvida —como he notado otras veces— que hay dos grandes tipos de evolución para un pueblo. Hay el pueblo que nace en un «mundo» vacío de toda civilización. Ejemplo, el egipcio o el chino. En un pueblo así todo es autóctono, y sus gestos tienen un sentido claro y directo. Pero hay pueblos que germinan y se desarrollan en un ámbito ocupado ya por una cultura de añeja historia. Así Roma, que crece en pleno Mediterráneo, cuyas aguas estaban impregnadas de civilización grecooriental. De aquí que la mitad de los gestos romanos no sean suyos, sino aprendidos. Y el gesto aprendido, recibido, es siempre doble, y su verdadera significación no es directa, sino oblicua. El que hace un gesto aprendido —por ejemplo, un vocablo de otro idioma—, hace por debajo de él el gesto suyo, el auténtico; por ejemplo, traduce a su propio lenguaje el vocablo exótico. De aquí que para atender los *camouflages* sea menester también una mirada oblicua: la de quien traduce un texto con un diccionario al lado. Yo espero un libro en el que el marxismo de Stalin aparezca traducido a la historia de Rusia. Porque esto, lo que tiene de ruso, es lo que tiene de fuerte y no lo que tiene de comunista. ¡Vaya usted a saber qué será! Lo único que cabe asegurar es que Rusia necesita siglos todavía para *optar al mando*. Porque carece aún de mandamientos, ha necesitado fingir su adhesión al principio europeo de Marx. Porque le sobra juventud, le bastó con esa ficción. El joven no necesita razones para vivir: sólo necesita pretextos.

Cosa muy semejante acontece con Nueva York. También es un error atribuir su fuerza actual a los mandamientos a que obedece. En última instancia se reducen a éste: la teórica. ¡Qué casualidad! Otro invento europeo, no americano. La técnica es inventada por Europa durante los siglos XVIII y XIX. ¡Qué casualidad! Los siglos en que América nace. ¡Y en serio se nos dice que la esencia de América es su concepción practicista y técnica de la vida! En vez de decirnos: América es, como siempre las colonias, una repristinación o rejuvenecimiento de razas antiguas, sobre todo de Europa. Por razones distintas que Rusia, los Estados Unidos significan también un caso de esa específica realidad histórica que llamamos «pueblo nuevo». Se cree que esto es una frase cuando es una cosa tan efectiva como la juventud de un hombre. América es fuerte por su juventud, que se ha puesto al servicio del mandamiento contemporáneo «técnica», como podía haberse puesto al servicio del budismo si éste fuese la orden del día. Pero América no hace con esto sino comenzar su historia. Ahora empezarán sus angustias, sus dissensiones, sus conflictos. Aún tiene que ser muchas cosas; entre ellas, algunas las más opuestas a la técnica y al practicismo. América tiene menos años que Rusia. Yo siempre, con miedo de exagerar, he sostenido que era un pueblo primitivo *camouflado* por los últimos inventos (1). Ahora Waldo Frank, en su *Redescubrimiento de América,* lo declara francamente. América no ha sufrido aún; es ilusorio pensar que pueda poseer las virtudes del mando.

Quien evite caer en la consecuencia pesimista de que nadie va a mandar, y que, por lo tanto, el mundo histórico vuelve al caos, tiene que retroceder al punto de partida y preguntarse en serio: ¿Es tan cierto como se dice que Europa esté en decadencia y resigne el mando, abdique? ¿No será esta aparente decadencia la crisis bienhechora que permita a Europa ser literalmente Europa? La evidente decadencia de las *naciones europeas,* ¿no era *a priori* necesaria si algún día habían de ser posibles los Estados Unidos de Europa, la pluralidad europea sustituida por su formal unidad?

(1) Véase el ensayo *Hegel y América*, en *El espectador*, tomo VII.

4

La función de mandar y obedecer es la decisiva en toda sociedad. Como ande en ésta turbia la cuestión de quién manda y quién obedece, todo lo demás marchará impura y torpemente. Hasta la más íntima intimidad de cada individuo, salvas geniales excepciones, quedará perturbada y falsificada. Si el hombre fuese un ser solitario que accidentalmente se halla trabado en convivencia con otros, acaso permaneciese intacto de tales repercusiones, originadas en los desplazamientos y crisis del imperar, del Poder. Pero como es social en su más elemental textura, queda trastornado en su índole privada por mutaciones que en rigor sólo afectan inmediatamente a la colectividad. De aquí que si se toma aparte un individuo y se le analiza, cabe colegir, sin más datos, cómo anda en su país la conciencia de mando y obediencia.

Fuera interesante y hasta útil someter a este examen el carácter individual del español medio. La operación sería, no obstante, enojosa y, aunque útil, deprimente; por eso la eludo. Pero haría ver la enorme dosis de desmoralización íntima, de encanallamiento que en el hombre medio de nuestro país produce el hecho de ser España una nación que vive desde hace siglos con una conciencia sucia en la cuestión de mando y obediencia. El encanallamiento no es otra cosa que la aceptación como estado habitual y constituido de una irregularidad, de algo que mientras se acepta sigue pareciendo indebido. Como no es posible convertir en sana normalidad lo que en su esencia es criminoso y anormal, el individuo opta por adaptarse él a lo indebido, haciéndose por completo homogéneo al crimen o irregularidad que arrastra. Es un mecanismo parecido al que el adagio popular enuncia cuando dice: «Una mentira hace ciento.» Todas las naciones han atravesado jornadas en que aspiró a mandar sobre ellas quien no debía mandar; pero un fuerte instinto les hizo concentrar al punto sus energías y expeler aquella irregular pretensión de mando. Rechazaron la irregularidad transitoria y reconstituyeron así su moral pública. Pero el español ha hecho lo contrario: en vez de oponerse a ser imperado por quien su íntima conciencia rechazaba, ha preferido falsificar todo el resto de su ser para acomodarlo a aquel fraude inicial. Mientras esto persista en nuestro país, es vano esperar nada de los hombres de nuestra raza. No puede tener vigor elástico para la difícil faena de sostenerse con decoro en

la historia una sociedad cuyo Estado, cuyo imperio o mando, es constitutivamente fraudulento.

No hay, pues, nada extraño en que bastara una ligera
duda, una simple vacilación sobre quién manda en el mundo, para que todo el mundo —en su vida pública y en su
vida privada— haya comenzado a desmoralizarse.

La vida humana, por su naturaleza propia, tiene que
estar puesta a algo, a una empresa gloriosa o humilde,
a un destino ilustre o trivial. Se trata de una condición
extraña, pero inexorable, escrita en nuestra existencia.
Por un lado, vivir es algo que cada cual hace por sí y
para sí. Por otro lado, si esa vida mía, que sólo a mí
me importa, no es entregada por mí a algo, caminará
desvencijada, sin tensión y sin «forma». Estos años asistimos al gigantesco espectáculo de innumerables vidas humanas que marchan perdidas en el laberinto de sí mismas
por no tener a qué entregarse. Todos los imperativos, todas las órdenes, han quedado en suspenso. Parece que la
situación debía ser ideal, pues cada vida queda en absoluta franquía para hacer lo que le venga en gana, para
vacar a sí misma. Lo mismo cada pueblo. Europa ha aflojado su presión sobre el mundo. Pero el resultado ha sido
contrario a lo que podía esperarse. Librada a sí misma,
cada vida se queda en sí misma, vacía, sin tener qué hacer. Y como ha de llenarse con algo, se finge frívolamente
a sí misma, se dedica a falsas ocupaciones, que nada íntimo, sincero, impone. Hoy es una cosa; mañana, otra,
opuesta a la primera. Está perdida al encontrarse sola
consigo. El egoísmo es laberíntico. Se comprende. Vivir
es ir disparado hacia algo, es caminar hacia una meta.
La meta no es mi caminar, no es mi vida; es algo a que
pongo ésta y que por lo mismo está fuera de ella, más
allá. Si me resuelvo a andar sólo por dentro de mi vida,
egoístamente, no avanzo, no voy a ninguna parte; doy
vueltas y revueltas en un mismo lugar. Esto es el laberinto, un camino que no lleva a nada, que se pierde en sí
mismo, de puro no ser más que caminar por dentro de sí.

Después de la guerra, el europeo se ha cerrado su interior, se ha quedado sin empresa para sí y para los demás. Por eso seguimos históricamente como hace diez años.

No se manda en seco. El mando consiste en una presión
que se ejerce sobre los demás. Pero no consiste sólo en
esto. Si fuera esto sólo, sería violencia. No se olvide que
mandar tiene doble efecto: se manda a alguien, pero se
le manda algo. Y lo que se le manda es, a la postre, que
participe en una empresa, en un gran destino histórico.

Por eso no hay imperio sin programa de vida, precisamente sin un plan de vida imperial. Como dice el verso de Schiller:

Cuando los reyes construyen, tienen que hacer los carreros.

No conviene, pues, embarcarse en la opinión trivial que cree ver en la actuación de los grandes pueblos —como de los hombres— una inspiración puramente egoísta. No es tan fácil como se cree ser puro egoísta, y nadie siéndolo ha triunfado jamás. El egoísmo aparente de los grandes pueblos y de los grandes hombres es la dureza inevitable con que tiene que comportarse quien tiene su vida puesta a una empresa. Cuando de verdad se va a hacer algo y nos hemos entregado a un proyecto, no se nos puede pedir que estemos en disponibilidad para atender a los transeúntes y que nos dediquemos a pequeños altruísmos de azar. Una de las cosas que más encantan a los viajeros cuando cruzan España es que si preguntan a alguien en la calle dónde está una plaza o edificio, con frecuencia el preguntado deja el camino y generosamente se sacrifica por el extraño, conduciéndolo hasta el lugar que a éste interesa. Yo no niego que pueda haber en esta índole del buen celtíbero algún factor de generosidad, y me alegro de que el extranjero interprete así su conducta. Pero nunca al oírlo o leerlo he podido reprimir este recelo: ¿es que el compatriota preguntado iba de verdad a alguna parte? Porque podría muy bien ocurrir que, en muchos casos, el español no va a nada, no tiene proyecto ni misión, sino que, más bien, sale a la vida para ver si las de otros llenan un poco la suya. En muchos casos me consta que mis compatriotas salen a la calle por ver si encuentran algún forastero a quien acompañar.

Grave es que esta duda sobre el mando del mundo ejercido hasta ahora por Europa, haya desmoralizado el resto de los pueblos, salvo aquellos que por su juventud están aún en su prehistoria. Pero es mucho más grave que este *piétinement sur place* llegue a desmoralizar por completo al europeo mismo. No pienso así porque yo sea europeo o cosa parecida. No es que diga: si el europeo no ha de mandar en el futuro próximo, no me interesa la vida del mundo. Nada me importaría el cese del mando europeo si existiera hoy otro grupo de pueblos capaz de sustituirlo en el poder y la dirección del planeta. Pero ni siquiera esto pediría. Aceptaría que no mandase nadie si esto no trajese consigo la volatilización de todas las virtudes y dotes del hombre europeo.

Ahora bien: esto último es irremisible. Si el europeo se habitúa a no mandar él, bastarán generación y media para que el viejo continente, y tras él el mundo todo, caiga en la inercia moral, en la esterilidad intelectual y en la barbarie omnímoda. Sólo la ilusión del imperio y la disciplina de responsabilidad que ella inspira pueden mantener en tensión las almas de Occidente. La ciencia, el arte, la técnica y todo lo demás viven de la atmósfera tónica que crea la conciencia de mando. Si ésta falta, el europeo se irá envileciendo. Ya no tendrán las mentes esa fe radical en sí mismas que las lanza enérgicas, audaces, tenaces, a la captura de grandes ideas, nuevas en todo orden. El europeo se hará definitivamente cotidiano. Incapaz de esfuerzo creador y lujoso, recaerá siempre en el ayer, en el hábito, en la rutina. Se hará una criatura chabacana, formulista, huera, como los griegos de la decadencia y como los de toda la historia bizantina.

La vida creadora supone un régimen de alta higiene, de gran decoro, de constantes estímulos, que excitan la conciencia de la dignidad. La vida creadora es vida enérgica, y ésta sólo es posible en una de estas dos situaciones: o siendo uno el que manda, o hallándose alojado en un mundo donde manda alguien a quien reconocemos pleno derecho para tal función; o mando yo, u obedezco. Pero obedecer no es aguantar —aguantar es envilecerse—, sino, al contrario, estimar al que manda y seguirlo, solidarizándose con él, situándose con fervor bajo el ondeo de su bandera.

5

Conviene que ahora retrocedamos al punto de partida de estos artículos: al hecho, tan curioso, de que en el mundo se hable estos años tanto sobre la decadencia de Europa. Ya es sorprendente el detalle de que esta decadencia no haya sido notada primeramente por los extraños, sino que el descubrimiento de ella se deba a los europeos mismos. Cuando nadie, fuera del viejo continente, pensaba en ello, ocurrió a algunos hombres de Alemania, de Inglaterra, de Francia, esta sugestiva idea: ¿No será que empezamos a decaer? La idea ha tenido buena prensa, y hoy todo el mundo habla de la decadencia europea como de una realidad inconcusa.

Pero detened al que la enuncia con un leve gesto y preguntadle en qué fenómenos concretos y evidentes funda su diagnóstico. Al punto lo veréis hacer vagos ademanes y practicar esa agitación de brazos hacia la rotundidad del universo que es característica de todo náufrago. No sabe, en efecto, a qué agarrarse. La única cosa que sin grandes precisiones aparece cuando se quiere definir la actual decadencia europea, es el conjunto de dificultades económicas que encuentra hoy delante de cada una de las naciones europeas. Pero cuando se va a precisar un poco el carácter de esas dificultades, se advierte que ninguna de ellas afecta seriamente al poder de creación de riqueza y que el viejo continente ha pasado por crisis mucho más graves en este orden.

¿Es que por ventura el alemán o el inglés no se sienten hoy capaces de producir más y mejor que nunca? En modo alguno, e importa mucho filiar el estado de espíritu de ese alemán o de ese inglés en esta dimensión de lo económico. Pues lo curioso es precisamente que la depresión indiscutible de sus ánimos no proviene de que se sientan poco capaces, sino, al contrario, de que, sintiéndose con más potencialidad que nunca, tropiezan con ciertas barreras fatales que les impiden realizar lo que muy bien podrían. Esas fronteras fatales de la economía actual alemana, inglesa, francesa, son las fronteras políticas de los Estados respectivos. La dificultad auténtica no radica, pues, en este o en el otro problema económico que esté planteado, sino en que la forma de vida pública en que habían de moverse las capacidades económicas es incongruente con el tamaño de éstas. A mi juicio, la sensación de menoscabo, de impotencia, que abruma innegablemente estos años a la vitalidad europea, se nutre de esa desproporción entre el tamaño de la potencialidad europea actual y el formato de la organización política en que tiene que actuar. El arranque para resolver las graves cuestiones urgentes es tan vigoroso como cuando más lo haya sido; pero tropieza al punto con las reducidas jaulas en que está alojado, con las pequeñas naciones en que hasta ahora vivía organizada Europa. El pesimismo, el desánimo que hoy pesa sobre el alma continental se parece mucho al del ave de ala larga que al batir sus grandes remeras se hiere contra los hierros del jaulón.

La prueba de ello es que la combinación se repite en todos los demás órdenes, cuyos factores son en apariencia tan distintos de lo económico. Por ejemplo, en la vida intelectual. Todo buen intelectual de Alemania, Inglaterra o Francia se siente hoy ahogado en los límites de su nación, siente su nacionalidad como una limitación absoluta. El profesor alemán se da ya clara cuenta de que es absurdo el estilo de producción a que le obliga su público inmediato de profesores alemanes, y hecha de menos la

superior libertad de expresión que gozan el escritor francés y el ensayista británico. Viceversa, el hombre de letras
parisiense comienza a comprender que está agotada la
tradición del mandarinismo literario, de verbal formalis-
mo, a que le condena su oriundez francesa, y preferiría,
conservando las mejores calidades de esa tradición, integrarla con algunas virtudes del profesor alemán.

En el orden de la política interior pasa lo mismo. No se
ha analizado aún a fondo la extrañísima cuestión de por
qué anda tan en agonía la vida política de todas las grandes naciones. Se dice que las instituciones democráticas
han caído en desprestigio. Pero esto es justamente lo que
convendría explicar. Porque es un desprestigio extraño. Se
habla mal del Parlamento en todas partes; pero no se ve
que en ninguna de las naciones que cuentan se intente
su sustitución, ni siquiera que existan perfiles utópicos de
otras formas de Estado que, al menos idealmente, parez-
can preferibles. No hay, pues, que creer mucho en la autenticidad de este aparente desprestigio. No son las instituciones, en cuanto instrumento de vida pública, las que
marchan mal en Europa, sino las tareas en que emplear-
las. Faltan programas de tamaño congruente con las dimensiones efectivas que la vida ha llegado a tener dentro
de cada individuo europeo.

Hay aquí un error de óptica que conviene corregir de
una vez, porque da grima escuchar las inepcias que a
toda hora se dicen, por ejemplo, a propósito del Parlamento. Existe toda una serie de objecciones válidas al
modo de conducirse los Parlamentos tradicionales; pero si
se toman una a una. se ve que ninguna de ellas permite
la conclusión de que deba suprimirse el Parlamento, sino,
al contrario, todas llevan por vía directa y evidente a la
necesidad de reformarlo. Ahora bien: lo mejor que huma-
namente puede decirse de algo es que necesita ser refor-
mado, porque ello implica que es imprescindible y que es
capaz de nueva vida. El automóvil actual ha salido de las
objeciones que se pusieron al automóvil de 1910. Mas la
desestima vulgar en que ha caído el Parlamento no procede de esas objeciones. Se dice, por ejemplo, que no es
eficaz. Nosotros debemos preguntar entonces: ¿Para qué
no es eficaz? Porque la eficacia es la virtud que un utensilio tiene para producir una finalidad. En este caso la
finalidad sería la solución de los problemas públicos en
cada nación. Por eso exigimos de quien proclama la ineficacia de los Parlamentos, que posea él una idea clara de
cuál es la solución de los problemas públicos actuales. Porque si no, si en nigún país está hoy claro, ni aun teórica-

mente, en qué consiste lo que hay que hacer, no tiene sentido acusar de ineficacia a los instrumentos institucionales. Más valía recordar que jamás institución alguna ha
creado en la historia Estados más formidables, más eficientes que los Estados parlamentarios del siglo XIX. El
hecho es tan indiscutible, que olvidarlo demuestra franca
estupidez. No se confunda, pues, la posibilidad y la urgencia de reformar profundamente las asambleas legislativas,
para hacerlas «aún más» eficaces, con declarar su inutilidad.

El desprestigio de los Parlamentos no tiene nada que
ver con sus notorios defectos. Procede de otra causa, ajena por completo a ellos en cuanto utensilios políticos.
Procede de que el europeo no sabe en qué emplearlos, de
que no estima las finalidades de la vida pública tradicional; en suma, de que no siente ilusión por los Estados
nacionales en que está inscrito y prisionero. Si se mira
con un poco de cuidado ese famoso desprestigio, lo que se
ve es que el ciudadano, en la mayor parte de los países,
no siente respeto por su Estado. Sería inútil sustituir el
detalle de sus instituciones, porque lo irrespetable no son
éstas, sino el Estado mismo, que se ha quedado chico.

Por vez primera, al tropezar el europeo en sus proyectos económicos, políticos, intelectuales, con los límites de
su nación, siente que aquéllos —es decir, sus posibilidades
de vida, su estilo vital— son inconmensurables en el tamaño del cuerpo colectivo en que está encerrado. Y entonces ha descubierto que ser inglés, alemán o francés es ser
provinciano. Se ha encontrado, pues, con que es «menos»
que antes, porque antes el francés, el inglés y el alemán
creían, cada cual por sí, que eran el universo. Éste es,
me parece, el auténtico origen de esa impresión de decadencia que aqueja al europeo. Por lo tanto, un origen puramente íntimo y paradójico, ya que la presunción de haber menguado nace, precisamente, de que ha crecido su
capacidad y tropieza con una organización antigua, dentro
de la cual ya no cabe.

Para dar a lo dicho un sostén plástico que lo aclare,
tómese cualquier actividad concreta; por ejemplo: la fabricación de automóviles. El automóvil es invento puramente europeo. Sin embargo, hoy es superior la fabricación norteamericana de este artefacto. Consecuencia: el
automóvil europeo está en decadencia. Y sin embargo, el
fabricante europeo —industrial o técnico— de automóviles
sabe muy bien que la superioridad del producto norteaméricano no procede de ninguna virtud específica gozada por
el hombre de ultramar, sino sencillamente de que la fábri-

ca americana puede ofrecer su producto sin traba alguna a ciento veinte millones de hombres. Imagínese que una fábrica europea viese ante sí un área mercantil formada por todos los Estados europeos, y sus colonias y protectorados. Nadie duda de que ese automóvil previsto para quinientos o seiscientos millones de hombres sería mucho mejor y más barato que el Ford. Todas las gracias peculiares de la técnica americana son, casi seguramente, efectos y no causas de la amplitud y homogeneidad de su mercado. La «racionalización» de la industria es consecuencia automática de su tamaño.

La situación auténtica de Europa vendría, por lo tanto, a ser ésta: su magnífico y largo pasado la hace llegar a un nuevo estadio de vida donde todo ha crecido; pero a la vez las estructuras supervivientes de ese pasado son enanas e impiden la actual expansión. Europa se ha hecho en forma de pequeñas naciones. En cierto modo, la idea y el sentimiento nacionales han sido su invención más característica. Y ahora se ve obligada a superarse a sí misma. Éste es el esquema del drama enorme que va a representarse en los años venideros. ¿Sabrá libertarse de supervivencias, o quedará prisionera para siempre de ellas? Porque ya ha acaecido una vez en la historia que una gran civilización murió por no poder sustituir su idea tradicional de Estado...

6

He contado en otro lugar la pasión y muerte del mundo grecorromano, y en cuanto a ciertos detalles, me remito a lo dicho allí (1). Pero ahora podemos tomar el asunto bajo otro aspecto.

Griegos y latinos aparecen en la historia alojados, como abejas en su colmena, dentro de urbes, de *poleis*. Éste es un hecho que en estas páginas necesitamos tomar como absoluto y de génesis misteriosa; un hecho de que hay que partir sin más; como el zoólogo parte del dato bruto e inexplicado de que el *sphex* vive solitario, errabundo, peregrino, y en cambio la rubia abeja sólo existe en enjambre constructor de panales (2). El caso es que la excava-

---

(1) Véase el ensayo *Sobre la muerte de Roma*, en *El espectador*, tomo VI.

(2) Esto es lo que hace la razón física y biológica, la «razón naturalista», demostrando con ello que es menos razonable que la «razón histórica». Porque ésta, cuando trata a fondo de las cosas y no de soslayo como en estas páginas, se niega a reconocer como absoluto ningún hecho. Para ella, razonar consiste en fluidificar todo hecho descubriendo su génesis. Véase del autor el ensayo *Historia como sistema*.

ción y la arqueología nos permiten ver algo de lo que
había en el suelo de Atenas y en el de Roma antes de que
Atenas y Roma existiesen. Pero el tránsito de esta prehistoria, puramente rural y sin carácter específico, al brote de la ciudad, fruta de nueva especie que da el suelo
de ambas penínsulas, queda arcano: ni siquiera está claro
el nexo étnico entre aquellos pueblos protohistóricos y estas extrañas comunidades, que aportan al repertorio humano una gran innovación: la de construir una plaza
pública, y en torno una ciudad cerrada al campo. Porque,
en efecto, la definición más certera de lo que es la urbe
y la *polis* se parece mucho a la que cómicamente se da del
cañón: toma usted un agujero, lo rodea de alambre muy
apretado, y eso es un cañón. Pues lo mismo, la urbe o
polis comienza por ser un hueco: el foro, el ágora; y todo
lo demás es pretexto para asegurar este hueco, para de-
limitar su dintorno. La *polis* no es, primordialmente, un
conjunto de casas habitables, sino un lugar de ayuntamiento civil, un espacio acotado para funciones públicas.
La urbe no está hecha, como la cabaña o el *domus*, para
cobijarse de la intemperie y engendrar, que son menesteres privados y familiares, sino para discutir sobre la cosa
pública. Nótese que esto significa nada menos que la invención de una nueva clase de espacio, mucho más nueva
que el espacio de Einstein. Hasta entonces sólo existía un
espacio: el campo, y en él se vivía con todas las consecuencias que esto trae para el ser del hombre. El hombre
campesino es todavía un vegetal. Su existencia, cuanto
piensa, siente y quiere, conserva la modorra inconsciente
en que vive la planta. Las grandes civilizaciones asiáticas
y africanas fueron en este sentido grandes vegetaciones
antropomorfas. Pero el grecorromano decide separarse del
campo, de la «naturaleza», del cosmos geobotánico. ¿Cómo
es esto posible? ¿Cómo puede el hombre retraerse del campo? ¿Dónde irá, si el campo es toda la tierra, si es lo ilimitado? Muy sencillo: limitando un trozo de campo mediante unos muros que opongan el espacio incluso y finito
al espacio amorfo y sin fin. He aquí la plaza. No es, como
la casa, un «interior» cerrado por arriba, igual que las
cuevas que existen en el campo, sino que es pura y simplemente la negación del campo. La plaza, merced a los
muros que la acotan, es un pedazo de campo que se vuelve
de espaldas al resto, que prescinde del resto y se opone
a él. Este campo menor y rebelde, que practica secesión
del campo infinito y se reserva a sí mismo frente a él,
es campo abolido y, por lo tanto, un espacio *sui generis*,
novísimo, en que el hombre se liberta de toda comunidad

con la planta y el animal, deja a éstos fuera y crea un ámbito aparte, puramente humano. Es el espacio civil. Por eso Sócrates, el gran urbano, triple extracto del jugo que rezuma la *polis*, dirá: «Yo no tengo que ver con los árboles en el campo; yo sólo tengo que ver con los hombres en la ciudad. ¿Qué han sabido nunca de esto el hindú, ni el persa, ni el chino, ni el egipcio?

Hasta Alejandro y César, respectivamente, la historia de Grecia y de Roma consiste en la lucha incesante entre esos dos espacios: entre la ciudad racional y el campo vegetal, entre el jurista y el labriego, entre el *ius* y el *rus.*

No se crea que este origen de la urbe es una pura construcción mía y que sólo le corresponde una verdad simbólica. Con rara insistencia, en el estrato primario y más hondo de su memoria conservan los habitantes de la ciudad grecolatina el recuerdo de un *synoikismos.* No hay, pues, que solicitar los textos, basta con traducirlos. *Synoikismos* es acuerdo de irse a vivir juntos; por lo tanto, ayuntamiento, estrictamente en el doble sentido físico y jurídico de este vocablo. Al desparramamiento vegetativo por la campiña sucede la concentración civil en la ciudad. La urbe es la supercasa, la superación de la casa o nido infrahumano, la creación de una entidad más abstracta y más alta que el *oikos* familiar. Es la *república,* la *politeia,* que no se compone de hombres y mujeres, sino de ciudadanos. Una dimensión nueva, irreductible a las primigenias y más próximas al animal, se ofrece al existir humano, y en ella van a poner los que antes sólo eran hombres sus mejores energías. De esta manera nace la urbe, desde luego como Estado.

En cierto modo, toda la costa mediterránea ha mostrado siempre una espontánea tendencia a este tipo estatal. Con más o menos pureza, el norte de África (Cartago = la ciudad) repite el mismo fenómeno. Italia no salió hasta el siglo XIX del Estado-ciudad, y nuestro Levante cae en cuanto puede en el cantonalismo, que es un resabio de aquella milenaria inspiración (1).

El Estado-ciudad, por la relativa parvedad de sus ingredientes, permite ver claramente lo específico del principio estatal. Por una parte, la palabra «Estado» indica que las fuerzas históricas consiguen una combinación de equilibrio, de asiento. En este sentido significa lo contra-

---

(1) Sería interesante mostrar cómo en Cataluña colaboran dos inspiraciones antagónicas: el nacionalismo europeo y el *ciudadismo* de Barcelona, en que pervive siempre la tendencia del viejo hombre mediterráneo. Ya he dicho otra vez que el levantino es el resto de *homo antiquus* que hay en la Península.

rio de movimiento histórico: el Estado es convivencia es-
tabilizada, constituida, estática. Pero este carácter de in-
movilidad, de forma quieta y definida, oculta, como todo
equilibrio, el dinamismo que produjo y sostiene al Estado.
Hace olvidar, en suma, que el Estado constituido es sólo
el resultado de un movimiento anterior de lucha, de esfuerzos, que a él tendían. Al Estado constituido precede el
Estado constituyente, y éste es un principio de movimiento.

Con esto quiero decir que el Estado no es una forma
de sociedad que el hombre se encuentra dada y en regalo,
sino que necesita fraguarla penosamente. No es como la
horda o la tribu y demás sociedades fundadas en la consanguinidad que la naturaleza se encarga de hacer sin
colaboración con el esfuerzo humano. Al contrario, el Estado comienza cuando el hombre se afana por evadirse
de la sociedad nativa dentro de la cual la sangre lo ha
inscrito. Y quien dice la sangre dice también cualquier
principio natural; por ejemplo, el idioma. Originariamente, el Estado consiste en la mezcla de sangres y lenguas.
Es superación de toda sociedad natural. Es mestizo y plu-
rilingüe.

Así, la ciudad nace por reunión de pueblos diversos.
Construye sobre la heterogeneidad zoológica una homogeneidad abstracta de jurisprudencia (1). Claro está que
la unidad jurídica no es la aspiración que impulsa el movimiento creador del Estado. El impulso es más sustantivo
que todo derecho, es el propósito de empresas vitales mayores que las posibles a las minúsculas sociedades consan-
guíneas. En la génesis de todo Estado vemos o entrevemos
siempre el perfil de un gran empresario.

Si observamos la situación histórica que precede inmediatamente al nacimiento de un Estado, encontraremos
siempre el siguiente esquema: varias colectividades pequeñas cuya estructura social está hecha para que viva cada
cual hacia dentro de sí misma. La forma social de cada
una sirve sólo para una convivencia interna. Esto indica
que en el pasado vivieron efectivamente aisladas cada una
por sí y para sí, sin más que contactos excepcionales con
las limítrofes. Pero a este aislamiento efectivo, ha sucedido de hecho una convivencia externa, sobre todo económica. El individuo de cada colectividad no vive ya sólo de
ésta, sino que parte de su vida está trabada con individuos de otras colectividades, con los cuales comercia mercantil e intelectualmente. Sobreviene, pues, un desequilibrio entre dos convivencias: la interna y la externa. La

----

(1) Homogeneidad jurídica que no implica forzosamente centralismo.

forma social establecida —derechos, «costumbres» y religión— favorece la interna y dificulta la externa, más amplia y nueva. En esta situación, el principio estatal es el movimiento que lleva a aniquilar las formas sociales de convivencia interna, sustituyéndolas por una forma social adecuada a la nueva convivencia externa. Apliquese esto al momento actual europeo, y estas expresiones abstractas adquirirán figura y color.

No hay creación estatal si la mente de ciertos pueblos no es capaz de abandonar la estructura tradicional de una forma de convivencia y, además, de imaginar otra nunca sida. Por eso es auténtica creación. El Estado comienza por ser una obra de imaginación absoluta. La imaginación es el poder liberador que el hombre tiene. Un pueblo es capaz de Estado en la medida en que sepa imaginar. De aquí que todos los pueblos hayan tenido un límite en su evolución estatal, precisamente el límite impuesto por la naturaleza a su fantasía.

El griego y el romano, capaces de imaginar la ciudad que triunfa de la dispersión campesina, se detuvieron en los muros urbanos. Hubo quien quiso llevar las mentes grecorromanas más allá, quien intentó libertarlas de la ciudad; pero fue vano empeño. La cerrazón imaginativa del romano, representada por Bruto, se encargó de asesinar a César —la mayor fantasía de la antigüedad—. Nos importa mucho a los europeos de hoy recordar esta historia, porque la nuestra ha llegado al mismo capítulo.

7

Cabezas claras, lo que se llama cabezas claras, no hubo probablemente en todo el mundo antiguo más que dos: Temístocles y César; dos políticos. La cosa es sorprendente, porque, en general, el político, incluso el famoso, es político precisamente *porque* es torpe (1). Hubo, sin duda, en Grecia y Roma otros hombres que pensaron ideas claras sobre muchas cosas —filósofos, matemáticos, naturalistas—. Pero su claridad fue de orden científica, es decir, una claridad sobre cosas abstractas. Todas las cosas de que habla la ciencia, sea ella la que quiera, son abstractas, y las cosas abstractas son siempre claras. De suerte que la claridad de la ciencia no está tanto en la cabeza de

---

(1) El sentido de esta abrupta aseveración, que supone una idea clara sobre lo que es la política, toda política —la «buena» como la mala—, se hallará en el tratado sociológico del autor titulado *El hombre y la gente.*

los que la hacen como en las cosas de que hablan. Lo
esencialmente confuso, intrincado, es la realidad vital concreta, que es siempre única. El que sea capaz de orientarse con precisión en ella; el que vislumbre bajo el caos que
presenta toda situación vital la anatomía secreta del instante; en suma, el que no se pierda en la vida, ése es de
verdad una cabeza clara. Observad a los que os rodean y
veréis cómo avanzan perdidos por su vida; van como so-
námbulos dentro de su buena o mala suerte, sin tener la
más ligera sospecha de lo que les pasa. Los oiréis hablar
en fórmulas taxativas sobre sí mismos y sobre su contorno, lo cual indicaría que poseen ideas sobre todo ello. Pero
si analizáis someramente esas ideas, notaréis que no re-
flejan mucho ni poco la realidad a que parecen referirse,
y si ahondáis más en el análisis, hallaréis que ni siquiera
pretenden ajustarse a tal realidad. Todo lo contrario: el
individuo trata con ellas de interceptar su propia visión
de lo real, de su vida misma. Porque la vida es por lo
pronto un caos donde uno está perdido. El hombre lo sospecha; pero le aterra encontrarse cara a cara con esa terrible realidad y procura ocultarla con un telón fantas-
magórico, donde todo está muy claro. Le trae sin cuidado
que sus «ideas» no sean verdaderas; las emplea como trin-
cheras para defenderse de su vida, como aspavientos para
ahuyentar la realidad.

El hombre de cabeza clara es el que se liberta de esas
«ideas» fantasmagóricas y mira de frente a la vida, y se
hace cargo de que todo en ellas es problemático, y se siente perdido. Como esto es la pura verdad —a saber, que
vivir es sentirse perdido—, el que lo acepta ya ha empezado a encontrarse, ya ha comenzado a descubrir su auténtica realidad, ya está en lo firme. Instintivamente, lo
mismo que el náufrago, buscará algo a que agarrarse, y
esa mirada trágica, perentoria, absolutamente veraz, porque se trata de salvarse, le hará ordenar el caos de su
vida. Éstas son las únicas ideas verdaderas: las ideas de
los náufragos. Lo demás es retórica, postura, íntima farsa. El que no se siente de verdad perdido se pierde inexorablemente; es decir, no se encuentra jamás, no topa nunca con la propia realidad.

Esto es cierto en todos los órdenes, aun en la ciencia,
no obstante ser la ciencia de suyo una huida de la vida
(la mayor parte de los hombres de ciencia se han dedica-
do a ella por terror a enfrontarse con su vida. No son
cabezas claras; de aquí su notoria torpeza ante cualquier
situación concreta). Nuestras ideas científicas valen en la
medida en que nos hayamos sentido perdidos en una cues-

tión, en que hayamos visto bien su carácter problemático
y comprendamos que no podemos apoyarnos en ideas reci-
bidas, en recetas, en lemas ni vocablos. El que descubre
una nueva verdad científica tuvo antes que triturar casi
todo lo que había aprendido, y llega a esa nueva verdad
con las manos sangrientas por haber yugulado innumerables lugares comunes.

La política es mucho más real que la ciencia, porque se
compone de situaciones únicas en que el hombre se encuentra de pronto sumergido, quiera o no. Por eso es el
tema que nos permite distinguir mejor quiénes son cabezas claras y quiénes son cabezas rutinarias.

César es el ejemplo máximo que conocemos de don para
encontrar el perfil de la realidad sustantiva en un momento de confusión pavorosa, en una hora de las más
caóticas que ha vivido la humanidad. Y como si el destino se hubiese complacido en subrayar la ejemplaridad,
puso a su vera una magnífica cabeza de intelectual, la de
Cicerón, dedicada durante toda su existencia a confundir
las cosas.

El exceso de buena fortuna había dislocado el cuerpo
político romano. La ciudad tiberina, dueña de Italia, de
España, del África Menor, del Oriente clásico y helenísti-
co, estaba a punto de reventar. Sus instituciones públicas
tenían una enjundia municipal y eran inseparables de la
urbe, como las hamadriadas están, so pena de consunción,
adscritas al árbol que tutelan.

La salud de las democracias, cualquiera que sean su
tipo y su grado, depende de un mísero detalle técnico: el
procedimiento electoral. Todo lo demás es secundario. Si
el régimen de comicios es acertado, si se ajusta a la realidad, todo va bien; si no, aunque el resto marche optima-
mente, todo va mal. Roma al comenzar el siglo I antes
de Cristo, es omnipotente, rica, no tiene enemigos delante.
Sin embargo, está a punto de fenecer porque se obstina
en conservar un régimen electoral estúpido. Un régimen
electoral es estúpido cuando es falso. Había que votar en
la ciudad. Ya los ciudadanos del campo no podían asistir
a los comicios. Pero mucho menos los que vivían repartidos por todo el mundo romano. Como las elecciones eran
imposibles, hubo que falsificarlas, y los candidatos orga-
nizaban partidas de la porra —con veteranos del ejército,
con atletas del circo— que se encargaban de romper las
urnas.

Sin el apoyo de auténtico sufragio las instituciones democráticas están en el aire. En el aire están las palabras:
«La República no era más que una palabra.» La expre-

sión es de César. Ninguna magistratura gozaba de autoridad. Los generales de la izquierda y de la derecha —Mario y Sila— se insolentaban en vacuas dictaduras que no
llevaban a nada.

César no ha explicado nunca su política, sino que se en-
tretuvo en hacerla. Daba la casualidad de que era precisamente César, y no el manual de cesarismo que suele venir
luego. No tenemos más remedio, si queremos entender
aquella política, que tomar sus actos y darle su nombre.
El secreto está en su hazaña capital: la conquista de las
Galias. Para emprenderla tuvo que declararse rebelde frente al poder constituido. ¿Por qué?

Constituían el poder los republicanos, es decir, los conservadores, los fieles al Estado-ciudad. Su política puede
resumirse en dos cláusulas: Primera, los trastornos de la
vida pública romana provienen de su excesiva expansión.
La ciudad no puede gobernar tantas naciones. Toda nueva conquista es un delito de lesa república. Segunda, para
evitar la disolución de las instituciones es preciso un
príncipe.

Para nosotros tiene la palabra «príncipe» un sentido
casi opuesto al que tenía para un romano. Éste entendía
por tal precisamente un ciudadano como los demás, pero
que era investido de poderes superiores, a fin de regular
el funcionamiento de las instituciones republicanas. Cicerón, en sus libros *Sobre la República*, y Salustio, en sus
memoriales a César, resumen el pensamiento de todos los
publicistas pidiendo un *princeps civitatis*, un *rector rerum
publicarum*, un *moderator*.

La solución de César es totalmente opuesta a la conservadora. Comprende que para curar las consecuencias de
las anteriores conquistas romanas no había más remedio
que proseguirlas, aceptando hasta el cabo tan enérgico
destino. Sobre todo urgía conquistar los pueblos nuevos,
más peligrosos, en un porvenir no muy lejano, que las naciones corruptas de Oriente. César sostendrá la necesidad
de romanizar a fondo los pueblos bárbaros de Occidente.

Se ha dicho (Spengler) que los grecorromanos eran incapaces de sentir el tiempo, de ver su vida como una dila-
tación en la temporalidad. Existían en un presente pun-
tual. Yo sospecho que este diagnóstico es erróneo, o, por
lo menos, que confunde dos cosas. El grecorromano padece una sorprendente ceguera para el futuro. No lo ve,
como el daltonista no ve el color rojo. Pero, en cambio,
vive radicado en el pretérito. Antes de hacer ahora algo,
da un paso atrás, como *Lagartijo* al tirarse a matar; busca en el pasado un modelo para la situación presente, e

informado por aquél, se zambulle en la actualidad, prote-
gido y deformado por la escafranda ilustre. De aquí que
todo su vivir es, en cierto modo, revivir. Esto es ser arcaizante, y esto lo fue, casi siempre, el antiguo. Pero esto no
es ser insensible al tiempo. Significa, simplemente, un cro-
nismo incompleto; manco del ala futurista y con hipertro-
fia de antaños. Los europeos hemos gravitado desde siempre hacia el futuro y sentimos que es ésta la dimensión
más sustancial del tiempo, el cual, para nosotros, empieza
por el «después» y no por el «antes». Se comprende, pues,
que al mirar la vida grecorromana nos parezca acrónica.

Ésta como manía de tomar todo presente con las pinzas
de un ejemplar pretérito, se ha transferido del hombre
antiguo al filósofo moderno. El filólogo es también ciego
para el porvenir. También él retrógrada, busca a toda actualidad un precedente, al cual llama, con lindo vocablo
de égloga, su «fuente». Digo esto porque ya los antiguos
biógrafos de César se cierran a la comprensión de esta
enorme figura suponiendo que trataba de imitar a Alejandro. La ecuación se imponía: si Alejandro no podía
dormir pensando en los laureles de Milcíades, César tenía,
por fuerza, que sufrir insomnio por los de Alejandro.
Y así sucesivamente. Siempre el paso atrás y el pie de
hogaño en huella de antaño. El filólogo contemporáneo re-
percute al biógrafo clásico.

Creer que César aspiraba a hacer algo así como lo que
hizo Alejandro —y esto han creído casi todos los historiadores— es renunciar radicalmente a entenderlo. César es
aproximadamente lo contrario que Alejandro. La idea de
un reino universal es lo único que los empareja. Pero esta
idea no es de Alejandro, sino que viene de Persia. La imagen de Alejandro hubiera empujado a César hacia Oriente, hacia el prestigioso pasado. Su preferencia radical por
Occidente revela más bien la voluntad de contradecir al
macedón. Pero además, no es un reino universal, sin más
ni más, lo que César se propone. Su propósito es más
profundo. Quiere un Imperio romano que no viva de Roma,
sino de la periferia, de las provincias, y esto implica la
superación absoluta del Estado-ciudad. Un Estado donde
los pueblos más diversos colaboren, de que todos se sientan solidarios. No un centro que manda y una periferia
que obedece, sino un gigantesco cuerpo social, donde cada
elemento sea a la vez sujeto pasivo y activo del Estado.
Tal es el Estado moderno, y ésta fue la fabulosa anticipación de su genio futurista. Pero ello suponía un poder
extrarromano, antiaristócrata, infinitamente elevado sobre
la oligarquía republicana, sobre su *príncipe*, que era sólo

un *primus inter pares*. Ese poder ejecutor y representante de la democracia universal, sólo podía ser la monarquía con su sede fuera de Roma.

¡República, monarquía! Dos palabras que en la historia cambian constantemente de sentido *auténtico*, y que por lo mismo es preciso en todo instante triturar para cerciorarse de su eventual enjundia.

Sus hombres de confianza, sus instrumentos más inmediatos, no eran arcaicas ilustraciones de la urbe, sino gente nueva, provinciales, personajes enérgicos y eficientes. Su verdadero ministro fue Cornelio Balbo, un hombre de negocios gaditano, un atlántico, un «colonial».

Pero la anticipación del nuevo Estado era excesiva: las cabezas lentas del Lacio no podían dar brinco tan grande. La imagen de la ciudad, con su tangible materialismo, impidió que los romanos «viesen» aquella organización novísima del cuerpo público. ¿Cómo podían formar un Estado hombres que no vivían en una ciudad? ¿Qué género de unidad era ésa, tan sutil y como mística?

Repito una vez más: la realidad que llamamos Estado no es la espontánea convivencia de hombres que la consanguinidad ha unido. El Estado empieza cuando se obliga a convivir a grupos nativamente separados. Esta obligación no es desnuda violencia, sino que supone un proyecto iniciativo, una tarea común que se propone a los grupos dispersos. Antes que nada es el Estado proyecto de un hacer y programa de colaboración. Se llama a las gentes para que juntas hagan algo. El Estado no es consanguinidad, ni unidad lingüística, ni unidad territorial, ni contigüidad de habitación. No es nada material, inerte, dado y limitado. Es un puro dinamismo —la voluntad de hacer algo en común—, y merced a ello la idea estatal no está limitada por término físico alguno (1).

Agudísima la conocida empresa política de Saavedra Fajardo: una flecha, y debajo: «O sube o baja.» Eso es el Estado. No es una cosa, sino un movimiento. El Estado es, en todo instante, algo que *viene de* y *va hacia*. Como todo movimiento, *tiene un terminus a quo* y un *terminus ad quem*. Córtese por cualquier hora la vida de un Estado que lo sea verdaderamente y se hallará una unidad de convivencia que *parece* fundada en tal o cual atributo material: sangre, idioma, «fronteras naturales». La interpretación estática nos llevará a decir, eso es el Estado. Pero pronto advertimos que esa agrupación humana está

---

(1) Véase del autor *El origen deportivo del Estado*, en *El espectador*, tomo VII, 1930.

haciendo algo comunal: conquistando otros pueblos, fundando colonias, federándose con otros Estados, es decir, que en toda hora está superando el que parecía principio material de su unidad. Es el *terminus ad quem*, es el verdadero Estado, cuya unidad consiste precisamente en superar toda unidad dada. Cuando ese impulso hacia el más allá cesa, el Estado automáticamente sucumbe, y la unidad que ya existía y parecía físicamente cimentada —raza, idioma, frontera natural— no sirve de nada: el Estado se desagrega, se dispersa, se atomiza.

Sólo esta duplicidad de momentos en el Estado —la unidad que ya es y la más amplia que proyecta ser— permite comprender la esencia del Estado nacional. Sabido es que todavía no se ha logrado decir en qué consiste una nación, si damos a este vocablo su acepción moderna. El Estado-ciudad era una idea muy clara, que se veía con los ojos de la cara. Pero el nuevo tipo de unidad pública que germinaba en galos y germanos, la inspiración política de Occidente, es cosa mucho más vaga y huidiza. El filólogo, el historiador actual, que es de suyo arcaizante, se encuentra ante este formidable hecho casi tan perplejo como César y Tácito cuando con su terminología romana querían decir lo que eran aquellos Estados incipientes, transalpinos y ultrarrenanos, o bien los españoles. Les llaman *civitas, gens natio*, dándose cuenta de que ninguno de esos nombres va bien a la cosa (1). No son *civitas*, por la sencilla razón de que no son ciudadanos (2). Pero ni siquiera cabe envaguecer el término y aludir con él a un territorio delimitado. Los pueblos nuevos cambian con suma facilidad de terruño, o por lo menos amplían y reducen el que ocupaban. Tampoco son unidades étnicas —*gentes, nationes*—. Por muy lejos que recurramos, los nuevos Estados aparecen ya formados por grupos de natividad independiente. Son combinaciones de sangres distintas. ¿Qué es, pues, una nación, ya que no es ni comunidad de sangre, ni adscripción a un territorio, ni cosa alguna de este orden?

Como siempre acontece, también en este caso una pulcra sumisión a los hechos nos da la clave. ¿Qué es lo que salta a los ojos cuando repasamos la evolución de cualquiera «nación moderna»? —Francia, España, Alemania—.

---

(1) Véase Dopsch, *Fundamentos económicos y sociales de la civilización europea*. Segunda edición, 1924, tomo II, págs. 3 y 4.
(2) Los romanos no se resolvieron nunca a llamar ciudades a las poblaciones de los bárbaros, por muy denso que fuese el caserío. Las llamaban «faute de mieux», *sedes aratorum*.

Sencillamente esto: lo que en una cierta fecha parecía constituir la nacionalidad aparece negado en una fecha posterior. Primero, la nación parece la tribu, y la no-nación la tribu de al lado. Luego la nación se compone de dos tribus, más tarde es una comarca, y poco después es ya todo un condado o ducado o «reino». La nación es León, pero no Castilla; luego es León y Castilla, pero no Ara-gón. Es evidente la presencia de dos principios: uno, va-riable y siempre superado —tribu, comarca, ducado, «rei-no», con su idioma o dialecto—; otro, permanente, que salta libérrimo sobre todos esos límites y postula como unidad lo que aquél consideraba precisamente como radi-cal contraposición.

Los filólogos —llamo así a los que hoy pretenden deno-minarse «historiadores»— practican la más deliciosa ge-deonada cuando parten de lo que ahora, en esta fecha fugaz, en estos dos o tres siglos, son las naciones de Occi-dente y suponen que Vercingetórix o que el Cid Campea-dor querían ya una Francia desde Saint-Malo a Estras-burgo —precisamente— o una *Spania* desde Finisterre a Gibraltar. Estos filólogos —como el ingenuo dramaturgo— hacen casi siempre que sus héroes partan para la guerra de los Treinta Años. Para explicarnos cómo se han for-mado Francia y España, suponen que Francia y España preexistían como unidades en el fondo de las almas fran-cesas y españolas. ¡Como si existiesen franceses y espa-ñoles originariamente antes de que Francia y España exis-tiesen! ¡Como si el francés y el español no fuesen, sim-plemente, cosas que hubo que forjar en dos mil años de faena!

La verdad pura es que las naciones actuales son tan sólo la manifestación actual de aquel principio variable, condenado a perpetua superación. Ese principio no es aho-ra la sangre ni el idioma, puesto que la comunidad de sangre y de idioma en Francia o en España ha sido efec-to, y no causa, de la unificación estatal; ese principio es ahora la «frontera natural».

Está bien que un diplomático emplee en su esgrima as-tuta este concepto de fronteras naturales, como *ultima ratio* de sus argumentaciones. Pero un historiador no pue-de parapetarse tras él como si fuese un reducto definitivo. Ni es definitivo ni siquiera suficientemente específico.

No se olvide cuál es, rigurosamente planteada, la cues-tión. Se trata de averiguar qué es el Estado nacional —lo que hoy solemos llamar nación—, a diferencia de otros tipos de Estado, como el Estado-ciudad o, yéndonos al otro

extremo, como el Imperio que Augusto fundó (1). Si se
quiere formular el tema de modo todavía más claro y preciso, dígase así: ¿Qué fuerza real ha producido esa convivencia de millones de hombres bajo una soberanía de
poder público que llamamos Francia, o Inglaterra, o España, o Italia, o Alemania? No ha sido la previa comunidad de sangre, porque cada uno de esos cuerpos colectivos
está regado por torrentes cruentos muy heterogéneos. No
ha sido tampoco la unidad lingüística, porque los pueblos
hoy reunidos en un Estado hablaban, o hablan todavía,
idiomas distintos. La relativa homogeneidad de raza y
lengua de que hoy gozan —suponiendo que ello sea un
gozo— es resultado de la previa unificación política. Por
lo tanto, ni la sangre ni el idioma hacen al Estado nacional; antes bien, es el Estado nacional quien nivela las
diferencias originarias del glóbulo rojo y son articulado.
Y siempre ha acontecido así. Pocas veces, por no decir
nunca, habrá *el Estado coincidido con una identidad previa de sangre o idioma.* Ni España es hoy un Estado nacional *porque* se hable en toda ella el español (2), ni fueron Estados nacionales Aragón y Cataluña *porque* en un
cierto día, arbitrariamente escogido, coincidiesen los límites territoriales de su soberanía con los del habla arago-
nesa o catalana. Más cerca de la verdad estaríamos si,
respetando la casuística que toda realidad ofrece, nos acos-
tásemos a esta presunción: toda unidad lingüística que
abarca un territorio de alguna extensión es, casi seguramente, precipitado de alguna unificación política precedente (3). El Estado ha sido siempre el gran truchimán.

Hace mucho tiempo que esto consta, y resulta muy extraña la obstinación con que, sin embargo, se persiste en
dar a la nacionalidad como fundamentos la sangre y el
idioma. En lo cual yo veo tanta ingratitud como incongruencia. Porque el francés debe su Francia actual, y el
español su actual España, a un principio X, cuyo impulso
consistió precisamente en superar la estrecha comunidad
de sangre y de idioma. De suerte que Francia y España
consistirían hoy en lo contrario de lo que las hizo posibles.

(1) Sabido es que el Imperio de Augusto es *lo contrario* del que su
padre adoptivo, César, aspiró a instaurar. Augusto opera en el sentido de
Pompeyo, de los enemigos de César. Hasta la fecha, el mejor libro sobre
el asunto es el de Eduardo Meyer. *La monarquía de César y el princi-
pado de Pompeyo,* 1918.
(2) Ni siquiera como puro hecho es verdad que todos los españoles
hablen español, ni todos los ingleses inglés, ni todos los alemanes alto-
alemán.
(3) Quedan, claro está, fuera los casos de *Koinón* y *lingua franca,*
que no son lenguajes nacionales, sino específicamente internacionales.

Pareja tergiversación se comete al querer fundar la
idea de nación en una gran figura territorial, descubriendo el principio de unidad que sangre e idioma no propor-
cionan, en el misticismo geográfico de las «fronteras naturales». Tropezamos aquí con el mismo error de óptica. El
azar de la fecha actual nos muestra a las llamadas naciones instaladas en amplios terruños de continente o en
las islas adyacentes. De esos límites actuales se quiere
hacer algo definitivo y espiritual. Son, se dice, «fronteras
naturales», y con su «naturalidad» se significa una como
mágica predeterminación de la historia por la forma te-
lúrica. Pero este mito se volatiliza en seguida sometién-
dolo al mismo razonamiento que invalidó la comunidad de
sangre y de idioma como fuentes de la nación. También
aquí, si retrocedemos algunos siglos, sorprendemos a Francia y a España disociadas en naciones menores, con sus
inevitables «fronteras naturales». La montaña fronteriza
sería menos prócer que el Pirineo o los Alpes, y la barrera
líquida menos caudalosa que el Rin, el paso de Calais o
el estrecho de Gibraltar. Pero esto demuestra sólo que la
«naturalidad» de las fronteras es meramente relativa. Depende de los medios económicos y bélicos de la época.

La realidad histórica de la famosa «frontera natural»
consiste, sencillamente, en ser un estorbo a la expansión
del pueblo A sobre el pueblo B. Porque es un estorbo —de
convivencia o de guerra— para A, es una defensa para B.
La idea de «frontera natural» implica, pues, ingenuamente, como más natural aún que la frontera, la posibilidad
de la expansión y fusión ilimitadas entre los pueblos. Por
lo visto, sólo un obstáculo material les pone un freno. Las
fronteras de ayer y de anteayer no nos parecen hoy fundamentos de la nación francesa o española, sino al revés:
estorbos que la idea nacional encontró en su proceso de
unificación. No obstante lo cual, queremos atribuir un carácter definitivo y fundamental a las fronteras de hoy, a
pesar de que los nuevos medios de tráfico y guerra han
anulado su eficacia como estorbos.

¿Cuál ha sido entonces el papel de las fronteras en la
formación de las nacionalidades, ya que no han sido el
fundamento positivo de éstas? La cosa es clara y de suma
importancia para entender la auténtica inspiración del
Estado nacional frente al Estado-ciudad. Las fronteras
han servido para consolidar en cada momento la unificación política ya lograda. No han sido, pues, *principio* de
la nación, sino al revés; al *principio* fueron estorbo, y
luego, una vez allanadas, fueron medio material para asegurar la unidad.

Pues bien: exactamente el mismo papel corresponde a la raza y a la lengua. No es la comunidad nativa de una u otra lo que *constituyó la nación,* sino al contrario: el Estado nacional se encontró siempre, en su afán de unificación, frente a las muchas razas y las muchas lenguas, como con otros tantos estorbos. Dominados éstos enérgicamente, produjo una relativa unificación de sangres e idiomas que sirvió para consolidar la unidad.

No hay, pues, otro remedio que deshacer la tergiversación tradicional padecida por la idea de Estado nacional y habituarse a considerar como estorbos primarios para nacionalidad precisamente las tres cosas en que se creía consistir. Claro es que al deshacer una tergiversación seré yo quien parezca cometerla ahora.

Es preciso resolverse a buscar el secreto del Estado nacional en su peculiar inspiración como tal Estado, en su política misma, y no en principios forasteros de carácter biológico o geográfico.

¿Por qué, en definitiva, se creyó necesario recurrir a raza, lengua y territorio nativos para comprender el hecho maravilloso de las modernas naciones? Pura y simplemente, porque en éstas hallamos una intimidad y solidaridad radical de los individuos con el poder público desconocidas en el Estado antiguo. En Atenas y en Roma, sólo unos cuantos hombres eran el Estado; los demás —esclavos, aliados provinciales, colonos— eran sólo súbditos. En Inglaterra, en Francia, en España, nadie ha sido nunca sólo súbdito del Estado, sino que ha sido siempre participante de él, uno con él. La forma, sobre todo jurídica, de esta unión con y en el Estado, ha sido muy distinta según los tiempos. Ha habido grandes diferencias de rango y estatuto personal, clases relativamente privilegiadas y clases relativamente postergadas; pero si se interpreta la realidad efectiva de la situación política en cada época y se revive su espíritu, aparece evidente que todo individuo se sentía sujeto activo del Estado, partícipe y colaborador. Nación —en el sentido que este vocablo emite en Occidente desde hace más de un siglo— significa la «unión hipostática» del Poder público y la colectividad por él regida.

El Estado es siempre, cualquiera que sea su forma —primitiva, antigua, medieval o moderna—, la invitación que un grupo de hombres hace a otros grupos humanos para ejecutar juntos una empresa. Esta empresa, cualesquiera sean sus trámites intermediarios, consiste a la postre en organizar un cierto tipo de vida común. Estado y proyecto de vida, programa de quehacer o conducta humanos, son

términos inseparables. Las diferentes clases de Estado
nacen de las maneras según las cuales el grupo empresario establezca la colaboración con los *otros*. Así, el Estado
antiguo no acierta nunca a fundirse con los *otros*. Roma
manda y educa a los italiotas y a las provincias; pero no
los eleva a unión consigo. En la misma urbe no logró la
fusión política de los ciudadanos. No se olvide que durante
la República, Roma fue, en rigor, dos Romas: el Senado
y el pueblo. La unificación estatal no pasó nunca de mera
articulación entre los grupos que permanecieron externos
y extraños los unos a los otros. Por eso el Imperio ame-
nazado no pudo contar con el patriotismo de los *otros* y
hubo de defenderse exclusivamente con sus medios buro-
cráticos de administración y de guerra.

Esta incapacidad de todo grupo griego y romano para
fundirse con otros proviene de causas profundas que no
conviene perescrutar ahora y que, en definitiva, se resumen en una: el hombre antiguo interpretó la colaboración
en que, quiérase o no, el Estado consiste, de una manera
simple, elemental y tosca; a saber: como dualidad de dominantes y dominados (1). A Roma tocaba mandar y no
obedecer; a los demás, obedecer y no mandar. De esta
suerte, el Estado se materializa en el *pomoerium*, en el
cuerpo urbano que unos muros delimitan físicamente.

Pero los pueblos nuevos traen una interpretación del
Estado menos material. Si es él un proyecto de empresa
común, su realidad es puramente dinámica: un *hacer*, la
comunidad en la actuación. Según esto, forma parte activa del Estado, es sujeto político, todo el que preste adhesión a la empresa —raza, sangre, adscripción geográfica,
clase social, quedan en segundo término—. No es la comunidad anterior, pretérita, tradicional o inmemorial —en
suma, fatal e irreformable—, la que proporciona título
para la convivencia política, sino la comunidad futura en
el efectivo hacer. No lo que fuimos ayer, sino lo que vamos a hacer mañana juntos, nos reúne en Estado. De aquí
la facilidad con que la unidad política brinca en Occidente
sobre todos los límites que aprisionaron al Estado antiguo.
Y es que el europeo, relativamente al *homo antiquus*, se
comporta como un hombre abierto al futuro, que vive cons-

---

(1) Confirma esto lo que a primera vista parece controvertido: la
concesión de la ciudadanía a todos los habitantes del Imperio. Pues resulta que esta concesión fue hecha precisamente a medida que iba perdiendo su carácter de estatuto político para convertirse o en simple
carga y servicio al Estado o en mero título de derecho civil. De una
civilización en que la esclavitud tenía valor de principio no se podía
esperar otra cosa. Para nuestras «naciones», en cambio, fue la esclavitud sólo un hecho residual.

cientemente instalado en él y desde él decide su conducta presente.

Tendencia política tal avanzará inexorablemente hacia unificaciones cada vez más amplias, sin que haya nada que en principio la detenga. La capacidad de fusión es ilimitada. No sólo de un pueblo con otro, sino lo que es más característico aún del Estado nacional: la fusión de todas las clases sociales dentro de cada cuerpo político. Conforme crece la nación territorial y étnicamente, va haciéndose más una la colaboración interior. El Estado nacional es en su raíz misma democrático, en un sentido más decisivo que todas las diferencias en las formas de gobierno.

Es curioso notar que al definir la nación fundándola en una comunidad de pretérito se acaba siempre por aceptar como la mejor la fórmula de Renán, simplemente porque en ella se añade a la sangre, el idioma y las tradiciones comunes un atributo nuevo, y se dice que es un «plebiscito cotidiano». Pero ¿se entiende bien lo que esta expresión significa? ¿No podemos darle ahora un contenido de signo opuesto al que Renán le insuflaba, y que es, sin embargo, mucho más verdadero?

8

«Tener glorias comunes en el pasado, una voluntad común en el presente; haber hecho juntos grandes cosas, querer hacer otras más; he aquí las condiciones esenciales para ser un pueblo... En el pasado, una herencia de glorias y remordimientos; en el porvenir, un mismo programa que realizar... La existencia de una nación es un plebiscito cotidiano.»

Tal es la conocidísima sentencia de Renán. ¿Cómo se explica su excepcional fortuna? Sin duda, por la gracia de la coletilla. Esa idea de que la nación consiste en un plebiscito cotidiano opera sobre nosotros como una liberación. Sangre, lengua y pasado comunes son principios estáticos, fatales, rígidos, inertes: son prisiones. Si la nación consistiese en eso y en nada más, la nación sería una cosa situada a nuestra espalda, con lo cual no tendríamos nada que hacer. La nación sería algo que se es, pero no algo que se hace. Ni siquiera tendría sentido defenderla cuando alguien la ataca.

Quiérase o no, la vida humana es constante ocupación con algo futuro. Desde el instante actual nos ocupamos del que sobreviene. Por eso vivir es siempre, siempre, sin pausa ni descanso, hacer. ¿Por qué no se ha reparado en que *hacer*, todo *hacer*, significa realizar un futuro? Inclusive cuando nos entregamos a recordar. *Hacemos* memoria en este segundo para lograr algo en el inmediato, aunque no sea más que el placer de revivir el pasado. Este modesto placer solitario se nos presentó hace un momento como un futuro deseable; por eso lo *hacemos*. Conste, pues: nada tiene sentido para el hombre sino en función del porvenir (1).

Si la nación consistiese no más que en pasado y presente, nadie se ocuparía de defenderla contra un ataque. Los que afirman lo contrario son hipócritas o mentecatos. Mas acaece que el pasado nacional proyecta alicientes —reales o imaginarios— en el futuro. Nos parece desearle un porvenir en el cual nuestra nación continúe existiendo. Por eso nos movilizamos en su defensa; no por la sangre, ni el idioma, ni el común pasado. Al defender la nación defendemos nuestro mañana, no nuestro ayer.

Esto es lo que reverbera en la frase de Renán: la nación como excelente programa para mañana. El plebiscito decide un futuro. Que en este caso el futuro consista en una perduración del pasado no modifica lo más mínimo la cuestión; únicamente revela que también la definición de Renán es arcaizante.

Por lo tanto, el Estado nacional representaría un principio estatal más próximo a la pura idea de Estado que la antigua *polis* o que la «tribu» de los árabes, circunscrita por la sangre. De hecho, la idea nacional conserva no poco lastre de adscripción al pasado, al territorio, a la raza; mas por lo mismo es sorprendente notar cómo en ella triunfa siempre el puro principio de unificación humana en torno a un incitante programa de vida. Es más:

---

(1) **Según** esto, el ser humano tiene irremediablemente una constitución futurista; es decir, vive ante todo en el futuro y del futuro: No obstante, he contrapuesto el hombre antiguo al europeo, diciendo que aquél es relativamente cerrado al futuro, y éste, relativamente abierto. Hay, pues, aparente contradicción entre una y otra tesis. Surge esa apariencia cuando se olvida que el hombre es un ente de dos pisos; por un lado, es lo que es; por otro, tiene ideas sobre sí mismo que coinciden más o menos con su auténtica realidad. Evidentemente, nuestras ideas, preferencias, deseos, no pueden anular nuestro verdadero ser, pero sí complicarlo y mudarlo. El antiguo y el europeo están igualmente preocupados del porvenir; pero aquél somete el futuro al régimen del pasado, en tanto que nosotros dejamos mayor autonomía al porvenir, a lo nuevo como tal. Este antagonismo, no en el ser, sino en el preferir, justifica que califiquemos al europeo de futurista y al antiguo de arcaizante. Es revelador que apenas el europeo despierta y toma posesión de sí empieza a llamar a su vida «época moderna». Como es sabido, «moderno» quiere decir lo nuevo, lo que niega el uso antiguo. Ya a fines del siglo XIV se empieza a subrayar la *modernidad*, precisamente en las cuestiones que más agudamente interesaban al tiempo, y se. habla, por ejemplo, de *devotio moderna*, una especie de vanguardismo en la «mística teología».

yo diría que ese lastre de pretérito y esa relativa limitación dentro de principios materiales no han sido ni son por completo espontáneos en las almas de Occidente, sino que proceden de la interpretación erudita dada por el romanticismo a la idea de nación. De haber existido en la Edad Media ese concepto diecinuevesco de nacionalidad, Inglaterra, Francia, España, Alemania, habrían quedado nonatas (1). Porque esa interpretación confunde lo que impulsa y constituye a una nación con lo que meramente la consolida y conserva. No es el patriotismo —dígase de una vez— el que ha hecho las naciones. Creer lo contrario es la gedeonada a que ya he aludido y que el propio Renán admite en su famosa definición. Si para que exista una nación es preciso que un grupo de hombres cuente con un pasado común, yo me pregunto cómo llamaremos a ese mismo grupo de hombres mientras vivía en presente eso que visto desde hoy es un pasado. Por lo visto era forzoso que esa existencia común feneciese, pasase, para que pudiesen decir, somos una nación. ¿No se advierte aquí el vicio gremial del filólogo, del archivero, su óptica profesional que le impide ver la realidad cuando no es pretérita? El filólogo es quien necesita para ser filólogo que ante todo exista un pasado; pero la nación, antes de poseer un pasado común, tuvo que crear esta comunidad, y antes de crearla tuvo que soñarla, que quererla, que proyectarla. Y basta que tenga el proyecto de sí misma para que la nación exista, aunque no se logre, aunque fracase la ejecución, como ha pasado tantas veces. Hablaríamos en tal caso de una nación malograda (por ejemplo, Borgoña).

Con los pueblos de Centro y Sudamérica tiene España un pasado común, raza común, lenguaje común, y, sin embargo, no forma con ellos una nación. ¿Por qué? Falta sólo una cosa que, por lo visto, es la esencial: el futuro común. España no supo inventar un programa de porvenir colectivo que atrajese a esos grupos zoológicamente afines. El plebiscito futurista fue adverso a España, y nada valieron entonces los archivos, las memorias, los antepasados, la «patria». Cuando hay aquello, todo esto sirve como fuerzas de consolidación; pero nada más (2).

Veo, pues, en el Estado nacional una estructura histórica de carácter plebiscitario. Todo lo que además de eso

---

(1) El principio de las nacionalidades es, cronológicamente, uno de los primeros síntomas del romanticismo (fines del siglo XVIII).

(2) Ahora vamos a asistir a un ejemplo gigantesco y claro, como de laboratorio; vamos a ver si Inglaterra acierta a mantener en unidad soberana de convivencia las distintas porciones de su imperio, proponiéndoles un programa atractivo.

parezca ser, tiene un valor transitorio y cambiante, representa el contenido o la forma, o la consolidación que en cada momento requiere el plebiscito. Renán encontró la mágica palabra, que revienta de luz. Ella nos permite vislumbrar catódicamente el entresijo esencial de una nación, que se compone de estos dos ingredientes: primero, un proyecto de convivencia total en una empresa común; segundo, la adhesión de los hombres a ese proyecto incitativo. Esta adhesión de todos engendra la interna solidez que distingue al Estado nacional de todos los antiguos, en los cuales la unión se produce y mantiene por presión externa del Estado sobre los grupos dispares, en tanto que aquí nace el vigor estatal de la cohesión espontánea y profunda entre los «súbditos». En realidad los súbditos son ya el Estado, y no lo pueden sentir —esto es lo nuevo, lo maravilloso, de la nacionalidad— como algo extraño a ellos.

Y, sin embargo, Renán anula o poco menos su acierto, dando al plebiscito un contenido retrospectivo que se refiere a una nación ya hecha, cuya perpetuación decide. Yo preferiría cambiarle el signo y hacerle valer para la nación *in statu nascendi*. Ésta es la óptica decisiva. Porque, en verdad, una nación no está nunca hecha. En esto se diferencia de otros tipos de Estado. La nación está siempre o haciéndose o deshaciéndose. *Tertium non datur*. O está ganando adhesiones o las está perdiendo, según que su Estado represente o no a la fecha una empresa vivaz.

Por eso lo más instructivo fuera reconstruir la serie de empresas unitivas que sucesivamente han inflamado a los grupos humanos de Occidente. Entonces se vería cómo de ellas han vivido los europeos, no sólo en lo público, sino hasta en su existencia más privada; cómo se han «entrenado» o se han desmoralizado, según que hubiese o no empresa a la vista.

Otra cosa mostraría claramente ese estudio: las empresas estatales de los antiguos, por lo mismo que no implicaban la adhesión de los grupos humanos sobre que se intentaban, por lo mismo que el Estado propiamente tal quedaba siempre inscrito en una limitación fatal —tribu o urbe—, eran prácticamente ilimitadas. Un pueblo —el persa, el macedón o el romano— podían someter a unidad de soberanía cualesquiera porciones del planeta. Como la unidad no era auténtica, interna ni definitiva, no estaba sujeta a otras condiciones que a la eficacia bélica y administrativa del conquistador. Mas en Occidente la unificación nacional ha tenido que seguir una serie inexorable de etapas. Debiera extrañarnos más el hecho de que en

Europa no haya sido posible ningún imperio del tamaño que alcanzaron el persa, el de Alejandro o el de Augusto.

El proceso creador de naciones ha llevado siempre en Europa este ritmo: *Primer momento.* El peculiar instinto occidental, que hace sentir el Estado como fusión de varios pueblos en una unidad de convivencia política y moral, comienza a actuar sobre los grupos más próximos geográfica, étnica y lingüísticamente. No porque esta proximidad funde la nación, sino porque la diversidad entre próximos es más fácil de dominar. *Segundo momento.* Período de consolidación, en que se siente a los *otros* pueblos más allá del nuevo Estado como extraños y más o menos enemigos. Es el período en que el proceso nacional toma un aspecto de exclusivismo, de cerrarse hacia dentro del Estado; en suma, lo que hoy llamamos *nacionalismo.* Pero el hecho es que mientras se siente *políticamente* a los *otros* como extraños y contrincantes, se convive económica, intelectual y moralmente con ellos. Las guerras nacionalistas sirven para nivelar las diferencias de técnica y de espíritu. Los enemigos habituales se van haciendo históricamente homogéneos (1). Poco a poco se va destacando en el horizonte la conciencia de que esos pueblos enemigos pertenecen al mismo círculo humano que el Estado nuestro. No obstante, se les sigue considerando como extraños y hostiles. *Tercer momento.* El Estado goza de plena consolidación. Entonces surge la nueva empresa: unirse a los pueblos que hasta ayer eran sus enemigos. Crece la convicción de que son afines con el nuestro en moral e intereses, y que juntos formamos un círculo nacional frente a otros grupos más distantes y aún más extranjeros. He aquí madura la nueva idea nacional.

Un ejemplo esclarecerá lo que intento decir. Suele afirmarse que en tiempos del Cid era ya España —*Spania*— una idea nacional, y para superfetar la tesis se añade que siglos antes ya San Isidro hablaba de la «madre España». A mi juicio, es esto un error craso de perspectiva histórica. En tiempos del Cid se estaba empezando a urdir el Estado León-Castilla, y esta unidad leonesacastellana era la idea nacional del tiempo, la idea políticamente eficaz. *Spania*, en cambio, era una idea principalmente erudita; en todo caso, una de tantas ideas fecundas que dejó sembradas en Occidente el Imperio romano. Los «españoles» se habían acostumbrado a ser reunidos por Roma en una unidad administrativa, en una *diócesis* del Bajo

_____

(1) Si bien esa homogeneidad respeta y no anula la pluralidad de condiciones originarias.

Imperio. Pero esta noción geográficoadministrativa era pura recepción, no íntima inspiración, y en modo alguno aspiración.

Por mucha realidad que se quiera dar a esa idea en el siglo XI, se reconocerá que no llega siquiera al vigor y precisión que tiene ya para los griegos del IV la idea de la Hélade. Y, sin embargo, la Hélade no fue nunca verdadera idea nacional. La efectiva correspondencia histórica sería más bien ésta: Hélade fue para los griegos del siglo IV, y *Spania* para los «españoles» del XI y aun del XIV, lo que Europa fue para los «europeos» en el siglo XIX.

Muestra esto cómo las empresas de unidad nacional van llegando a su hora del modo que los sones en una melodía. La mera afinidad de ayer tendrá que esperar hasta mañana para entrar en erupción de inspiraciones nacionales. Pero, en cambio, es casi seguro que le llegará su hora.

Ahora llega para los *europeos* la sazón en que Europa puede convertirse en idea nacional. Y es mucho menos utópico creerlo hoy así que lo hubiera sido vaticinar en el siglo XI la unidad de España y de Francia. El Estado nacional de Occidente, cuanto más fiel permanezca a su auténtica sustancia, más derecho va a depurarse en un gigantesco Estado continental.

9

Apenas las naciones de Occidente perhinchen su actual perfil, surge en torno de ellas y bajo ellas, como un fondo, Europa. Es ésta la unidad de paisaje en que van a moverse desde el Renacimiento, y ese paisaje europeo son ellas mismas, que sin advertirlo empiezan ya a abstraerse de su belicosa pluralidad. Francia, Inglaterra, España, Italia, Alemania, pelean entre sí, forman ligas contrapuestas, las deshacen, las recomponen. Pero todo ello, guerra como paz, es convivir de igual a igual, lo que, ni en paz ni en guerra pudo hacer nunca Roma con el celtíbero, el galo, el británico y el germano. La historia destacó en primer término las querellas, y en general la política, que es el terreno más tardío para la espiga de la unidad; pero mientras se batallaba en una gleba, en cien se comerciaba con el enemigo, se cambiaban ideas y formas de arte y artículos de la fe. Diríase que aquel fragor de batallas ha sido sólo un telón tras el cual tanto más tenazmente trabajaba la pacífica polipera de la paz, entretejiendo la vida de las naciones hostiles. En cada nueva generación la homogeneidad de las almas se acrecentaba. Si se quiere mayor exactitud y más cautela, dígase de este modo: las almas francesas e inglesas y españolas eran, son y serán todo lo diferentes que se quiera; pero poseen un mismo plan o arquitectura psicológica y, sobre todo, van adquiriendo un contenido común. Religión, ciencia, derechos, arte, valores sociales y eróticos, van siendo comunes. Ahora bien: ésas son las cosas espirituales *de* que se vive. La homogeneidad resulta, pues, mayor que si las almas mismas fueran de idéntico gálibo.

Si hoy hiciésemos balance de nuestro contenido mental —opiniones, normas, deseos, presunciones—, notaríamos que la mayor parte de todo eso no viene al francés de su Francia, ni al español de su España, sino del fondo común europeo. Hoy, en efecto, pesa mucho más en cada uno de nosotros lo que tiene de europeo que su porción diferencial de francés, español, etc. Si se hiciera el experimento imaginario de reducirse a vivir puramente con lo que somos, como «nacionales», y en obra de mera fantasía se extirpase al hombre medio francés todo lo que usa, piensa, siente, por recepción de los otros países continentales, sentiría terror. Vería que no le era posible vivir de ello sólo; que las cuatro quintas partes de su haber íntimo son bienes mostrencos europeos.

No se columbra qué otra cosa de monta podamos *hacer* los que existimos en este lado del planeta si no es realizar la promesa que desde hace cuatro siglos significa el vocablo Europa. Sólo se opone a ello el prejuicio de las viejas «naciones», la idea de nación como pasado. Ahora se va a ver si los europeos son también hijos de la mujer de Lot y se obstinan en hacer historia con la cabeza vuelta hacia atrás. La alusión a Roma, y en general al hombre antiguo, nos ha servido de amonestación; es muy difícil que un cierto tipo de hombre abandone la idea de Estado que una vez se le metió en la cabeza. Por fortuna, la idea del Estado nacional que el europeo, dándose de ello cuenta o no, trajo al mundo, no es la idea erudita, filológica, que se le ha predicado.

Resumo ahora la tesis de este ensayo. Sufre hoy el mundo una grave desmoralización, que entre otros síntomas se manifiesta por una desaforada rebelión de las masas, y tiene su origen en la desmoralización de Europa. Las causas de esta última son muchas. Una de las principales, el desplazamiento del poder que antes ejercía sobre el resto del mundo y sobre sí mismo nuestro continente. Europa no está segura de mandar, ni el resto del mundo, de ser mandado. La soberanía histórica se halla en dispersión.

Ya no hay «plenitud de los tiempos», porque esto supone
un porvenir claro, prefijado, inequívoco, como era el del
siglo XIX. Entonces se creía saber lo que iba a pasar mañana. Pero ahora se abre otra vez el horizonte hacia nuevas líneas incógnitas, *puesto que* no se sabe *quién* va a
mandar, cómo se va a articular el poder sobre la tierra.
Quién, es decir, qué pueblo o grupo de pueblos; por lo
tanto, qué tipo étnico; por lo tanto, qué ideología, qué
sistema de preferencias, de normas, de resortes vitales...
     No se sabe hacia qué centro de gravitación van a pon-
derar en un próximo porvenir las cosas humanas, y por
ello la vida del mundo se entrega a una escandalosa pro-
visoriedad. Todo, todo lo que hoy se hace en lo público
y en lo privado —hasta en lo íntimo—, sin más excepción
que algunas partes de algunas ciencias, es provisional.
Acertará quien no se fíe de cuanto hoy se pregona, se
ostenta, se ensaya y se encomia. Todo eso va a irse con
mayor celeridad que vino. Todo, desde la manía del deporte físico (la manía, no el deporte mismo) hasta la
violencia en política; desde el «arte nuevo» hasta los ba-
ños de sol en las ridículas playas a la moda. Nada de eso
tiene raíces, porque todo ello es pura invención, en el mal
sentido de la palabra, que la hace equivaler a capricho
liviano. No es creación desde el fondo sustancial de la
vida; no es afán ni menester auténtico. En suma: todo
eso es vitalmente falso. Se da el caso contradictorio de
un estilo de vida que cultiva la sinceridad y a la vez es
una falsificación. Sólo hay verdad en la existencia cuando
sentimos sus actos como irrevocablemente necesarios. No
hay hoy ningún político que sienta la inevitabilidad de su
política, y cuanto más extremo es su gesto, más frívolo,
menos exigido por el destino. No hay más vida con raíces
propias, no hay más vida autóctona, que la que se compone de escenas ineludibles. Lo demás, lo que está en nuestra mano tomar o dejar o substituir, es precisamente falsificación de la vida.
     La actual es fruto de un interregno, de un vacío entre
dos organizaciones del mando histórico: la que fue, la que
va a ser. Por eso es esencialmente provisional. Y ni los
hombres saben bien a qué instituciones de verdad servir,
ni las mujeres qué tipo de hombre prefieren de verdad.
     Los europeos no saben vivir si no van lanzados en una
gran empresa unitiva. Cuando ésta falta, se envilecen, se
aflojan, se les descoyunta el alma. Un comienzo de esto
se ofrece hoy a nuestros ojos. Los círculos que hasta ahora se han llamado naciones llegaron hace un siglo, o poco
menos, a su máxima expansión. Ya no puede hacerse nada

con ellos si no es trascenderlos. Ya no son sino pasado que se acumula en torno y bajo del europeo, aprisionándolo, lastrándolo. Con más libertad vital que nunca, sentimos todos que el aire es irrespirable dentro de cada pueblo, porque es un aire confinado. Cada nación que antes era la gran atmósfera abierta oreada, se ha vuelto provincia e «interior». En la superación europea que imaginamos, la pluralidad actual no puede ni debe desaparecer. Mientras el Estado antiguo aniquilaba lo diferencial de los pueblos o lo dejaba inactivo, fuera, o a lo sumo lo conservaba momificado, la idea nacional, más puramente dinámica, exige la permanencia activa de ese plural que ha sido siempre la vida de Occidente.

Todo el mundo percibe la urgencia de un nuevo principio de vida. Mas —como siempre acontece en crisis parejas— algunos ensayan salvar el momento por una intensificación extremada y artificial, precisamente del principio caduco. Éste es el sentido de la erupción «nacionalista» en los años que corren. Y siempre —repito— ha pasado así. La última llama, la más larga. El postrer suspiro, el más profundo. La víspera de desaparecer, las fronteras se hiperestesian —las fronteras militares y las económicas.

Pero todos estos nacionalismos son callejones sin salida. Inténtese proyectarlos hacia el mañana, y se sentirá el tope. Por ahí no se sale a ningún lado. El nacionalismo es siempre un impulso de dirección opuesta al principio nacionalizador. Es exclusivista, mientras éste es inclusivista. En épocas de consolidación tiene, sin embargo, un valor positivo y es una alta norma. Pero en Europa todo está de sobra consolidado, y el nacionalismo no es más que una manía, el pretexto que se ofrece para eludir el deber de invención y de grandes empresas. La simplicidad de medios con que opera y la categoría de los hombres que exalta, revelan sobradamente que es lo contrario de una creación histórica.

Sólo la decisión de construir una gran nación con el grupo de los pueblos continentales volvería a entonar la pulsación de Europa. Volvería ésta a creer en sí misma, y automáticamente a exigirse mucho, a disciplinarse.

Pero la situación es mucho más peligrosa de lo que se suele apreciar. Van pasando los años y se corre el riesgo de que el europeo se habitúe a este tono menor de existencia que ahora lleva; se acostumbra a no mandar ni mandarse. En tal caso, se irían volatilizando todas sus virtudes y capacidades superiores.

Pero a la unión de Europa se oponen, como siempre ha acontecido en el proceso de nacionalización, las clases conservadoras. Esto puede traer para ellas la catástrofe, pues al peligro genérico de que Europa se desmoralice definitivamente y pierda toda su energía histórica, agrégase otro muy concreto e inminente. Cuando el comunismo triunfó en Rusia, creyeron muchos que todo el Occidente quedaría inundado por el torrente rojo. Yo no participé de semejante pronóstico. Al contrario, por aquellos años escribí que el comunismo ruso era una sustancia inasimilable para los europeos, casta que ha puesto todos los esfuerzos y fervores de su historia a la carta individualidad. El tiempo ha corrido, y hoy han vuelto a la tranquilidad los temerosos de otrora. Han vuelto a la tranquilidad cuando llega justamente la sazón para que la perdieran. Porque ahora sí que puede derramarse sobre Europa el comunismo arrollador y victorioso.

Mi presunción es la siguiente: ahora, como antes, el contenido del credo comunista a la rusa no interesa, no atrae, no dibuja un porvenir deseable a los europeos. Y no por las razones triviales que sus apóstoles, tozudos, sordos y sin veracidad, como todos los apóstoles, suelen verificar. Los «burgueses» de Occidente saben muy bien que, aun sin comunismo, el hombre que vive exclusivamente de sus rentas y que las transmite a sus hijos tiene los días contados. No es esto lo que inmuniza a Europa para la fe rusa, ni es mucho menos el temor. Hoy nos parecen bastante ridículos los arbitrarios supuestos en que hace veinte años fundaba Sorel su táctica de la violencia. El burgués no es cobarde, como él creía, y a la fecha está más dispuesto a la violencia que los obreros. Nadie ignora que si triunfó en Rusia el bolchevismo fue porque en Rusia no había burgueses (1). El fascismo, que es un movimiento pequeñoburgués, se ha revelado como más violento que todo el obrerismo junto. No es, pues, nada de eso lo que impide al europeo embalarse comunísticamente, sino una razón mucho más sencilla y previa. Ésta: que el europeo no ve en la organización comunista un aumento de la felicidad humana.

Y, sin embargo —repito—, me parece sobremanera posible que en los años próximos se entusiasme Europa con el bolchevismo. No por él mismo, sino a pesar de él.

---

(1) Bastaría esto para convencerse de una vez para siempre de que el socialismo de Marx y el bolchevismo son dos fenómenos históricos que apenas si tienen alguna dimensión común.

Imagínese que el plan quinquenal seguido hercúleamente por el Gobierno soviético lograse sus previsiones y la enorme economía rusa quedase, no sólo restaurada, sino exuberante. Cualquiera que sea el contenido del bolchevismo, representa un ensayo gigante de empresa humana. En él los hombres han abrazado resueltamente un destino de reforma y viven tensos bajo la alta disciplina que fe tal les inyecta. Si la materia cósmica, indócil a los entusiasmos del hombre, no hace fracasar gravemente el intento, tan sólo con que la deje vía un poco franca, su espléndido carácter de magnífica empresa irradiará sobre el horizonte continental como una ardiente y nueva constelación. Si Europa, entretanto, persiste en el innoble régimen vegetativo de estos años, flojos los nervios por falta de disciplina, sin proyecto de nueva vida, ¿cómo podría evitar el efecto contaminador de aquella empresa tan prócer? Es no conocer al europeo el esperar que pueda oír sin encenderse esa llamada a nuevo *hacer* cuando él no tiene otra bandera de pareja altanería que desplegar enfrente. Con tal de servir a algo que dé un sentido a la vida y huir del propio vacío existencial, no es difícil que el europeo se trague sus objeciones al comunismo, y ya que no por su sustancia, se sienta arrastrado por su gesto moral.

Yo veo en la construcción de Europa, como gran Estado nacional, la única empresa que pudiera contraponerse a la victoria del plan quinquenal.

Los técnicos de la economía política aseguran que esa victoria tiene muy escasas posibilidades de su parte. Pero fuera demasiado vil que el anticomunismo lo esperase todo de las dificultades materiales encontradas por su adversario. El fracaso de éste equivaldría así a la derrota universal: de todos y de todo, del hombre actual. El comunismo es una «moral» extravagante —algo así como una moral—. ¿No parece más decente y fecundo oponer a esa moral eslava una nueva moral de Occidente, la incitación de un nuevo programa de vida?

XV

SE DESEMBOCA EN LA VERDADERA CUESTIÓN

Ésta es la cuestión: Europa se ha quedado sin moral. No es que el hombre-masa menosprecie una anticuada en beneficio de otra emergente, sino que el centro de su régimen vital consiste precisamente en la aspiración a vivir sin supeditarse a moral ninguna. No creáis una palabra cuando oigáis a los jóvenes hablar de la «nueva moral». Niego rotundamente que exista hoy en ningún rincón del continente grupo alguno informado por un nuevo *ethos* que tenga visos de una moral. Cuando se habla de la «nueva», no se hace sino cometer una inmoralidad más y buscar el medio más cómodo para meter contrabando.

Por esta razón, fuera una ingenuidad echar en cara al hombre de hoy su falta de moral. La imputación le traería sin cuidado, o, más bien, le halagaría. El inmoralismo ha llegado a ser de una baratura extrema, y cualquiera alardea de ejercitarlo.

Si dejamos a un lado —como se ha hecho en este ensayo— todos los grupos que significan supervivencias del pasado —los cristianos, los «idealistas», los viejos liberales, etc.—, no se hallará entre todos los que representan la época actual uno sólo cuya actitud ante la vida no se reduzca a creer que tiene todos los derechos y ninguna obligación. Es indiferente que se enmascare de reaccionario o de revolucionario: por activa o por pasiva, al cabo de unas u otras vueltas, su estado de ánimo consistirá decisivamente en ignorar toda obligación y sentirse, sin que él mismo sospeche por qué, sujeto de ilimitados derechos.

Cualquier sustancia que caiga sobre un alma así, dará un mismo resultado, y se convertirá en pretexto para no supeditarse a nada concreto. Si se presenta como reaccionario o antiliberal, será para poder afirmar que la salvación de la patria, del Estado, da derecho a allanar todas las otras normas y a machacar al prójimo, sobre todo si el prójimo posee una personalidad valiosa. Pero lo mismo acontece si le da por ser revolucionario: su aparente entusiasmo por el obrero manual, el miserable y la justicia social le sirve de disfraz para poder desentenderse de toda obligación —como la cortesía, la veracidad y, sobre todo, el respeto o estimación de los individuos superiores—. Yo sé de no pocos que han ingresado en uno u otro partido obrerista no más que para conquistar dentro de sí mismos el derecho a despreciar la inteligencia y ahorrarse las zalemas ante ella. En cuanto a las otras dictaduras, bien hemos visto cómo halagan al hombre-masa pateando cuanto parecía eminencia.

Esta esquividad para toda obligación explica, en parte, el fenómeno, entre ridículo y escandaloso, de que se haya hecho en nuestros días una plataforma de la «juventud» como tal. Quizá no ofrezca nuestro tiempo rasgo más grotesco. Las gentes, cómicamente, se declaran «jóvenes» por-

que han oído que el joven tiene más derechos que obligaciones, ya que puede demorar el cumplimiento de éstas
hasta las calendas griegas de la madurez. Siempre el joven, como tal, se ha considerado eximido de *hacer* o *haber
hecho* ya hazañas. Siempre ha vivido de crédito. Esto se
halla en la naturaleza de lo humano. Era como un falso
derecho, entre irónico y tierno, que los no jóvenes conce-
dían a los mozos. Pero es estupefaciente que ahora lo to-
men éstos como un derecho efectivo, precisamente para
atribuirse todos los demás que pertenecen sólo a quien
haya hecho ya algo.

Aunque parezca mentira, ha llegado a hacerse de la juventud un chantaje. En realidad, vivimos un tiempo de
chantaje universal que toma dos formas de mohín com-
plementario: hay el chantaje de la violencia y el chantaje
del humorismo. Con uno o con otro se aspira siempre a
lo mismo: que el inferior, que el hombre vulgar, pueda
sentirse eximido de toda supeditación.

Por eso, no cabe ennoblecer la crisis presente mostrán-
dola como el conflicto entre dos morales o civilizaciones,
la una caduca y la otra en albor. El hombre-masa carece
simplemente de moral, que es siempre, por esencia, sentimiento de sumisión a algo, conciencia de servicio y obligación. Pero acaso es un error decir «simplemente». Porque no se trata sólo de que este tipo de criatura se desen-
tienda de la moral. No; no le hagamos tan fácil la
faena. De la moral no es posible desentenderse sin más ni
más. Lo que con un vocablo falto hasta de gramática se
llama *amoralidad* es una cosa que no existe. Si usted no
quiere supeditarse a ninguna norma, tiene usted, *velis
nolis*, que supeditarse a la norma de negar toda moral, y
esto no es amoral, sino inmoral. Es una moral negativa
que conserva de la otra la forma en hueco.

¿Cómo se ha podido creer en la amoralidad de la vida?
Sin duda, porque toda la cultura y la civilización modernas llevan a ese convencimiento. Ahora recoge Europa las
penosas consecuencias de su conducta espiritual. Se ha
embalado sin reservas por la pendiente de una cultura magnífica, pero sin raíces.

En este ensayo se ha querido dibujar un cierto tipo de
europeo, analizando sobre todo su comportamiento frente
a la civilización misma en que ha nacido. Había de hacerse así porque ese personaje no representa otra civilización que luche con la antigua, sino una mera negación,
negación que oculta un efectivo parasitismo. El hombre-
masa está aún viviendo precisamente de lo que niega y

otros construyeron o acumularon. Por eso no convenía
mezclar su psicograma con la gran cuestión: ¿qué insuficiencias radicales padece la cultura europea moderna?
Porque es evidente que, en última instancia, de ellas proviene esta forma humana ahora dominada.

Mas esa gran cuestión tiene que permanecer fuera de
estas páginas, porque es excesiva. Obligaría a desarrollar
con plenitud la doctrina sobre la vida humana que, como
un contrapunto, queda entrelazada, insinuada, musitada,
en ellas. Tal vez pronto pueda ser gritada.

EPÍLOGO PARA INGLESES

Pronto se cumple el año desde que en un paisaje holandés, a donde el destino me había centrifugado, escribí el «Prólogo para franceses» antepuesto a la primera edición popular de este libro. En aquella fecha comenzaba para Inglaterra una de las etapas más problemáticas de su historia y había muy pocas personas en Europa que confiasen en sus virtudes latentes. Durante los últimos tiempos han fallado tantas cosas, que, por inercia mental, se tiende a dudar de todo, hasta de Inglaterra. Se decía que era un pueblo en decadencia. No obstante —y aun arrostrando ciertos riesgos de que no quiero hablar ahora—, yo señalaba con robusta fe la misión europea del pueblo inglés, la que ha tenido durante dos siglos y que en forma superlativa estaba llamado a ejercer hoy. Lo que no imaginaba entonces es que tan rápidamente viniesen los hechos a confirmar mi pronóstico y a incorporar mi esperanza. Mucho menos que se complaciesen con tal precisión en ajustarse al papel determinadísimo que, usando un símil humorístico, atribuía yo a Inglaterra frente al continente. La maniobra de saneamiento histórico que intenta Inglaterra, por lo pronto, en su interior, es portentosa. En medio de la más atroz tormenta, el navío inglés cambia todas sus velas, vira dos cuadrantes, se ciñe al viento y el guiño de su timón modifica el destino del mundo. Todo ello sin una gesticulación y más allá de todas las frases, incluso de las que acabo de proferir. Es evidente que hay muchas maneras de hacer historia, casi tantas como de deshacerla.

Desde hace varias centurias acontece periódicamente que los continentales se despiertan una mañana y, rascándose la cabeza, exclaman: «¡Esta Inglaterra...!» Es una expresión que significa sorpresa, azoramiento y la conciencia de tener delante algo admirable, pero incomprensible. El pueblo inglés es, en efecto, el hecho más extraño que hay en

el planeta. No me refiero al inglés individual, sino al cuerpo social, a la colectividad de los ingleses. Lo extraño, lo
maravilloso, no pertenece, pues, al orden psicológico, sino
al orden sociológico. Y como la sociología es una de las
disciplinas sobre que las gentes tienen en todas partes
menos ideas claras, no sería posible, sin muchas preparaciones, decir por qué es extraña y por qué es maravillosa
Inglaterra. Todavía menos intentar la explicación de cómo
ha llegado a ser esa extraña cosa que es. Mientras se crea
que un pueblo posee un «carácter» previo y que su historia es una emanación de este carácter, no habrá manera
ni siquiera de iniciar la conversación. El «carácter nacional», como todo lo humano; no es un don innato, sino una
fabricación. El carácter nacional se va haciendo y desha-
ciendo y rehaciendo en la historia. Pese esta vez a la etimología, la nación no nace, sino que se hace. Es una empresa que sale bien o mal, que se inicia tras un período
de ensayos, que se desarrolla, que se corrige, que «pierde
el hilo» una o varias veces, y tiene que volver a empezar
o, al menos, reanudar. Lo interesante sería precisar cuáles son los atributos sorprendentes, por lo insólitos, de la
vida inglesa en los últimos cien años. Luego vendría el
intento de mostrar cómo ha adquirido Inglaterra esas cualidades sociológicas. Insisto en emplear esta palabra, a
pesar de lo pedante que es, porque tras ella está lo verdaderamente esencial y fértil. Es preciso extirpar de la historia el psicologismo, que ha sido ya espantado de otros
conocimientos. Lo excepcional de Inglaterra no yace en el
tipo de individuo humano que ha sabido crear. Es sobremanera discutible que el inglés individual valga más que
otras formas de individualidad aparecidas en Oriente y
Occidente. Pero aun aquel que estime el modo de ser de
los hombres ingleses por encima de todos los demás, reduce el asunto a una cuestión de más o de menos. Yo sostengo, en cambio, que lo excepcional, que la originalidad
extrema del pueblo inglés radica en su manera de tomar
el lado social o colectivo de la vida humana, en el modo
como sabe ser una sociedad. En esto sí que se contrapone
a todos los demás pueblos y no es cuestión de más o de
menos. Tal vez en el tiempo próximo se me ofrezca ocasión para hacer ver todo lo que quiero decir con esto.

Respeto tal hacia Inglaterra no nos exime de la irritación ante sus defectos. No hay pueblo que, mirado desde
otro, no resulte insoportable. Y por este lado acaso son los
ingleses, en grado especial, exasperantes. Y es que las
virtudes de un pueblo, como las de un hombre, van mon-
tadas y, en cierta manera, consolidadas sobre sus defec-

LA REBELIÓN DE LAS MASAS

tos y limitaciones. Cuando llegamos a ese pueblo, lo primero que vemos son sus fronteras, que, en lo moral como en lo físico, son sus límites. La nervosidad de los últimos meses ha hecho que casi todas las naciones hayan vivido encaramadas en sus fronteras; es decir, dando un espectáculo exagerado de sus más congénitos defectos. Si a esto se añade que uno de los principales temas de disputa ha sido España, se comprenderá hasta qué punto he sufrido de cuanto en Inglaterra, en Francia, en Norteamérica representa manquedad, torpeza, vicio y falla. Lo que más me ha sorprendido es la decidida voluntad de no enterarse bien de las cosas que hay en la opinión pública de esos países; y lo que más he echado de menos, con respecto a España, ha sido algún gesto de gracia generosa, que es, a mi juicio, lo más estimable que hay en el mundo. En el anglosajón —no en sus gobiernos, pero sí en los países— se ha dejado correr la intriga, la frivolidad, la cerrazón de mollera, el prejuicio arcaico y la hipocresía nueva sin ponerles coto. Se han escuchado en serio las mayores estupideces con tal que fuesen indígenas, y, en cambio, ha habido la radical decisión de no querer oir ninguna voz española capaz de aclarar las cosas, o de oírla sólo después de deformarla.

Esto me llevó, aun convencido de que forzaba un poco la coyuntura, a aprovechar el primer pretexto para hablar sobre España y —ya que la suspicacia del público inglés no toleraba otra cosa— hablar sin parecer que de ella hablaba en las páginas tituladas «En cuanto al pacifismo...», agregadas a continuación. Si es benévolo, el lector no olvidará el destinatario. Dirigidas a ingleses, representan un esfuerzo de acomodación a sus usos. Se ha renunciado en ellas a toda «brillantez» y van escritas en estilo bastante pickwickiano, compuesto de cautelas y eufemismos.

Téngase presente que Inglaterra no es un pueblo de escritores sino de comerciantes, de ingenieros y de hombres piadosos. Por eso supo forjarse una lengua y una elocución en que se trata principalmente de no decir lo que se dice, de insinuarlo más bien y como eludirlo. El inglés no ha venido al mundo para *decirse*, sino al contrario, para silenciarse. Con faces impasibles, puestos detrás de sus pipas, velan los ingleses alerta sobre sus propios secretos para que no se escape ninguno. Esto es una fuerza magnífica, e importa sobremanera a la especie humana que se conserven intactos ese tesoro y esa energía de taciturnidad. Mas al mismo tiempo dificultan enormemente la inteligencia con otros pueblos, sobre todo con los nuestros. El hombre del Sur propende a ser gárrulo. Grecia, que nos

educó, nos soltó las lenguas y nos hizo indiscretos *a nativitate*. El aticismo había triunfado sobre el laconismo, y
para el ateniense vivir era hablar, decir, desgañitarse dando al viento en formas claras y eufónicas la más arcana
intimidad. Por eso divinizaron el decir, el *logos*, al que
atribuían mágica potencia, y la retórica acabó siendo para
la civilización antigua lo que ha sido la física para nosotros en estos últimos siglos. Bajo esta disciplina, los
pueblos románicos han forjado lenguas complicadas, pero
deliciosas, de una sonoridad, una plasticidad y un garbo
incomparables; lenguas hechas a fuerza de charlas sin
fin —en ágora y plazuela, en estrado, taberna y tertulia—.
De aquí que nos sintamos azorados cuando, acercándonos
a estos espléndidos ingleses, les oímos emitir la serie de
leves maullidos displicentes en que su idioma consiste.

El tema del ensayo que sigue es la incomprensión mutua
en que han caído los pueblos de Occidente; es decir, pueblos que conviven desde su infancia. El hecho es estupefaciente. Porque Europa fue siempre como una casa de
vecindad, donde las familias no viven nunca separadas,
sino que mezclan a toda hora su doméstica existencia.
Estos pueblos que ahora se ignoran tan gravemente han
jugado juntos cuando eran niños en los corredores de la
gran mansión común. ¿Cómo han podido llegar a malenten-
derse tan radicalmente? La génesis de tan fea situación
es larga y compleja. Para enunciar sólo uno de los mil
hilos que en aquel hecho se anudan, adviértase que el uso
de convertirse unos pueblos en jueces de los otros, de des-
preciarse y denostarse *porque* son diferentes, en fin, de
permitirse creer las naciones hoy poderosas que el estilo
o el «carácter» de un pueblo menor es absurdo *porque* es
bélica o económicamente débil, son fenómenos que, si no
yerro, jamás se habían producido hasta los últimos cincuenta años. Al enciclopedista francés del siglo XVIII, no
obstante su petulancia y su escasa ductibilidad intelectual, a pesar de creerse en posesión de la verdad absoluta,
no se le ocurría desdeñar a una pueblo «inculto» y depau-
perado como España. Cuando alguien lo hacía, el escán-
dalo que provocaba era prueba de que el hombre normal
de entonces no veía, como un *parvenu*, en las diferencias
de poderío diferencia de rango humano. Al contrario: es
el siglo de los viajes llenos de curiosidad amable y gozosa
por la divergencia del prójimo. Éste fue el sentido del
cosmopolitismo que cuaja hacia su último tercio. El cosmopolitismo de Fergusson, Herder, Goethe, es lo contrario del
actual «internacionalismo». Se nutre, no de la exclusión de
las diferencias nacionales, sino, al revés, de entusiasmo

hacia ellas. Busca la pluralidad de formas vitales con vistas no a su anulación, sino a su integración. Lema de él fueron estas palabras de Goethe: «Sólo todos los hombres viven lo humano.» El romanticismo que le sucedió no es sino su exaltación. El romántico se enamoraba de los otros pueblos precisamente porque eran otros, y en el uso más exótico e incomprensible recelaba misterios de gran sabiduría. Y el caso es que —en principio— tenía razón. Es, por ejemplo, indudable que el inglés de hoy, hermetizado por la conciencia de su poder político, no es muy capaz de ver lo que hay de cultura refinada, sutilísima y de alta alcurnia en esa ocupación —que a él le parece la ejemplar desocupación— de «tomar el sol» a que el castizo español suele dedicarse concienzudamente. Él cree acaso que lo únicamente civilizado es ponerse unos bombachos y dar golpes a una bolita con una vara, operación que suele dignificarse llamándola «golf».

El asunto es, pues, de enorme arrastre, y las páginas que siguen no hacen sino tomarlo por el lado más urgente. Ese mutuo desconocimiento ha hecho posible que el pueblo inglés, tan parco en errores históricos graves, cometiera el gigantesco de su pacifismo. De todas las causas que han generado los presentes tártagos del mundo, la que tal vez puede concretarse más es el desarme de Inglaterra. Su genio político le ha permitido en estos meses corregir con un esfuerzo increíble de *self-control* lo más extremo del mal. Acaso ha contribuido a que adopte esta resolución la conciencia de la responsabilidad contraída.

Sobre todo esto se razona tranquilamente en las páginas inmediatas, sin excesiva presuntuosidad, pero con el entrañable deseo de colaborar en la reconstitución de Europa. Debo advertir al lector que todas las notas han sido agregadas ahora y sus alusiones cronológicas han de ser referidas al mes corriente.

París y abril, 1938.

EN CUANTO AL PACIFISMO (1)

Desde hace veinte años, Inglaterra —su Gobierno y su opinión pública— se ha embarcado en el pacifismo. Cometemos el error de designar con este único nombre actitudes muy diferentes, tan diferentes, que en la práctica re-

---

(1) Este ensayo apareció primero en la revista *The Nineteenth Century*, de Londres, en el número de junio de 1938.

sultan con frecuencia antagónicas. Hay, en efecto, muchas formas de pacifismo. Lo único que entre ellas existe de común es una cosa muy vaga: la creencia en que la guerra es un mal y la aspiración a eliminarla como medio de trato entre los hombres. Pero los pacifistas comienzan a discrepar en cuanto dan el paso inmediato y se preguntan hasta qué punto es en absoluto posible la desaparición de las guerras. En fin, la divergencia se hace superlativa cuando se ponen a pensar en los medios que exige una instauración de la paz sobre este pugnacísimo globo terráqueo. Acaso fuera mucho más útil de lo que se sospecha un estudio completo sobre las diversas formas del pacifismo. De él emergería no poca claridad. Pero es evidente que no me corresponde ahora ni aquí hacer un estudio en el cual quedaría definido con cierta precisión el peculiar pacifismo en que Inglaterra —su Gobierno y su opinión pública— se embarcó hace veinte años.

Mas, por otra parte, la realidad actual nos facilita desgraciadamente el asunto. Es un hecho demasiado notorio que *ese* pacifismo inglés ha fracasado. Lo cual significa que ese pacifismo fue un error. El fracaso ha sido tan grande, tan rotundo, que alguien tendría derecho a revisar radicalmente la cuestión y a preguntarse si no es un error todo pacifismo. Pero yo prefiero ahora adaptarme cuanto pueda al punto de vista inglés, y voy a suponer que su aspiración a la paz del mundo era una excelente aspiración. Mas ello subraya tanto más cuanto ha habido de error en el resto, a saber, en la apreciación de las posibilidades de paz que el mundo actual ofrecía y en la determinación de la conducta que ha de seguir quien pretenda ser de verdad pacifista.

Al decir esto no sugiero nada que pueda llevar al desánimo. Todo lo contrario. ¿Por qué desanimarse? Tal vez las dos únicas cosas a que el hombre no tiene derecho son la petulancia y su opuesto, el desánimo. No hay nunca razón suficiente ni para lo uno ni para lo otro. Baste advertir el extraño misterio de la condición humana consistente en que una situación tan negativa y de derrota como es haber cometido un error, se convierte mágicamente en una nueva victoria para el hombre, sin más que haberlo reconocido. El reconocimiento de un error es por sí mismo una nueva verdad y como una luz que dentro de éste se enciende.

Contra lo que creen los plañideros, todo error es una finca que acrece nuestro haber. En vez de llorar sobre él, conviene apresurarse a explotarlo. Para ello es preciso que nos resolvamos a estudiarlo a fondo, a descubrir sin piedad sus raíces y a construir enérgicamente la nueva concepción de las cosas que esto nos proporciona. Yo supongo que los ingleses se disponen ya, serenamente, pero decididamente, a rectificar el enorme error que durante veinte años ha sido su peculiar pacifismo y a sustituirlo por otro pacifismo más perspicaz y más eficiente.

Como casi siempre acontece, el defecto mayor del pacifismo inglés —y en general de los que se presentan como titulares del pacifismo— ha sido subestimar al enemigo. Esta subestima les inspiró un diagnóstico falso. El pacifista ve en la guerra un daño, un crimen o un vicio. Pero olvida que, antes que eso y por encima de eso, la guerra es un enorme esfuerzo que hacen los hombres para resolver ciertos conflictos. La guerra no es instinto, sino un invento. Los animales la desconocen y es de pura institución humana, como la ciencia o la administración. Ella llevó a uno de los mayores descubrimientos, base de toda civilización: al descubrimiento de la disciplina. Todas las demás formas de disciplina proceden de la primigenia que fue la disciplina militar. El pacifismo está perdido y se convierte en nula beatería si no tiene presente que la guerra es una genial y formidable técnica de vida y para la vida.

Como toda forma histórica, tiene la guerra dos aspectos: el de la hora de su invención y el de la hora de su superación. En la hora de su invención significó un progreso incalculable. Hoy, cuando se aspira a superarla, vemos de ella sólo la sucia espalda, su horror, su tosquedad, su insuficiencia. Del mismo modo, solemos, sin más reflexión, maldecir de la esclavitud, no advirtiendo el maravilloso adelanto que representó cuando fue inventada. Porque antes lo que se hacía era matar a todos los vencidos. Fue un genio bienhechor de la humanidad el primero que ideó, en vez de matar a los prisioneros, conservarles la vida y aprovechar su labor. Augusto Comte, que tenía un gran sentido humano, es decir, histórico, vio ya de este modo la institución de la esclavitud —liberándose de las tonterías que sobre ella dice Rousseau—, y a nosotros nos corresponde generalizar su advertencia, aprendiendo a mirar todas las cosas humanas bajo esa doble perspectiva, a saber: el aspecto que tienen al llegar y el aspecto que tienen al irse. Los romanos, muy finamente, encargaron a dos divinidades de consagrar esos dos instantes: Adeona y Abeona, la diosa del llegar y la diosa del irse.

Por desconocer todo esto, que es elemental, el pacifismo se ha hecho su tarea demasiado fácil. Pensó que para eliminar la guerra bastaba con no hacerla o, a lo sumo, con trabajar en que no se hiciese. Como veía en ella sólo una excrecencia superflua y morbosa aparecida en el trato humano, creyó que bastaba con extirparla y que *no era necesario sustituirla*. Pero el enorme esfuerzo que es la guerra sólo puede evitarse si se entiende por paz un esfuerzo todavía mayor, un sistema de esfuerzos complicadísimos y que, en parte, requieren la venturosa intervención del genio. Lo otro es un puro error. Lo otro es interpretar la paz como el simple hueco que la guerra dejaría si desapareciese; por lo tanto, ignorar que si la guerra es una cosa que se hace, también la paz es una cosa que hay que hacer, que hay que fabricar, poniendo a la faena todas las potencias humanas. La paz no «está ahí», sencillamente, presta sin más para que el hombre la goce. La paz no es fruto espontáneo de ningún árbol. Nada importante es regalado al hombre; antes bien, tiene él que hacérselo, que construirlo. Por eso, el título más claro de nuestra especie es ser *homo faber*.

Si se atiende a todo esto, ¿no parecerá sorprendente la creencia en que ha estado Inglaterra de que lo más que podía hacer en pro de la paz era desarmar, un hacer que se asemeja tanto a un puro omitir? Esa creencia resulta incomprensible si no se advierte el error de diagnóstico que le sirve de base, a saber: la idea de que la guerra procede simplemente de las pasiones de los hombres, y que si se reprime el apasionamiento, el belicismo quedará asfixiado. Para ver con claridad la cuestión hagamos lo que hacía lord Kelvin para resolver sus problemas de física: construyámonos un *modelo* imaginario. Imaginemos, en efecto, que en un cierto momento todos los hombres renunciasen a la guerra, como Inglaterra, por su parte, ha intentado hacer. ¿Se cree que basta eso, más aún, que con ello se había dado el más breve paso eficiente en el sentido de la paz? ¡Grande error!

La guerra, repitamos, era un medio que habían inventado los hombres para solventar ciertos conflictos. La renuncia a la guerra no suprime estos conflictos. Al contrario, los deja más intactos y menos resueltos que nunca. La ausencia de pasiones, la voluntad pacífica de todos los hombres, resultarían completamente ineficaces, porque los conflictos reclamarían solución, y *mientras no se inventase otro medio*, la guerra reaparecería inexorablemente en ese imaginario planeta habitado sólo por pacifistas.

No es, pues, la voluntad de paz lo que importa últimamente en el pacifismo. Es preciso que este vocablo deje de significar una buena intención y represente un sistema de nuevos medios de trato entre los hombres. No se espere en este orden nada fértil mientras el pacifismo, de ser un gratuito y cómodo deseo, no pase a ser un difícil conjunto de nuevas técnicas.

El enorme daño que aquel pacifismo ha traído a la causa de la paz consistió en no dejarnos ver la carencia de las técnicas más elementales, cuyo ejercicio concreto y preciso constituye eso que, con un vago nombre, llamamos paz.

La paz, por ejemplo, es el derecho como forma de trato entre los pueblos. Pues bien: el pacifismo usual daba por supuesto, que ese derecho existía, que estaba ahí a disposición de los hombres, y que sólo las pasiones de éstos y sus instintos de violencia inducían a ignorarlo. Ahora bien: esto es gravemente opuesto a la verdad.

Para que el derecho o una rama de él exista, es preciso: 1.º, que algunos hombres, especialmente inspirados, descubran ciertas ideas o principios de derecho; 2.º, la propaganda y expansión de esas ideas de derecho sobre la colectividad en cuestión (en nuestro caso, por lo menos, la colectividad que forman los pueblos europeos y americanos, incluyendo los dominios ingleses de Oceanía); 3.º, que esa expansión llegue de tal modo a ser predominante, que aquellas ideas de derecho se consoliden en forma de «opinión pública». Entonces y sólo entonces podemos hablar, en la plenitud del término, de derecho, es decir, de norma *vigente*. No importa que no haya legislador, no importa que no haya jueces. Si aquellas ideas señorean de verdad las almas, actuarán inevitablemente como instancias para la conducta a la que se puede recurrir. Y ésta es la verdadera sustancia del derecho.

Pues bien: un derecho referente a las materias que originan inevitablemente las guerras no existe. Y no sólo no existe en el sentido de que no haya logrado todavía «vigencia», esto es, que no se haya consolidado como norma firme en la «opinión pública», sino que no existe ni siquiera como idea, como puro teorema, incubado en la mente de algún pensador. Y no habiendo nada de esto, no habiendo ni en teoría un derecho de los pueblos, ¿se pretende que desaparezcan las guerras entre ellos? Permítaseme que califique de frívola, de inmoral, semejante pretensión. Porque es inmoral pretender que una cosa deseada se realice mágicamente, simplemente porque la deseamos. Sólo es moral el deseo al que acompaña la severa voluntad de aprontar los medios de su ejecución.

No sabemos cuáles son los «derechos subjetivos» de las naciones y no tenemos ni barruntos de cómo sería el «derecho objetivo» que pueda regular sus movimientos. La

proliferación de tribunales internacionales, de órganos de
arbitraje entre Estados, que los últimos cincuenta años
han presenciado, contribuye a ocultarnos la indigencia de
verdadero derecho internacional que padecemos. No deses-
timo, ni mucho menos, la importancia de esas magistratu-
ras. Siempre es importante para el progreso de una función moral que aparezca materializada en un órgano especial, claramente visible. Pero la importancia de esos
tribunales internacionales se ha reducido a eso hasta la
fecha. El derecho que administran es, en lo esencial, el
mismo que ya existía antes de su establecimiento. En efecto, si se pasa revista a las materias juzgadas por esos
tribunales, se advierte que son las mismas resueltas desde
antiguo por la diplomacia. No han significado progreso alguno importante en lo que es sencial: en la creación de
un derecho para la peculiar realidad que son las naciones.

Ni era lícito esperar mayor fertilidad en este orden, de
una etapa que se inició con el tratado de Versalles y con
la institución de la Sociedad de las Naciones, para referirnos sólo a los dos más grandes y más recientes cadá-
veres. Me repugna atraer la atención del lector sobre cosas fallidas, maltrechas o en ruinas. Pero es indispensa-
ble para contribuir un poco a despertar el interés hacia
nuevas grandes empresas, hacia nuevas tareas constructi-
vas y salutíferas. Es preciso que no vuelva a cometerse
un error como fue la creación de la Sociedad de las Naciones; se entiende, lo que concretamente fue y significó
esta institución en la hora de su nacimiento. No fue un
error cualquiera, como los habituales en la difícil faena
que es la política. Fue un error que reclama el atributo
de profundo. Fue un profundo error *histórico*. El «espíritu» que impulsó hacia aquella creación, el sistema de
ideas filosóficas, históricas, sociológicas y jurídicas de que
emanaron su proyecto y su figura, estaba ya *históricamente* muerto en aquella fecha. Pertenecía al pasado y, lejos
de anticipar el futuro, era ya arcaico. Y no se diga que
es cosa fácil proclamar esto ahora. Hubo hombres en Europa que ya entonces denunciaron su inevitable fracaso.
Una vez más aconteció lo que es casi normal en la historia, a saber, que fue predicho. Pero una vez más también
los políticos no hicieron caso de esos hombres. Eludo precisar a qué gremio pertenecían los profetas. Baste decir
que en la fauna humana representan la especie más opuesta al político. Siempre será éste quien deba gobernar, y
no el profeta; pero importa mucho a los destinos humanos
que el político oiga siempre lo que el profeta grita o insinúa. Todas las grandes épocas de la historia han nacido

de la sutil colaboración entre estos dos tipos de hombre. Y tal vez una de las causas profundas del actual desconcierto sea que desde hace dos generaciones los políticos se han declarado independientes y han cancelado esa colaboración. Merced a ello se ha producido el vergonzoso fenómeno de que, a estas alturas de la historia y de la civilización, navegue el mundo más a la deriva que nunca, entregado a una ciega mecánica. Cada vez es menos posible una sana política sin larga anticipación histórica, sin profecía. Acaso las catástrofes presentes abran de nuevo los ojos a los políticos para el hecho evidente de que hay hombres, los cuales, por los temas en que habitualmente se ocupan, o por poseer almas sensibles como finos registradores sísmicos, reciben antes que los demás la visita del porvenir (1).

La Sociedad de las Naciones fue un gigantesco aparato jurídico creado para un derecho inexistente. Su vacío de justicia se llenó fraudulentamente con la sempiterna diplomacia, que al disfrazarse de derecho contribuyó a la universal desmoralización.

Formúlese el lector cualquiera de los grandes conflictos que hay hoy planteados entre las naciones y dígase a sí mismo si encuentra en su mente una *posible norma* jurídica que permita, siquiera teóricamente, resolverlos. ¿Cuáles son, por ejemplo, los derechos de un pueblo que ayer tenía veinte millones de hombres y hoy tiene cuarenta u ochenta? ¿Quién tiene derecho al espacio deshabitado del mundo? Estos ejemplos, los más toscos y elementales que pueden aportarse, ponen bien a la vista el carácter ilusorio de todo pacifismo que no empiece por ser una nueva técnica jurídica. Sin duda, el derecho que aquí se postula es una invención muy difícil. Si fuese fácil, existiría hace mucho tiempo. Es difícil, exactamente tan difícil como la paz, con la cual coincide. Pero una época que ha asistido al invento de las geometrías no euclidianas, de una física de cuatro dimensiones y de una mecánica de lo discontinuo, puede, sin espanto, mirar ante sí aquella empresa y resolverse a acometerla. En cierto modo, el problema del

_____

(1) Cierta dosis de anacronismo es connatural a la política. Es ésta un fenómeno colectivo, y todo lo colectivo o social es arcaico relativamente a la vida personal de las minorías inventoras. En la medida en que las masas se distancian de éstas, aumenta el arcaísmo de la sociedad, y de ser una magnitud normal, constitutiva, pasaba a ser un carácter patológico. Si se repasa la lista de las personas que intervinieron en la creación de la Sociedad de las Naciones, resulta muy difícil encontrar alguna que mereciese entonces, y mucho menos merezca ahora, estimación intelectual. No me refiero, claro está, a los expertos y técnicos obligados a desenvolver y ejecutar las insensateces de aquellos políticos.

nuevo derecho internacional pertenece al mismo estilo que esos recientes progresos doctrinales. También aquí se trataría de liberar una actividad humana —el derecho— de cierta radical limitación que ha padecido siempre. El derecho, en efecto, es estático, y no en balde su órgano principal se llama Estado. El hombre no ha logrado todavía elaborar una forma de justicia que no esté circunscrita en la cláusula *rebus sic stantibus*. Pero es el caso que las cosas humanas no son *res stantes*, sino todo lo contrario, cosas históricas, es decir, puro movimiento, mutación perpetua. El derecho tradicional es sólo reglamento para una realidad paralítica. Y como la realidad histórica cambia periódicamente de modo radical, choca sin remedio con la estabilidad del derecho, que se convierte en una camisa de fuerza. Mas una camisa de fuerza puesta a un hombre sano tiene la virtud de volverle loco furioso. De aquí —decía yo recientemente— ese extraño aspecto patológico que tiene la historia y que la hace aparecer como una lucha sempiterna entre los paralíticos y los epilépticos. Dentro del pueblo que se producen las revoluciones y entre los pueblos estallan las guerras. El bien que pretende ser el derecho se convierte en un mal, como nos enseña ya la Biblia: «Por qué habéis tornado el derecho en hiel y el fruto de la justicia en ajenjo» (Oseas, 6, 12).

En el derecho internacional, esta incongruencia entre la estabilidad de la justicia y la movilidad de la realidad, que el pacifista quiere someter a aquélla, llega a su máxima potencia. Considerada en lo que el derecho importa, la historia, es, ante todo, el cambio en el reparto del poder sobre la tierra. Y mientras no existan principios de justicia que, siquiera en teoría, regulen satisfactoriamente esos cambios del poderío, todo pacifismo es pena de amor perdida. Porque si la realidad histórica es eso ante todo, parecerá evidente que la *injuria* máxima sea el *statu quo*. No extrañe, pues, el fracaso de la Sociedad de las Naciones, gigantesco aparato construido para administrar el *statu quo*.

El hombre necesita un derecho dinámico, un derecho plástico y en movimiento, capaz de acompañar a la historia en su metamorfosis. La demanda no es exorbitante ni utópica, ni siquiera nueva. Desde hace más de setenta años, el derecho, tanto civil como político, evoluciona en ese sentido. Por ejemplo, casi todas las constituciones contemporáneas procuran ser «abiertas». Aunque el expediente es un poco ingenuo, conviene recordarlo, porque en él se declara la aspiración a un derecho *semoviente*. Pero, a mi juicio, lo más fértil sería analizar a fondo e intentar definir con precisión —es decir, extraer la teoría que en él yace muda— el fenómeno jurídico más avanzado que se ha producido hasta la fecha en el planeta: la British Commonwealth of Nations. Se me dirá que esto es imposible porque precisamente ese extraño fenómeno jurídico ha sido forjado mediante estos dos principios: uno, el formulado por Balfour en 1926 con sus famosas palabras: «En las cuestiones del Imperio es preciso evitar el *refining, discussing or defining*.» Otro, el principio «del margen y de la elasticidad», enunciado por sir Austen Chamberlain en su histórico discurso del 12 de septiembre de 1925: «Mírense las relaciones entre las diferentes secciones del Imperio británico; la unidad del Imperio británico no está hecha sobre una constitución lógica. No está siquiera basada en una constitución. Porque queremos conservar a toda costa un margen y una elasticidad.»

Sería un error no ver en estas dos fórmulas más que emanaciones de oportunismo político. Lejos de ello, expresan muy adecuadamente la formidable realidad que es la British Commonwealth of Nations, y la designan precisamente bajo su aspecto jurídico. Lo que no hacen es definirla, porque un político no ha venido al mundo para eso, y si el político es inglés, siente que definir algo es casi cometer una traición. Pero es evidente que hay otros hombres cuya misión es hacer lo que al político, y especialmente al inglés, está prohibido: definir las cosas, aunque éstas se presenten con la pretensión de ser esencialmente vagas. En principio, no es ni más ni menos difícil el triángulo que la niebla. Importaría mucho reducir a conceptos claros esta situación efectiva de derecho que consiste en puros «márgenes» y puras «elasticidades». Porque la elasticidad es la condición que permite a un derecho ser plástico, y si se le atribuye un margen, es que se prevé su movimiento. Si en vez de entender esos dos caracteres como meras elusiones y como insuficiencias de un derecho, los tomamos como cualidades positivas, es posible que se abran ante nosotros las más fértiles perspectivas. Probablemente la constitución del Imperio británico se parece mucho al «molusco de referencia» de que habló Einstein, una idea que al principio se juzgó ininteligible y que es hoy base de la nueva mecánica.

La capacidad para descubrir la nueva técnica de justicia que aquí se postula está preformada en toda la tradición jurídica de Inglaterra más intensamente que en la de ningún otro país. Y ello no ciertamente por casualidad. La manera inglesa de ver el derecho no es sino un caso particular del estilo general que caracteriza el pen-

samiento británico, en el cual adquiere su expresión más
extrema y depurada lo que acaso es el destino intelectual
de Occidente, a saber: interpretar todo lo inerte y material como puro dinamismo, sustituir lo que no parece ser
sino «cosa» yacente, quieta y fija, por fuerzas, movimientos y funciones. Inglaterra ha sido, en todos los órdenes
de la vida, newtoniana. Pero no creo necesario detenerme
en este punto. Supongo que cien veces se habrá hecho
constar y habrá sido demostrado con suficiente detalle.
Permítaseme sólo que, como empedernido lector, manifieste
mi *desideratum* de leer un libro cuyo tema sea éste: el
newtonismo inglés fuera de la física: por lo tanto, en todos los demás órdenes de la vida.

Si resumo ahora mi razonamiento, parecerá, creo yo,
constituido por una línea sencilla y clara.

Está bien que el hombre pacífico se ocupe directamente
en evitar esta o aquella guerra; pero el pacifismo no consiste en eso, sino en construir la otra forma de convivencia humana que es la paz. Esto significa la invención y
ejercicio de toda una serie de nuevas técnicas. La primera
de ellas es una nueva técnica jurídica que comience por
descubrir principios de equidad referentes a los cambios
del reparto del poder sobre la tierra.

Pero la idea de un nuevo derecho no es todavía un derecho. No olvidemos que el derecho se compone de muchas
cosas más que una idea: por ejemplo, forman parte de él
los bíceps de los gendarmes y sus sucedáneos. A la técnica
del puro pensamiento jurídico tienen que acompañar muchas otras técnicas aún más complicadas.

Desgraciadamente, el nombre mismo de derecho internacional estorba a una clara visión de lo que sería en su
plena realidad un derecho de las naciones. Porque el derecho nos parecería ser un fenómeno que acontece dentro
de las sociedades, y el llamado «internacional» nos invita,
por el contrario, a imaginar un derecho que acontece *entre*
ellas, es decir, en un vacío social. En este vacío social las
naciones se reunirían, y mediante un pacto crearían una
sociedad nueva, que sería por mágica virtud de los vocablos la *Sociedad de las Naciones*. Pero esto tiene todo el
aire de un *calembour* (1). Una sociedad constituida mediante un pacto sólo es sociedad en el sentido que este
vocablo tiene para el derecho civil, esto es, una asociación.
Mas una asociación no puede existir como realidad jurídi-

---

(1) Los ingleses, con buen acuerdo, han preferido llamarla «liga».
Esto evita el equívoco, pero, a la vez, sitúa la agrupación de Estados
fuera del derecho, consignándola francamente a la política.

ca si no surge sobre un área donde previamente tiene vigencia un cierto derecho civil. Otra cosa son puras fantasmagorías. Esa área donde la sociedad pactada surge es otra sociedad preexistente, que no es obra de ningún pacto, sino que es el resultado de una convivencia inveterada. Esta auténtica sociedad, y no asociación, sólo se parece a la otra en el nombre. De aquí el *calembour*.

Sin que yo pretenda resolver ahora con gesto dogmático, de paso y al vuelo, las cuestiones más intrincadas de la filosofía, el derecho y la sociología, me atrevo a insinuar que caminará seguro quien exija, cuando alguien le hable de un derecho jurídico, que le indique la sociedad portadora de ese derecho y previa a él. En el vacío social no hay ni nace derecho. Éste requiere como substrato una unidad de convivencia humana, lo mismo que el uso y la costumbre, de quienes el derecho es el hermano menor, pero más enérgico. Hasta tal punto es así, que no existe síntoma más seguro para descubrir la existencia de una auténtica sociedad que la existencia de un hecho jurídico. Enturbia la evidencia de esto la confusión habitual que padecemos al creer que toda auténtica sociedad tiene por fuerza que poseer un Estado auténtico. Pero es bien claro que el aparato estatal no se produce dentro de una sociedad, sino en un estado muy avanzado de su evolución. Tal vez el Estado proporciona al derecho ciertas perfecciones, pero es innecesario enunciar ante lectores ingleses que el derecho existe sin el Estado y su actividad estatutaria.

Cuando hablamos de la naciones tendemos a representárnoslas como sociedades separadas y cerradas hacia dentro de sí mismas. Pero esto es una abstracción que deja fuera lo más importante de la realidad. Sin duda, la convivencia o trato de los ingleses entre sí es mucho más intensa que, por ejemplo, la convivencia entre los hombres de Inglaterra y los hombres de Alemania o de Francia. Mas es evidente que existe una convivencia general de los europeos entre sí y, por lo tanto, que Europa es una sociedad vieja de muchos siglos y que tiene una historia propia como pueda tenerla cada nación particular. Esta sociedad general europea posee un grado o índice de socialización menos elevado que el que han logrado desde el siglo XVI las sociedades particulares llamadas naciones europeas. Dígase, pues, que Europa es una sociedad más tenue que Inglaterra o que Francia, pero no se desconozca su efectivo carácter de sociedad. La cosa importa superlativamente, porque las únicas posibilidades de paz que existen dependen de que exista o no efectivamente una sociedad europea. Si Europa es *sólo* una pluralidad de na-

ciones, pueden los pacíficos despedirse radicalmente de sus
esperanzas (1). Entre sociedades independientes no puede
existir verdadera paz. Lo que solemos llamar así no es
más que un estado de guerra mínima o latente.

Como los fenómenos corporales son el idioma y el jero-
glífico, merced a los cuales pensamos las realidades morales, no es para dicho el daño que engendra una errónea
imagen visual convertida en hábito de nuestra mente. Por
esta razón censuro esa figura de Europa en que ésta aparece constituida por una muchedumbre de esferas —las
naciones— que sólo mantienen algunos contactos externos.
Esta metáfora de jugador de billar debiera desesperar al
buen pacifista, por que, como el billar, no nos promete
más eventualidad que el choque. Corrijámosla, pues. En
vez de figurarnos las naciones europeas como una serie
de sociedades exentas, imaginemos una sociedad única
—Europa— dentro de la cual se han producido grumos
o núcleos de condensación más intensa. Esta figura corresponde mucho más aproximadamente que la otra a lo que
en efecto ha sido la convivencia occidental. No se trata
con ello de dibujar un ideal, sino de dar expresión gráfica
a lo que realmente fue desde su iniciación, tras la muerte
del período romano, esa convivencia (2).

La convivencia, sin más, no significa sociedad, vivir en
sociedad o formar parte de una sociedad. Convivencia implica sólo relaciones entre individuos. Pero no puede haber convivencia duradera y estable sin que se produzca
automáticamente el fenómeno social por excelencia, que
son los usos —usos intelectuales u «opinión pública», usos
de técnica vital o «costumbres», usos que dirigen la conducta o «moral», usos que la imperan o «derecho»—. El
carácter general del uso consiste en ser una norma del
comportamiento —intelectual, sentimental o físico— que
se impone a los individuos, quieran éstos o no. El individuo podrá, a su cuenta y riesgo, resistir el uso, pero precisamente este esfuerzo de resistencia demuestra mejor
que nada la realidad coactiva del uso, lo que llamaremos
su «vigencia». Pues bien: una sociedad es un conjunto
de individuos que mutuamente se saben sometidos a la

---

(1) Sobre la unidad y la pluralidad de Europa contempladas desde
otra perspectiva, véase el «Prólogo para franceses», que antecede a la
traducción francesa de mi libro *La rebelión de las masas* y también a
esta edición.

(2) La sociedad europea no es, pues, una sociedad cuyos miembros
sean las naciones. Como en toda auténtica sociedad, sus miembros son
hombres, individuos humanos, a saber, los europeos, que, *además* de ser
europeos, son ingleses, alemanes, españoles.

vigencia de ciertas opiniones y valoraciones. Según esto, no hay sociedad sin la vigencia efectiva de cierta concepción del mundo, la cual actúa como una última instancia a que se puede recurrir en caso de conflicto.

Europa ha sido siempre un ámbito social unitario, sin fronteras absolutas ni discontinuidades, porque nunca ha faltado ese fondo o tesoro de «vigencias colectivas» —convicciones comunes y tabla de valores— dotadas de esa fuerza coactiva tan extraña en que consiste «lo social». No sería nada exagerado decir que la sociedad europea existe antes que las naciones europeas, y que éstas han nacido y se han desarrollado en el regazo maternal de aquélla. Los ingleses pueden ver esto con alguna claridad en el libro de Dawson: *The making of Europe. Introduction to the history of European Society.*

Sin embargo, el libro de Dawson es insuficiente. Está escrito por una mente alerta y ágil, pero que no se ha liberado por completo del arsenal de conceptos tradicionales en la historiografía, conceptos más o menos melodramáticos y míticos que ocultan, en vez de iluminarlas, las realidades históricas. Pocas cosas contribuirían a apaciguar el horizonte como una historia de la sociedad europea, entendida como acabo de apuntar, una historia realista, sin «idealizaciones». Pero este asunto no ha sido nunca *visto*, porque las formas tradicionales de la óptica histórica tapaban esa realidad unitaria que he llamado, *sensu stricto*, «sociedad europea», y la suplantaban por un plural —las naciones—, como, por ejemplo, aparece en el título de Ranke: *Historia de los pueblos germánicos y románicos.* La verdad es que esos pueblos en plural flotan como ludiones dentro del único espacio social que es Europa: «en él se mueven, viven y son». La historia que yo postulo nos contaría las vicisitudes de ese espacio humano y nos haría ver cómo su índice de socialización ha variado, cómo en ocasiones descendió gravemente haciendo temer la escisión radical de Europa, y sobre todo cómo la dosis de paz en cada época ha estado en razón directa de ese índice. Esto último es lo que más nos importa para las congojas actuales.

La realidad histórica, o más vulgarmente dicho, lo que pasa en el mundo humano, no es un montón de hechos sueltos, sino que posee una estricta anatomía y una clara estructura. Es más, acaso es lo único en el universo que tiene por sí mismo estructura, organización. Todo lo demás —por ejemplo, los fenómenos físicos— carece de ella. Son hechos sueltos a los que el físico tiene que inventar una estructura imaginaria. Pero esa anatomía de la rea-

lidad histórica necesita ser estudiada. Los editoriales de
los periódicos y los discursos de ministros y demagogos no
nos dan noticia de ella. Cuando se la estudia bien, resulta
posible diagnosticar con cierta precisión el lugar o estrato
del cuerpo histórico donde la enfermedad radica. Había
en el mundo una amplísima y potente sociedad —la sociedad europea—. A fuer de sociedad, estaba constituida
por un orden básico debido a la eficiencia de ciertas instancias últimas: el credo intelectual y moral de Europa.
Este orden que, por debajo de todos sus superficiales de-
sórdenes, actuaba en los senos profundos de Occidente, ha
irradiado durante generaciones sobre el resto del planeta,
y puso en él, mucho o poco, todo el orden de que ese resto
era capaz.

Pues bien: nada debiera hoy importar tanto al pacifista
como averiguar qué es lo que pasa en esos senos profundos del cuerpo occidental, cuál es su índice actual de socialización, por qué se ha volatilizado el sistema tradicional de «vigencias colectivas», y si, a despecho de las
apariencias, conserva algunas de éstas latente vivacidad.
Porque el derecho es operación espontánea de la sociedad,
pero la sociedad es convivencia bajo instancias. Pudiera
acaecer que en la fecha presente faltasen esas instancias
en una proporción sin ejemplo a lo largo de toda la historia europea. En este caso, la enfermedad sería la más
grave que ha sufrido el Occidente desde Diocleciano o
los Severos. Esto no quiere decir que sea incurable, quiere
decir sólo que fuera preciso llamar a muy buenos médicos y no a cualquier transeúnte. Quiere decir, sobre todo,
que no puede esperarse remedio alguno de la Sociedad
de las Naciones, según lo que fué y sigue siendo, insti-
tuto antihistórico que un maldiciente podría suponer inventado en un club, cuyos miembros principales fuesen
míster Pickwick, monsieur Homais y congéneres.

El anterior diagnóstico, aparte de que sea acertado o
erróneo, parecerá abstruso. Y lo es, en efecto. Yo lo la-
mento, pero no está en mi mano evitarlo. También los
diagnósticos más rigorosos de la medicina actual son abstractos. ¿Qué profano, al leer un fino análisis de sangre,
ve allí definida una terrible enfermedad? Me he esforzado
siempre en combatir el esoterismo, que es por sí uno de
los males de nuestro tiempo. Pero no nos hagamos ilusiones. Desde hace un siglo, por causas hondas y en parte
respetables, las ciencias derivan irresistiblemente en dirección esotérica. Es una de las muchas cosas cuya grave
importancia no han sabido ver los políticos, hombres aque-
jados del vicio opuesto, que es un excesivo exoterismo. Por

el momento no hay sino aceptar la situación y reconocer
que el conocimiento se ha distanciado radicalmente de las
conversaciones de *table-beer* (1).

Europa está hoy *desocializada* o, lo que es igual, faltan
principios de convivencia que sean vigentes y a que quepa
recurrir. Una parte de Europa se esfuerza en hacer triunfar unos principios que considera «nuevos», la otra se esfuerza en defender los tradicionales. Ahora bien: ésta es
la mejor prueba de que ni unos ni otros son vigentes y
han perdido o no han logrado la virtud de instancias.
Cuando una opinión o norma ha llegado a ser de verdad
«vigencia colectiva», no recibe su vigor del esfuerzo que
en imponerla o sostenerla emplean grupos determinados
dentro de la sociedad. Al contrario, todo grupo determinado busca su máxima fortaleza reclamándose de esas
vigencias. En el momento en que es preciso luchar en pro
de un principio, quiere decirse que éste no es aún o ha
dejado de ser vigente. Viceversa: cuando es con plenitud
vigente, lo único que hay que hacer es usar de él, referirse a él, ampararse en él, como se hace con la ley de
gravedad. Las vigencias operan su mágico influjo sin polémica ni agitación, quietas y yacentes en el fondo de las
almas, a veces sin que éstas se den cuenta de que están
dominadas por ellas, y a veces creyendo inclusive que
combaten en contra de ellas. El fenómeno es sorprendente,
pero es incuestionable y constituye el hecho fundamental
de la sociedad. Las vigencias son el auténtico poder social,
anónimo, impersonal, independiente de todo grupo o individuo determinado.

Mas, inversamente, cuando una idea ha perdido ese carácter de instancia colectiva, produce una impresión entre
cómica y azorante ver que alguien considera suficiente
aludir a ella para sentirse justificado o fortalecido. Ahora
bien: esto acontece todavía hoy, con excesiva frecuencia,
en Inglaterra y Norteamérica (2). Al advertirlo nos quedamos perplejos. Esa conducta ¿significa un error, o una
ficción deliberada? ¿Es inocencia, o es táctica? No sabemos a qué atenernos, porque en el hombre anglosajón la
función de expresarse, de «decir», acaso represente un
papel distinto que en los demás pueblos europeos. Pero
sea uno u otro el sentido de ese comportamiento, temo que

---

(1) Sobre la gran cuestión histórica que se oculta tras este hecho y
que es el origen de la demagogia contemporánea, véase mi estudio *Discurso de la responsabilidad intelectual.*
(2) Por ejemplo, las apelaciones a un supuesto «mundo civilizado» o
a una «conciencia moral del mundo» que tan frecuentemente hacen su
cómica aparición en las cartas al director de *The Times.*

sea funesto para el pacifismo. Es más: habría que ver si
no ha sido uno de los factores que han contribuido al
desprestigio de las vigencias europeas el peculiar uso que
de ellas ha solido hacer Inglaterra. La cuestión deberá algún día ser estudiada a fondo, pero no ahora ni por mí (1).

Ello es que el pacifista necesita hacerse cargo de que se
encuentra en un mundo donde falta o está muy debilitado
el requisito principal para la organización de la paz. En
el trato de unos pueblos con otros no cabe recurrir a instancias superiores, porque no las hay. La atmósfera de
sociabilidad en que flotaban y que, interpuesta como un
éter benéfico entre ellos, les permitía comunicar suave-
mente, se ha aniquilado. Quedan, pues, separados y frente
a frente. Mientras, hace treinta años, las fronteras eran
para el viajero poco más que coluros imaginarios, todos
hemos visto cómo se iban rápidamente endureciendo, con-
virtiéndose en materia córnea que anulaba la porosidad
de las naciones y las hacía herméticas. La pura verdad
es que desde hace años Europa se halla en estado de guerra, en un estado de guerra sustancialmente más radical
que en todo su pasado. Y el origen que he atribuido a
esta situación me parece confirmado por el hecho de que
no solamente existe una guerra virtual entre los pueblos,
sino que dentro de cada uno hay, declarada o preparándose, una grave discordia. Es frívolo interpretar los regímenes autoritarios del día como engendrados por el capricho o la intriga. Bien claro está que son manifestaciones ineludibles del estado de guerra civil en que casi
todos los países se hallan hoy. Ahora se ve cómo la cohesión interna de cada nación se nutría en buena parte de
las vigencias colectivas europeas.

Esta debilitación subitánea de la comunidad entre los
pueblos de Occidente equivale a un enorme distanciamiento moral. El trato entre ellos es dificilísimo. Los principios
comunes constituían una especie de lenguaje que les permitía entenderse. No era, pues, tan necesario que cada
pueblo conociese bien y *singulatim* a cada uno de los demás. Mas con esto rizamos el rizo de nuestras consideraciones iniciales.

Porque ese distanciamiento moral se complica peligro-
samente con otro fenómeno opuesto, que es el que ha inspirado de modo concreto todo este artículo. Me refiero a

---

(1) Desde hace ciento cincuenta años Inglaterra fertiliza su política
internacional movilizando siempre que le conviene —y sólo cuando le
conviene— el principio melodramático de *women and children:* «mujeres y niños»: he ahí un ejemplo.

un gigantesco hecho cuyos caracteres conviene precisar un poco.

Desde hace casi un siglo se habla de que los nuevos medios de comunicación —desplazamiento de personas, transferencias de productos y transmisión de noticias— han aproximado los pueblos y unificado la vida en el planeta. Mas, como suele acaecer, todo este decir era una exageración. Casi siempre las cosas humanas comienzan por ser leyendas y sólo más tarde se convierten en realidades. En este caso, bien claro vemos hoy que se trataba sólo de una entusiasta anticipación. Algunos de los medios que habían de hacer efectiva esa aproximación, existían ya en principio —vapores, ferrocarriles, telégrafos, teléfono—. Pero ni se había aún perfeccionado su invención ni se habían puesto ampliamente en servicio, ni siquiera se habían inventado los más decisivos, como son el motor de explosión y la radiocomunicación. El siglo XIX, emocionado ante las primeras grandes conquistas de la técnica científica, se apresuró a emitir torrentes de retórica sobre los «adelantos», el «progreso material», etc. De suerte tal, que, hacia su fin, las almas comenzaron a fatigarse de esos lugares comunes, a pesar de que los creían verídicos, esto es, aunque habían llegado a persuadirse de que el siglo XIX había, en efecto, realizado ya lo que aquella fraseología proclamaba. Esto ha ocasionado un curioso error de óptica histórica, que impide la comprensión de muchos conflictos actuales. Convencido el hombre medio de que la centuria anterior era la que había dado cima a los grandes adelantos, no se dio cuenta de que la época sin par de los inventos técnicos y de su realización ha sido estos últimos cuarenta años. El número e importancia de los descubrimientos y el ritmo de su efectivo empleo en esa brevísima etapa supera, con mucho, a todo el pretérito humano tomado en conjunto. Es decir, que la efectiva transformación técnica del mundo es un hecho recentísimo y que ese cambio está produciendo ahora —ahora, y no desde hace un siglo— sus consecuencias radicales (1). Y esto en todos los órdenes. No pocos de los profundos desajustes en la economía actual viven del cambio súbito que han causado en la producción estos inventos, cambio al cual no ha tenido tiempo de adaptarse el organismo económico. Que una sola fábrica sea capaz de producir

---

(1) Quedan fuera de la consideración los que podemos llamar «inventos elementales» —el hacha, el fuego, la rueda, el canasto, la vasija, etcétera—. Precisamente por ser el supuesto de todos los demás y haber sido logrados en periodos milenarios, resulta muy difícil su comparación con la masa de los inventos derivados o históricos.

todas las bombillas eléctricas o todos los zapatos que necesita medio continente es un hecho demasiado afortunado
para no ser, por lo pronto, monstruoso. Esto mismo ha
acontecido con las comunicaciones. De pronto y de verdad,
en estos últimos años recibe cada pueblo, a la hora y al
minuto, tal cantidad de noticias y tan recientes sobre lo
que pasa en los otros, que ha provocado en él la ilusión
de que, en efecto, está *en* los otros pueblos o en su absoluta inmediatez. Dicho en otra forma: para los efectos
de la vida pública universal, el tamaño del mundo súbitamente se ha contraído, se ha reducido. Los pueblos se han
encontrado de improviso *dinámicamente* más próximos.
Y esto acontece precisamente a la hora en que los pueblos
europeos se han distanciado más moralmente.

¿No advierte el lector desde luego lo peligroso de semejante coyuntura? Sabido es que el ser humano no puede, sin más ni más, aproximarse a otro ser humano. Como
venimos de una de las épocas históricas en que la aproximación era *aparentemente* más fácil, tendemos a olvidar
que siempre fueron menester grandes precauciones para
acercarse a esa fiera con veleidades de arcángel que suele
ser el hombre. Por eso corre a lo largo de toda la historia
la evolución de la técnica de la aproximación, cuya parte
más notoria y visible es el saludo. Tal vez, con ciertas reservas, pudiera decirse que las formas del saludo son función de la densidad de población: por lo tanto, de la distancia normal a que están unos hombres de otros. En el
Sahara cada tuareg posee un radio de soledad que alcanza
bastantes millas. El saludo del tuareg comienza a cien
yardas y dura tres cuartos de hora. En la China y el Ja-
pón, pueblos pululantes, donde los hombres viven, por decirlo así, unos encima de otros, nariz contra nariz, en
compacto hormiguero, el saludo y el trato se han complicado en la más sutil y compleja técnica de cortesía, tan
refinada, que al extremooriental le produce el europeo la
impresión de un ser grosero e insolente, con quien, en
rigor, sólo el combate es posible. En esa proximidad superlativa todo es hiriente y peligroso: hasta los pronom-
bres personales se convierten en impertinencias. Por eso
el japonés ha llegado a excluirlos de su idioma, y en vez
de «tú» dirá algo así como «la maravilla presente», y en
lugar de «yo» hará una zalema y dirá «la miseria que
hay aquí».

Si un simple cambio de la distancia entre dos hombres
comporta parejos riesgos, imagínense los peligros que engendra su súbita aproximación entre los pueblos sobrevenida en los últimos quince o veinte años. Yo creo que no

se ha reparado debidamente en este nuevo factor y que urge prestarle atención.

Se ha hablado mucho estos meses de la intervención o no intervención de unos Estados en la vida de otros países. Pero no se ha hablado, al menos con suficiente énfasis, de la intervención que hoy ejerce de hecho la opinión de unas naciones en la vida de otras, a veces muy remotas. Y ésta es hoy, a mi juicio, mucho más grave que aquélla. Porque el Estado es, al fin y al cabo, un órgano relativamente «racionalizado» dentro de cada sociedad. Sus actuaciones son deliberadas y dosificadas por la voluntad de individuos determinados —los hombres políticos— a quienes no pueden faltar un mínimum de reflexión y sentido de la responsabilidad. Pero la opinión de todo un pueblo o de grandes grupos sociales es un poder elemental, irreflexivo e irresponsable, que además ofrece, indefenso, su inercia al influjo de todas las intrigas. No obstante, la opinión pública *sensu stricto* de un país, cuando opina sobre la vida de su propio país, tiene siempre «razón», en el sentido de que nunca es incongruente con las realidades que enjuicia. La causa de ello es obvia. Las realidades que enjuicia son las que efectivamente ha pasado el mismo sujeto que las enjuicia. El pueblo inglés, al opinar sobre las grandes cuestiones que afectan a su nación, opina sobre hechos que le han acontecido a él, que ha experimentado en su propia carne y en su propia alma, que ha vivido y, en suma, son él mismo. ¿Cómo va, en lo esencial, a equivocarse? La interpretación doctrinal de esos hechos podrá dar ocasión a las mayores divergencias teóricas, y éstas suscitar opiniones partidistas sostenidas por grupos particulares; mas por debajo de esas discrepancias «teóricas», los hechos insofisticables, gozados o sufridos por la nación, precipitan en ésta una «verdad» vital que es la realidad histórica misma y tiene un valor y una fuerza superiores a todas las doctrinas. Esta «razón» o «verdad» vivientes que, como atributo, tenemos que reconocer a toda auténtica «opinión pública», consiste, como se ve, en su congruencia. Dicho con otras palabras, obtenemos esta proposición: es máximamente improbable que en asuntos graves de su país la «opinión pública» carezca de la información mínima necesaria para que su juicio no corresponda orgánicamente a la realidad juzgada. Padecerá errores secundarios y de detalle, pero tomada como actitud macrocósmica, no es verosímil que sea una reacción *incongruente* con la realidad, inorgánica respecto a ella y, por consiguiente, tóxica.

Estrictamente lo contrario acontece cuando se trata de la opinión de un país sobre lo que pasa en otro. Es máximamente probable que esa opinión resulte en alto grado incongruente. El pueblo A piensa y opina desde el fondo de sus propias experiencias vitales, que son distintas de las del pueblo B. ¿Puede llevar esto a otra cosa que al juego de los despropósitos? He aquí, pues, la primera causa de una inevitable incongruencia, que sólo podría contrarrestarse merced a una cosa muy difícil, a saber: una información *suficiente*. Como aquí falta la «verdad» de lo vivido, habría que sustituirla con una verdad de conocimiento.

Hace un siglo no importaba que el pueblo de los Estados Unidos se permitiese tener una opinión sobre lo que pasaba en Grecia y que esa opinión estuviese mal informada. Mientras el Gobierno americano no actuase, esa opinión era inoperante sobre los destinos de Grecia. El mundo era entonces «mayor», menos compacto y elástico. La distancia dinámica entre pueblo y pueblo era tan grande que, al atravesarla, la opinión incongruente perdía su toxicidad (1). Pero en estos últimos años los pueblos han entrado en una extrema proximidad dinámica, y la opinión, por ejemplo, de grandes grupos sociales norteamericanos está interviniendo de hecho —directamente como tal opinión y *no* su Gobierno— en la guerra civil española. Lo propio digo de la opinión inglesa.

Nada más lejos de mi pretensión que todo intento de podar el albedrío a ingleses y americanos discutiendo su «derecho» a opinar lo que gusten sobre cuanto les plazca. No es cuestión de «derecho» o de la despreciable fraseología que suele ampararse en ese título: es una cuestión, simplemente, de buen sentido. Sostengo que la injerencia de la opinión pública de unos países en la vida de los otros es hoy un factor impertinente, venenoso y generador de pasiones bélicas, porque esa opinión no está aún regida por una técnica adecuada al cambio de distancia entre los pueblos. Tendrá el inglés, o el americano, todo el derecho que quiera a opinar sobre lo que ha pasado y debe pasar en España, pero ese derecho es una *iniuria* si no acepta una obligación correspondiente: la de estar bien informado sobre la realidad de la guerra civil española, cuyo primero y más sustancial capítulo es su origen, las causas que la han producido.

_____

(1) Añádase que en esas opiniones jugaban siempre gran papel las *vigencias* comunes a todo Occidente.

Pero aquí es donde los medios actuales de comunicación producen sus efectos, por lo pronto, dañinos. Porque la cantidad de noticias que constantemente recibe un pueblo sobre lo que pasa en otro es enorme. ¿Cómo va a ser fácil persuadir al hombre inglés de que no está informado sobre el fenómeno histórico que es la guerra civil española u otra emergencia análoga? Sabe que los periódicos ingleses gastan sumas fortísimas en sostener corresponsales dentro de todos los países. Sabe que, aunque entre esos corresponsales no pocos ejercen su oficio de manera apasionada y partidista, hay muchos otros cuya imparcialidad es incuestionable y cuya pulcritud en transmitir datos exactos no es fácil de superar. Todo esto es verdad, y porque lo es resulta muy peligroso (1). Pues es el caso que si el hombre inglés rememora con rápida ojeada estos últimos tres o cuatro años, encontrará que han acontecido en el mundo cosas de grave importancia para Inglaterra, *y que le han sorprendido.* Como en la historia nada de algún relieve se produce súbitamente, no sería excesiva suspicacia en el hombre inglés admitir la hipótesis de que está mucho menos informado de lo que suele creer o que esa información tan copiosa se compone de datos externos, sin fina perspectiva, entre los cuales se escapa lo más auténticamente real de la realidad. El ejemplo más claro de esto, por sus formidables dimensiones, es el hecho gigante que sirvió a este artículo de punto de partida: el fracaso del pacifismo inglés, de veinte años de política internacional inglesa. Dicho fracaso declara estruendosamente que el pueblo inglés —a pesar de sus innumerables corresponsales— sabía poco de lo que *realmente* estaba aconteciendo en los demás pueblos.

Representémonos esquemáticamente, a fin de entenderla bien, la complicación del proceso que tiene lugar. Las noticias que el pueblo A recibe del pueblo B suscitan en él un estado de opinión, sea de amplios grupos o de todo el país. Pero como esas noticias le llegan hoy con superlativa rapidez, abundancia y frecuencia, esa opinión no se

---

(1) En este mes de abril, el corresponsal de *The Times* en Barcelona envía a su periódico una información donde procura los datos más minuciosos y las cifras más pulcras para describir la situación. Pero todo el razonamiento del artículo que moviliza y da un sentido a esos datos minuciosos y a esas pulcras cifras, parte de suponer, como de cosa sabida y que lo explica todo, haber sido nuestros antepasados los moros. Basta esto para demostrar que ese corresponsal, cualquiera que sea su laboriosidad y su imparcialidad, es por completo incapaz de informar sobre la realidad de la vida española. Es evidente que una nueva técnica de mutuo conocimiento entre los pueblos reclama una reforma profunda de la fauna periodística.

mantiene en un plano más o menos «contemplativo» como
hace un siglo sino que irremediablemente se carga de in-
tenciones activas y toma desde luego un carácter de intervención. Siempre hay, además, intrigantes que, por
motivos particulares, se ocupan deliberadamente en hos-
tigarla. Viceversa, el pueblo B recibe también con abundancia, rapidez y frecuencia noticias de esa opinión leja-
na, de su nervosidad, de sus movimientos, y tiene la impresión de que el extraño, con intolerable impertinencia, ha
invadido su país, que está allí, cuasi presente, actuando.
Pero esta reacción de enojo se multiplica hasta la exaspe-
ración porque el pueblo B advierte, al mismo tiempo, la
incongruencia entre la opinión de A y lo que en B, efectivamente, ha pasado. Ya es irritante que el prójimo pretenda intervenir en nuestra vida, pero si además revela
ignorar por completo nuestra vida, su audacia provoca
en nosotros frenesí.

Mientras en Madrid los comunistas y sus afines obliga-
ban, bajo las más graves amenazas, a escritores y profesores a firmar manifiestos, a hablar por radio, etc., cómo-
damente sentados en sus despachos o en sus *clubs*, exentos
de toda presión, algunos de los principales escritores ingleses firmaban otro manifiesto donde se garantizaba que
esos comunistas y sus afines eran los defensores de la
libertad. Evitemos los aspavientos y las frases, pero dé-
jeseme invitar al lector inglés a que imagine cuál pudo
ser mi primer movimiento ante hecho semejante que oscila
entre lo grotesco y lo trágico. Porque no es fácil encontrarse con mayor incongruencia. Por fortuna, he cuidado
durante toda mi vida de montar en mi aparato psicofísico
un sistema muy fuerte de inhibiciones y de frenos —acaso
la civilización no es otra cosa que ese montaje—, y además, como Dante decía:

che saetta previsa vien più lenta,

no contribuyó a debilitarme la sorpresa. Desde hace muchos años me ocupo en hacer notar la frivolidad y la irresponsabilidad frecuentes en el intelectual europeo, que he
denunciado como un factor de primera magnitud entre
las causas del presente desorden. Pero esta moderación
que por azar puedo ostentar, no es «natural». Lo natural
sería que yo estuviese ahora en guerra apasionada contra
esos escritores ingleses. Por eso es un ejemplo concreto del
mecanismo belicoso que ha creado el mutuo desconocimiento entre los pueblos.

Hace unos días, Alberto Einstein se ha creído con «derecho» a opinar sobre la guerra civil española y tomar posición ante ella. Ahora bien: Alberto Einstein usufructúa una ignorancia radical sobre lo que ha pasado en España ahora, hace siglos y siempre. El espíritu que le lleva a esta insolente intervención es el mismo que desde hace mucho tiempo viene causando el desprestigio universal del hombre intelectual, el cual, a su vez, hace que hoy vaya el mundo a la deriva, falto de *pouvoir spirituel.*

Nótese que hablo de la guerra civil española como un ejemplo entre muchos, el ejemplo que más exactamente me consta, y me reduzco a procurar que el lector inglés admita por un momento la posibilidad de que no está bien informado, a despecho de sus copiosas «informaciones». Tal vez esto le mueva a corregir su insuficiente conocimiento de las demás naciones, supuesto el más decisivo para que en el mundo vuelva a reinar un orden.

Pero he aquí otro ejemplo más general. Hace poco, el Congreso del Partido Laborista rechazó por 2.100.000 votos contra 300.000 la unión con los comunistas, es decir, la formación en Inglaterra de un «frente popular». Pero ese mismo partido y la masa de opinión que pastorea se ocupan en favorecer y fomentar del modo más concreto y eficaz el «frente popular» que se ha formado en otros países. Dejo intacta la cuestión de si un «frente popular» es una cosa benéfica o catastrófica, y me reduzco a confrontar dos comportamientos de un mismo grupo de opinión y a subrayar su nociva incongruencia. La diferencia numérica en la votación es de aquellas diferencias cuantitativas que, según Hegel, se convierten automáticamente en diferencias cualitativas. Esas cifras muestran que para el bloque del Partido Laborista la unión con el comunismo, el «frente popular», no es una cuestión de más o de menos, sino que lo considerarían como un morbo terrible para la nación inglesa. Pero es el caso al mismo tiempo ese mismo grupo de opinión se ocupa en cultivar ese mismo microbio en otros países, y esto es una intervención, más aún: podría decirse que es una intervención guerrera, puesto que tiene no pocos caracteres de la guerra química. Mientras se produzcan fenómenos como éste, todas las esperanzas de que la paz reine en el mundo son, repito, penas de amor perdidas. Porque esa incongruente conducta, esa duplicidad de la opinión laborista, sólo irritación puede inspirar fuera de Inglaterra.

Y me parece vano objetar que esas intervenciones irritan a una parte del pueblo intervenido, pero complacen a la otra. Ésta es una observación demasiado obvia para

que sea verídica. La parte del país favorecida momentáneamente por la opinión extranjera procurará, claro está,
beneficiarse de esa intervención. Otra cosa fuera pura
tontería. Mas por debajo de esa aparente y transitoria
gratitud corre el proceso real de lo vivido por el país entero. La nación acaba por estabilizarse en «su verdad»,
en lo que efectivamente ha pasado, y ambos partidos hostiles coinciden en ella, declárenlo o no. De aquí que acaben por unirse *contra* la incongruencia de la opinión
extranjera. Ésta sólo puede esperar agradecimiento perdurable en la medida en que *por azar* acierte o sea menos
incongruente con esa viviente «verdad». Toda realidad desconocida prepara su venganza. No otro es el origen de las
catástrofes en la historia humana. Por eso será funesto
todo intento de desconocer que un pueblo es, como una
persona, aunque de otro modo y por otras razones, una
intimidad —por lo tanto, un sistema de secretos que no
puede ser descubierto, sin más, desde fuera—. No piense
el lector en nada vago ni en nada místico. Tome cualquier
función colectiva, por ejemplo, la lengua. Bien notorio es
que resulta prácticamente imposible conocer *íntimamente*
un idioma extranjero por mucho que se le estudie. ¿Y no
será una insensatez creer cosa fácil el conocimiento de la
realidad política de un país extraño?

Sostengo, pues, que la nueva estructura del mundo convierte los movimientos de la opinión de un país sobre lo
que pasa en otro —movimientos que antes eran casi innocuos— en auténticas incursiones. Esto bastaría a explicar
por qué, cuando las naciones europeas parecían más próximas a una superior unificación, han comenzado repentinamente a cerrarse hacia dentro de sí mismas, a hermetizar sus existencias las unas frente a las otras y a convertirse las fronteras en escafandras aisladoras.

Yo creo que hay aquí un nuevo problema de primer
orden para la disciplina internacional, que corre paralelo
al del derecho, tocado más arriba. Como antes postulábamos una nueva técnica jurídica, aquí reclamamos una nueva técnica de trato entre los pueblos. En Inglaterra ha
aprendido el individuo a guardar ciertas cautelas cuando
se permite opinar sobre otro individuo. Hay la ley del
libelo y hay la formidable dictadura de las «buenas maneras». No hay razón para que no sufra análoga regulación la opinión de un pueblo sobre otro.

Claro que esto supone estar de acuerdo sobre un principio básico. Sobre éste: que los pueblos, que las naciones,
existen. Ahora bien: el viejo y barato «internacionalismo»
que ha engendrado las presentes angustias pensaba, en el

fondo, lo contrario. Ninguna de sus doctrinas y actuaciones es comprensible si no se descubre en su raíz el desconocimiento de lo que es una nación y de que eso que son las naciones constituye una formidable realidad situada en el mundo y con que hay que contar. Era un curioso internacionalismo aquel que en sus cuentas olvidaba siempre el detalle de que hay naciones (1).

Tal vez el lector reclame ahora una doctrina positiva. No tengo inconveniente en declarar cuál es la mía, aun exponiéndome a todos los riesgos de una enunciación esquemática.

En el libro *The Revolt of the Masses* (2), que ha sido bastante leído en lengua inglesa, propugno y anuncio el advenimiento de una forma más avanzada de convivencia europea, un paso adelante en la organización jurídica y política de su unidad. Esta idea europea es de signo inverso a aquel abstruso internacionalismo. Europa no es, no será la internación, porque eso significa, en claras nociones de historia, un hueco, un vacío y nada. Europa será la ultranación. La misma inspiración que formó las naciones de Occidente sigue actuando en el subsuelo con la lenta y silente proliferación de los corales. El descarrío metódico que representa el internacionalismo impidió ver que sólo al través de una etapa de nacionalismos exacerbados se puede llegar a la unidad concreta y llena de Europa. Una nueva forma de vida no logra instalarse en el planeta hasta que la anterior y tradicional no se ha ensayado en su modo externo. Las naciones europeas llegan ahora a sus propios topes, y el topetazo será la nueva integración de Europa. Porque de eso se trata. No de laminar las naciones, sino de integrarlas, dejando al Occidente todo su rico relieve. En esta fecha, como acabo de insinuar, la sociedad europea parece volatilizada. Pero fuera un error creer que esto significa su desaparición o definitiva dispersión. El Estado actual de anarquía y superlativa disociación en la sociedad europea es una prueba más de la realidad que ésta posee. Porque si eso acontece en Europa es porque sufre una crisis de su fe común, de la fe europea, de las *vigencias* en que su socialización con-

---

(1) Los peligros mayores que, como nubes negras se amontonan todavía en el horizonte, no provienen directamente del cuadrante político, sino del económico. ¿Hasta qué punto es inevitable una pavorosa catástrofe económica en todo el mundo? Los economistas debían darnos ocasión para que cobrásemos confianza en su diagnóstico. Pero no muestran ningún apresuramiento.

(2) Traducción inglesa de *La rebelión de las masas*. George Allen Unwin. Londres.

siste. La enfermedad por que atraviesa es, pues, común. No se trata de que Europa esté enferma, pero que gocen de plena salud estas o las otras naciones y que, por lo tanto, sea probable la desaparición de Europa y su sustitución por otra forma de realidad histórica —por ejemplo, las naciones sueltas o una Europa oriental disociada hasta la raíz de una Europa occidental; nada de esto se ofrece en el horizonte—, sino que como es común y europea la enfermedad, lo será también el restablecimiento. Por lo pronto, vendrá una *articulación* de Europa en dos formas distintas de vida pública: la forma de un nuevo liberalismo y la forma que, con un nombre impropio, se suele llamar «totalitaria». Los pueblos menores adoptarán figuras de transición e intermediarias. Esto salvará a Europa. Una vez más, resultará patente que toda forma de vida ha menester de su antagonista. El «totalitarismo» salvará al «liberalismo», destiñendo sobre él, depurándolo, y gracias a ello veremos pronto a un nuevo liberalismo templar los regímenes autoritarios. Este equilibrio puramente mecánico y provisional permitirá una nueva etapa de mínimo reposo, imprescindible para que vuelva a brotar en el fondo del bosque que tienen las almas, el hontanar de una nueva fe. Ésta es el auténtico poder de creación histórica, pero no mana en medio de la alteración, sino en el recato del ensimismamiento.

París y diciembre, 1937.

A P É N D I C E
DINÁMICA DEL TIEMPO

LOS ESCAPARATES MANDAN

Se dice que el dinero es el único poder que actúa sobre la vida social. Si miramos la realidad con una óptica de retícula fina, la proposición es más bien falsa que verídica. Pero tiene también sus derechos la visión de retícula gruesa, y entonces no hay inconveniente en aceptar esa terrible sentencia.

Sin embargo, habría que quitarle y que ponerle algunos ingredientes para que la idea fuese luminosa. Pues acaece que en muchas épocas históricas se ha dicho lo mismo que ahora, y esto invita a sospechar, o que no ha sido verdad nunca, o que lo ha sido en sentidos muy diversos. Porque es raro que tiempos sobremanera distintos coincidan en punto tan principal. En general, no hay que hacer mucho caso de lo que las épocas pasadas han dicho de sí mismas, porque —es forzoso declararlo— eran muy poco inteligentes respecto de sí. Esta perspicacia sobre el propio modo de ser, esta clarividencia para el propio destino es cosa relativamente nueva en la historia.

En el siglo VII antes de Cristo corría ya por todo el Oriente del Mediterráneo el apotegma famoso: *Chrémata, chrémata aner!* «¡Su dinero, su dinero es el hombre!» En tiempo de César se decía lo mismo, en el siglo XIV lo pone en cuaderna vía nuestro turbulento tonsurado de Hita, y en el XVII, Góngora hace de ello letrillas. ¿Qué consecuencia sacamos de esta monótona insistencia? ¿Que el dinero, desde que se inventó, es una gran fuerza social? Esto no era menester subrayarlo: sería una perogrullada. En todas esas lamentaciones se insinúa algo más. El que las usa expresa con ellas, cuando menos, su sorpresa de que el dinero tenga más fuerza de la que debía tener. ¿Y de dónde nos viene esta convicción, según la cual el dinero debía tener menos influencia de la que efectivamente posee? ¿Cómo no nos hemos habituado al hecho constante después de tantos, tantos siglos, y siempre nos coge de nuevas?

Es tal vez el único poder social que al ser reconocido nos asquea. La misma fuerza bruta que suele indignarnos halla en nosotros un eco último de simpatía y estimación. Nos incita a repelerla creando una fuerza pareja, pero no nos da asco. Diríase que nos sublevan estos o los otros efectos de la violencia; pero ella misma nos parece un síntoma de salud, un magnífico atributo del ser viviente, y comprendemos que el griego la divinizase en Hércules.

Yo creo que esta sorpresa, siempre renovada, ante el poder del dinero encierra una porción de problemas curiosos aún no aclarados. Las épocas en que más auténticamente y con más dolientes gritos se ha lamentado ese poderío son, entre sí, muy distintas. Sin embargo, puede descubrirse en ellas una nota común: son siempre épocas de crisis moral, tiempos muy transitorios entre dos etapas. Los principios sociales que rigieron una edad han perdido su vigor y aún no han madurado los que van a imperar en la siguiente. ¿Cómo? ¿Será que el dinero no pose, en rigor, el poder que, deplorándolo, se le atribuye y que su influjo sólo es decisivo cuando los demás poderes organizadores de la sociedad se han retirado? Si así fuese, entenderíamos un poco mejor esa extraña mezcla de sumisión y de asco que ante él siente la humanidad, esa sorpresa y esa insinuación perenne de que el poder ejercido no le corresponde. Por lo visto, no lo debe tener porque no es suyo, sino usurpado a las otras fuerzas ausentes.

La cuestión es sobremanera complicada y no es cosa de resolverla con cuatro palabras. Sólo como una posibilidad de interpretación va todo esto que digo. Lo importante es evitar la concepción económica de la historia, que allana toda la gracia del problema, haciendo de la historia entera una monótona consecuencia del dinero. Porque es demasiado evidente que en muchas épocas humanas el poder social de éste fue muy reducido, y otras energías ajenas a lo económico informaron la convivencia humana. Si hoy poseen el dinero los judíos y son los amos del mundo, también lo poseían en la Edad Media y eran la hez de Europa. No se diga que el dinero no era la forma principal de la riqueza, de la realidad económica en los tiempos feudales. Porque, aun siendo esto verdad y calibrando en la debida cifra el peso puramente económico del dinero en la dinámica de la economía medieval, no hay correspondencia entre la riqueza de aquellos judíos y su posición social. Los marxistas, para adobar las cosas según la pauta de su tesis, han menospreciado excesivamente la importancia de la moneda en la etapa precapitalista de la evolución económica, y ha sido forzoso luego rehacer la historia económica de aquella edad para mostrar la importancia efectiva que en los Estados medievales tenía el dinero hebreo.

Nadie, ni el más idealista, puede dudar de la importancia que el dinero tiene en la historia, pero tal vez pueda dudarse de que sea un poder primario y sustantivo. Tal vez el poder social no depende normalmente del dinero, sino, viceversa, se reparte según se halla repartido el poder social, y va al guerrero en la sociedad belicosa, pero va al sacerdote en la teocrática. El síntoma de un poder social auténtico es que cree jerarquías, que sea él quien destaque al individuo en el cuerpo público. Pues bien: en el siglo XVI, por mucho dinero que tuviese un judío, seguía siendo un infrahombre, y en tiempo de César los «caballeros», que eran los más ricos como clase, no ascendían a la cima de la sociedad.

Parece lo más verosímil que sea el dinero un factor social secundario, incapaz por sí mismo de inspirar la gran arquitectura de la sociedad. Es una de las fuerzas principales que actúan en el equilibrio de todo edificio colectivo, pero no es la musa de su estilo tectónico. En cambio, si ceden los verdaderos y normales poderes históricos —raza, religión, política, ideas—, toda la energía social vacante es absorbida por él. Diríamos, pues, que cuando se volatilizan los demás prestigios queda siempre el dinero, que, a fuer de elemento material, no puede volatilizarse. O, de otro modo: el dinero no manda más que cuando no hay otro principio que mande.

Así explica esa nota común a todas las épocas sometidas al imperio crematístico que consiste en ser tiempos de transición. Muerta una constitución política y moral, se queda la sociedad sin motivo que jerarquice a los hombres. Ahora bien: esto es imposible. Contra la ingenuidad igualitaria es preciso hacer notar que la jerarquización es el impulso esencial de la socialización. Donde hay cinco hombres en estado normal se produce automáticamente una estructura jerarquizada. Cuál sea el principio de ésta es otra cuestión. Pero alguno tendrá que existir siempre. Si los normales faltan, un seudoprincipio se encarga de modelar la jerarquía y definir las clases. Durante un momento —el siglo XVII— en Holanda, el hombre más envidiado era el que poseía cierto raro tulipán. La fantasía humana, hostigada por ese instinto irreprimible de jerarquía, inventa siempre algún nuevo tema de desigualdad.

Mas, aun limitando de tal suerte la frase inicial que da ocasión a esta nota, yo me pregunto si hay alguna razón para afirmar que en nuestro tiempo goza el dinero de un poder social mayor que en sazón ninguna del pasado. También esta curiosidad es expuesta y difícil de satisfacer. Si nos dejamos ir, todo lo que pasa en nuestra hora nos parecerá único y excepcional en la serie de los tiempos. Hay, sin embargo, a mi juicio, una razón que da probabilidad clara a la sospecha de ser nuestro tiempo el más crematístico de cuantos fueron. Es también edad de crisis: los prestigios hace años aún vigentes han perdido su eficiencia. Ni la religión ni la moral dominan la vida social ni el corazón de la muchedumbre. La cultura intelectual y artística es valorada en menos que hace veinte años. Queda sólo el dinero. Pero, como he indicado, esto ha acaecido varias veces en la historia. Lo nuevo, lo exclusivo del presente es esta otra coyuntura. El dinero ha tenido, para su poder, un límite automático en su propia esencia. El dinero no es más que un medio para comprar cosas. Si hay pocas cosas que comprar, por mucho dinero que haya y muy libre que se encuentre su acción de conflictos con otras potencias, su influjo será escaso. Esto nos permite formar una escala con las épocas de crematismo y decir: el poder social del dinero —*ceteris paribus*— será tanto mayor cuantas más cosas haya que comprar, no cuanto mayor sea la cantidad del dinero mismo. Ahora bien: no hay duda que el industrialismo moderno, en su combinación con los fabulosos progresos de la técnica, ha producido en estos años un cúmulo tal de objetos mercables, de tantas clases y calidades, que puede el dinero desarrollar fantásticamente su esencia: el comprar.

En el siglo XVIII existían también grandes fortunas, pero había poco que comprar. El rico, si quería algo más que el breve repertorio de mercancías existente, tenía que inventar un apetito y el objeto que lo satisfaría, tenía que buscar el artífice que lo realizase y dejar tiempo para su fabricación. En todo este intrincamiento intercalado entre el dinero y el objeto se complicaba aquél con otras fuerzas espirituales —fantasía creadora de deseos en el rico, selección del artífice, labor técnica de éste, etc.— de que se hacía, sin quererlo, dependiente.

Ahora un hombre llega a una ciudad y a los cuatro días puede ser el más famoso y envidiado habitante de ella sin más que pasearse por delante de los escaparates, escoger los objetos mejores —el mejor automóvil, el mejor som-

brero, el mejor encendedor, etc.— y comprarlos. Cabría
imaginar un autómata provisto de un bolsillo en que me-
tiese mecánicamente la mano y que llegara a ser el personaje más ilustre de la urbe.

El Sol, 15 de mayo de 1927.

JUVENTUD

I

Las variaciones históricas no proceden nunca de causas
externas al organismo humano, al menos dentro de un
mismo período zoológico. Si ha habido catástrofes telúri-
cas —diluvios, sumersión de continentes, cambios súbitos
y extremos de clima—, como en los mitos más arcaicos parece recordarse confusamente, el efecto por ellas producido
trascendió los límites de lo histórico y trastornó la especie como tal. Lo más probable es que el hombre no ha
asistido nunca a semejantes catástrofes. La existencia ha
sido, por lo visto, siempre muy cotidiana. Los cambios
más violentos que nuestra especie ha conocido, los períodos glaciales, no tuvieron carácter de gran espectáculo.
Basta que durante algún tiempo la temperatura media
del año descienda cinco o seis grados para que la glacia-
lización se produzca. En definitiva, que los veranos sean
un poco más frescos. La lentitud y suavidad de este proceso de tiempo a que el organismo reaccione, y esta reacción desde dentro del organismo al cambio físico del contorno, es la verdadera variación histórica. Conviene abandonar la idea de que el medio, mecánicamente, modele la
vida; por lo tanto, que la vida sea un proceso de fuera a
dentro. Las modificaciones externas actúan sólo como ex-
citantes de modificaciones intraorgánicas; son, más bien,
preguntas a que el ser vivo responde con un amplio margen de originalidad imprevisible. Cada especie, y aun cada
variedad, y aun cada individuo, aprontará una respuesta
más o menos diferente, nunca idéntica. Vivir, en suma, es
una operación que se hace de dentro a fuera, y por eso
las causas o principios de sus variaciones hay que buscar-
los en el interior del organismo.

Pensando así, había de parecerme sobremanera verosímil que en los más profundos y amplios fenómenos históricos aparezca, más o menos claro, el decisivo influjo de
las diferencias biológicas más elementales. La vida es
masculina o femenina, es joven o es vieja. ¿Cómo se pue-

de pensar que estos módulos elementalísimos y divergentes de la vitalidad no sean gigantescos poderes plásticos de la historia? Fue, a mi juicio, uno de los descubrimientos sociológicos más importantes el que se hizo, va para treinta años, cuando se advirtió que la organización social más primitiva no es sino la impronta en la masa colectiva de esas grandes categorías vitales: sexos y edades. La estructura más primitiva de la sociedad se reduce a dividir los individuos que la integran en hombres y mujeres, y cada una de estas clases sexuales (1) en niños, jóvenes y viejos, en clases de edad. Las formas biológicas mismas fueron, por decirlo así, las primeras instituciones.

Masculinidad y feminidad, juventud y senectud, son dos parejas de potencias antagónicas. Cada una de esas potencias significa la movilización de la vida toda en un sentido divergente del que lleva su contraria. Vienen a ser como estilos diversos del vivir. Y como todos coexisten en cualquier instante de la historia, se produce entre ellos una colisión, un forcejeo en que intenta cada cual arrastrar en su sentido, íntegra, la existencia humana. Para comprender bien una época es preciso determinar la ecuación dinámica que en ella dan esas cuatro potencias, y preguntarse: ¿Quién puede más? ¿Los jóvenes, o los viejos? —es decir, los hombres maduros—. ¿Lo varonil, o lo femenino? Es sobremanera interesante perseguir en los siglos los desplazamientos del poder hacia una u otra de esas potencias. Entonces se advierte lo que de antemano debía presumirse: que, siendo rítmica toda vida, lo es también la histórica, y que los ritmos fundamentales son precisamente los biológicos; es decir, que hay épocas en que predomina lo masculino y otras señoreadas por los instintos de la feminidad, que hay tiempos de jóvenes y tiempos de viejos.

En el ser humano la vida se duplica porque al intervenir la conciencia, la vida primaria se refleja en ella: es interpretada por ella en forma de idea, imagen, sentimiento. Y como la historia es ante todo historia de la mente, del alma, lo interesante será describir la proyección en la conciencia de esos predominios rítmicos. La lucha misteriosa que mantienen en las secretas oficinas del organismo la juventud y la senectud, la masculinidad y la feminidad, se refleja en la conciencia bajo la especie de preferencias y desdenes. Llega una época que prefiere, que estima más las calidades de la vida joven, y pospone,

_____

(1) Hasta el punto de existir en ciertos pueblos primitivos dos idiomas, uno que hablan sólo los hombres, y otro sólo para las mujeres.

desestima las de la vida madura, o bien halla la gracia máxima en los modos femeninos frente a los masculinos. ¿Por qué acontece estas variaciones de la preferencia, a veces súbitas? He aquí una cuestión sobre la cual no podemos aún decir una sola palabra (1).

Lo que sí me parece evidente es que nuestro tiempo se caracteriza por el extremo predominio de los jóvenes. Es sorprendente que en pueblos tan viejos como los nuestros, y después de una guerra más triste que heroica, tome la vida de pronto un cariz de triunfante juventud. En realidad, como tantas otras cosas, este imperio de los jóvenes venía preparándose desde 1890, desde el *fin de siècle*. Hoy de un sitio, mañana de otro, fueron desalojadas la madurez y la ancianidad: en su puesto se instalaba el hombre joven con sus peculiares atributos.

Yo no sé si este triunfo de la juventud será un fenómeno pasajero o una actitud profunda que la vida humana ha tomado y que llegará a calificar toda una época. Es preciso que pase algún tiempo para poder aventurar este pronóstico. El fenómeno es demasiado reciente y aún no se ha podido ver si esta nueva vida *in modo juventutis* será capaz de lo que luego diré, sin lo cual no es posible la perduración de su triunfo. Pero si fuésemos a atender sólo el aspecto del momento actual, nos veremos forzados a decir: ha habido en la historia otras épocas en que han predominado los jóvenes, pero nunca, entre las bien conocidas (2), el predominio ha sido tan extremado y exclusivo. En los siglos clásicos de Grecia, la vida toda se organiza en torno al efebo, pero junto a él, y como potencia compensatoria, está el hombre maduro que le educa y dirige. La pareja Sócrates-Alcibíades simboliza muy bien la ecuación dinámica de juventud y madurez desde el siglo V al tiempo de Alejandro. El joven Alcibíades triunfa sobre la sociedad, pero es a condición de servir al espíritu que Sócrates representa. De este modo, la gracia y el

---

(1) Hay, sin duda, un factor que colabora en estos cambios como en todos los del organismo vivo, pero me resisto a considerarlo decisivo. Es el contraste. La vida tiene la condición inexorable de cansarse, de embotarse para un estímulo y al propio tiempo rehabilitarse para el estímulo opuesto. Si en un estilo pictórico las figuras aparecen en posición vertical, es sumamente probable que poco tiempo después surgirá otro estilo con las figuras en posición diagonal (cambio de la pintura italiana de 1500 a 1600).

(2) No se explica, a mi juicio, el origen de ciertas cosas humanas, entre ellas el Estado, si no se supone en épocas muy primitivas una etapa de enorme predominio de los jóvenes que ha dejado, en efecto, muchos vestigios positivos en pueblos salvajes del presente. (Véase del autor *El origen deportivo del Estado*, en *El espectador*, tomo VII. *Obras completas*, vol. II.)

vigor juveniles son puestos al servicio de algo más allá
de ellos que les sirve de norma, de incitación y de freno.
Roma, en cambio, prefiere el viejo al joven y se somete a
la figura del senador, del padre de familia. El «hijo», sin
embargo, el joven, actúa siempre frente al senador en
forma de oposición. Los dos nombres que enuncian los
partidos de la lucha multisecular aluden a esta dualidad
de potencias: patricios y proletarios. Ambos significan «hijos», pero los unos son hijos de padre ciudadano, casado
según ley de Estado, y por ello heredero de bienes, al
paso que el proletario es hijo en el sentido de la carne,
no es hijo de «alguien» reconocido, es mero descendiente
y no heredero, prole. (Como se ve, la traducción exacta
de patricio sería hidalgo.)

Para hallar otra época de juventud como la nuestra,
fuera preciso descender hasta el Renacimiento. Repase el
lector raudamente la serie de sazones europeas. El romanticismo, que con una u otra intensidad impregna todo el
siglo XIX, puede parecer en su iniciación un tiempo de
jóvenes. Hay en él, efectivamente, una subversión contra
el pasado y es un ensayo de afirmarse a sí misma la juventud. La Revolución había hecho tabla rasa de la generación precedente y permitió durante quince años que
ocupasen todas las eminencias sociales hombres muy mozos. El jacobino y el general de Bonaparte son muchachos.
Sin embargo, ofrece este tiempo el ejemplo de un falso
triunfo juvenil, y el romanticismo pondrá de manifiesto su
carencia de autenticidad. El joven revolucionario es sólo
el ejecutor de las viejas ideas confeccionadas en los dos
siglos anteriores. Lo que el joven afirma entonces no es
su juventud, sino principios recibidos: nada tan representativo como Robespierre, el viejo de nacimiento. Cuando en el romanticismo se reacciona contra el siglo XVIII
es para volver a un pasado más antiguo, y los jóvenes,
al mirar dentro de sí, sólo hallan desgana vital. Es la
época de los *blasés*, de los suicidios, del aire prematura-
mente caduco en el andar y en el sentir. El joven imita en
sí al viejo, prefiere sus actitudes fatigadas y se apresura
a abandonar su mocedad. Todas las generaciones del siglo XIX han aspirado a ser maduras lo antes posible y
sentían una extraña vergüenza de su propia juventud.
Compárese con los jóvenes actuales —varones y hembras—, que tienden a prolongar ilimitadamente su mu-
chachez y se instalan en ella como definitivamente.

Si damos un paso atrás, caemos en el siglo *vieillot* por
excelencia, el XVIII, que abomina de toda calidad juvenil,
detesta el sentimiento y la pasión, el cuerpo elástico y

nudo. Es el siglo de entusiasmo por los decrépitos, que se
estremece al paso de Voltaire, cadáver viviente que pasa
sonriendo a sí mismo en la sonrisa innumerable de sus
arrugas. Para extremar tal estilo de vida se finge en la
cabeza la nieve de la edad, y la peluca empolvada cubre
toda frente primaveral —hombre o mujer— con una su-
posición de sesenta años.

Al llegar al siglo XVII en este virtual retroceso tenemos
que preguntarnos, ingenuamente sorprendidos: ¿Dónde se
han marchado los jóvenes? Cuanto vale en esta edad parece tener cuarenta años: el traje, el uso, los modales, son
sólo adecuados a gentes de esta edad. De Ninón se estima
la madurez, no la confusa juventud. Domina la centuria
Descartes, vestido a la española, de negro. Se busca do-
quiera la *raison* e interesa más que nada la teología: jesuitas contra Jansenio. Pascal, el niño genial, es genial
porque anticipa la ancianidad de los geómetras.

El Sol, 9 de junio de 1927.

II

Todo gesto vital, o es un gesto de dominio, o un gesto
de servidumbre. *Tertium non datur*. El gesto de combate
que parece interpolarse entre ambos pertenece, en rigor, a
uno u otro estilo. La guerra ofensiva va inspirada por
la seguridad en la victoria y anticipa el dominio. La guerra defensiva suele emplear tácticas viles, porque en el
fondo de su alma el atacado estima más que a sí mismo
al ofensor. Ésta es la causa que decide uno u otro estilo
de actitud.

El gesto servil lo es porque el ser no gravita sobre sí
mismo, no está seguro de su propio valer y en todo instante vive comparándose con otros. Necesita de ellos en
una u otra forma; necesita de su aprobación para tran-
quilizarle, cuando no de su benevolencia y su perdón. Por
eso el gesto lleva siempre una referencia al prójimo. Servir es llenar nuestra vida de actos que tienen valor sólo
porque otro ser los aprueba o aprovecha. Tienen sentido
mirados desde la vida de este otro ser, no desde la vida
nuestra. Y ésta es, en principio, la servidumbre: vivir
desde otro, no desde sí mismo.

El estilo de dominio, en cambio, no implica la victoria.
Por eso aparece con más pureza que nunca en ciertos casos de guerra defensiva que concluyeron con la completa
derrota del defensor. El caso de Numancia es ejemplar.

Los numantinos poseen una fe inquebrantable en sí mismos. Su larga campaña frente a Roma comenzó por ser de ofensiva. Despreciaban al enemigo y, en efecto, lo derrotaban una vez y otra (1). Cuando más tarde, recogiendo y organizando mejor sus fuerzas superiores, Roma aprieta a Numancia, ésta, se dirá, toma la defensiva, pero propiamente no se defiende, sino que más bien se aniquila, se suprime. El hecho material de la superioridad de fuerzas en el enemigo invita al pueblo del alma dominante a preferir su propia anulación. Porque sólo sabe vivir desde sí mismo, y la nueva forma de existencia que el destino le propone —servidumbre— le es inconcebible, le sabe a negación del vivir mismo; por lo tanto, es la muerte.

En las generaciones anteriores la juventud vivía preocupada de la madurez. Admiraba a los mayores, recibía de ellos las normas —en arte, ciencia, política, usos y régimen de vida—, esperaba su aprobación y temía su enojo. Sólo se entregaba a sí misma, a lo que es peculiar de tal edad, subrepticiamente y como al margen. Los jóvenes sentían su propia juventud como una transgresión de lo que es debido. Objetivamente se manifestaba esto en el hecho de que la vida social no estaba organizada en vista de ellos. Las costumbres, los placeres públicos, habían sido ajustados al tipo de vida propio para las personas maduras, y ellos tenían que contentarse con las zurrapas que éstas les dejaban o lanzarse a la calaverada. Hasta en el vestir se veían forzados a imitar a los viejos: las modas estaban inspiradas en la conveniencia de la gente mayor. Las muchachas soñaban con el momento en que se pondrían «de largo», es decir, en que adoptarían el traje de sus madres. En suma, la juventud vivía en servidumbre de la madurez.

El cambio acaecido en este punto es fantástico. Hoy la juventud parece dueña indiscutible de la situación, y todos sus movimientos van saturados de dominio. En su gesto transparece bien claramente que no se preocupa lo más mínimo de la otra edad. El joven actual habita hoy su juventud con tal resolución y denuedo, con tal abandono y seguridad, que parece existir sólo en ella. Le trae perfectamente sin cuidado lo que piense de ella la madurez;

_____

(1) El que quisiera contarnos con algún detalle la guerra de Numancia, las consecuencias que trajo para la vida romana, cambios políticos, reforma de las instituciones, etc., haría una buena obra. Porque el paralelismo con el momento presente en España es sorprendente y luminoso.

es más: ésta tiene a sus ojos un valor próximo a lo cómico.

Se han mudado las tornas. Hoy el hombre y la mujer maduros viven casi azorados, con la vaga impresión de que casi no tienen derecho a existir. Advierten la invasión del mundo por la mocedad como tal y comienzan a hacer gestos serviles. Por lo pronto, la imitan en el vestido. (Muchas veces he sostenido que las modas no eran un hecho frívolo, sino un fenómeno de gran trascendencia histórica, obediente a causas profundas. El ejemplo presente aclara con sobrada evidencia esa afirmación.)

Las modas actuales están pensadas para cuerpos juveniles, y es tragicómica la situación de padres y madres que se ven obligados a imitar a sus hijos e hijas en lo indumentario. Los que ya estamos muy en la cima de la vida nos encontramos con la inaudita necesidad de tener que desandar un poco el camino hecho, como si lo hubiésemos errado, y hacernos —de grado o no— más jóvenes de lo que somos. No se trata de fingir una mocedad que se ausenta de nuestra persona, sino que el módulo adoptado por la vida objetiva es el juvenil y nos fuerza a su adopción. Como con el vestir, acontece con todo lo demás. Los usos, placeres, costumbres, modales, están cortados a la medida de los efebos.

Es curioso, formidable, el fenómeno, e invita a esa humildad y devoción ante el poder, a la vez creador e irracional, de la vida que yo fervorosamente he recomendado durante toda la mía. Nótese que en toda Europa la existencia social está hoy organizada para que puedan vivir a gusto sólo los jóvenes de las clases medias. Los mayores y las aristocracias se han quedado fuera de la circulación vital, síntoma en que se anudan dos factores distintos —juventud y masa— dominantes en la dinámica de este tiempo. El régimen de vida media se ha perfeccionado —por ejemplo, los placeres—, y, en cambio, las aristocracias no han sabido crearse nuevos refinamientos que las distancien de la masa. Sólo queda para ellas la compra de objetos más caros, pero del mismo tipo general que los usados por el hombre medio. Las aristocracias, desde 1800 en lo político, y desde 1900 en lo social, han sido arrolladas, y es ley de la historia que las aristocracias no pueden ser arrolladas sino cuando previamente han caído en irremediable degeneración.

Pero hay un hecho que subraya más que otro alguno este triunfo de la juventud y revela hasta qué punto es profundo el trastorno de valores en Europa. Me refiero al entusiasmo por el cuerpo. Cuando se piensa en la juventud, se piensa ante todo en el cuerpo. Por varias razones: en primer lugar, el alma tiene un frescor más prolongado, que a veces llega a hornar la vejez de la persona; en segundo lugar, el alma es más perfecta en cierto momento de la madurez que en la juventud; sobre todo, el espíritu —inteligencia y voluntad— es, sin duda, más vigoroso en la plena cima de la vida que en su etapa ascensional. En cambio, el cuerpo tiene su flor —su akmé, decían los griegos— en la estricta juventud, y, viceversa, decae infaliblemente cuando ésta se transpone. Por eso, desde un punto de vista superior a las oscilaciones históricas, por decirlo así, sub specie aeternitatis, es indiscutible que la juventud rinde la mayor delicia al ser mirada, y la madurez, al ser escuchada. Lo admirable del mozo es su exterior; lo admirable del hombre hecho es su intimidad.

Pues bien: hoy se refiere el cuerpo al espíritu. No creo que haya síntoma más importante en la existencia europea actual. Tal vez las generaciones anteriores han rendido demasiado culto al espíritu y —salvo Inglaterra— han desdeñado excesivamente a la carne. Era conveniente que el ser humano fuese amonestado y se le recordase que no es sólo alma, sino unión mágica de espíritu y cuerpo.

El cuerpo es por sí puerilidad. El entusiasmo que hoy despierta ha inundado de infantilismo la vida continental, ha aflojado la tensión de intelecto y voluntad en que se retorció el siglo XIX, arco demasiado tirante hacia metas demasiado problemáticas. Vamos a descansar un rato en el cuerpo. Europa —cuando tiene ante sí los problemas más pavorosos— se entrega a unas vacaciones. Brinda elástico el músculo del cuerpo desnudo detrás de un balón que declara francamente su desdén a toda trascendencia volando por el aire con aire en su interior.

Las asociaciones de estudiantes alemanes han solicitado enérgicamente que se reduzca el plan de estudios universitarios. La razón que daban no era hipócrita: urgía disminuir las horas de estudio porque ellos necesitaban el tiempo para sus juegos y diversiones, para «vivir la vida».

Este gesto dominante que hoy hace la juventud me parece magnífico. Sólo me ocurre una reserva mental. Entrega tan completa a su propio momento es justa en cuanto afirma el derecho de la mocedad como tal, frente a su antigua servidumbre. Pero ¿no es exorbitante? La juventud, estadio de la vida, tiene derecho a sí misma; pero a fuer de estadio va afectada inexorablemente de un carácter transitorio. Encerrándose en sí misma, cortando los puentes y quemando las naves que conducen a los estadios subsecuentes, parece declararse en rebeldía y separatismo

del resto de la vida. Si es falso que el joven no debe hacer
otra cosa que prepararse a ser viejo, tampoco es parvo
error eludir por completo esta cautela. Pues es el caso
que la vida, objetivamente, necesita de la madurez; por
lo tanto, que la juventud también la necesita. Es preciso
organizar la existencia: ciencia, técnica, riqueza, saber vital, creaciones de todo orden, son requeridas para que la
juventud pueda alojarse y divertirse. La juventud de ahora, tan gloriosa, corre el riesgo de arribar a una madurez
inepta. Hoy goza el ocio floreciente que le han creado generaciones sin juventud (1).

Mi entusiasmo por el cariz juvenil que la vida ha adoptado no se detiene más que ante este temor. ¿Qué van a
hacer a los cuarenta años los europeos futbolistas? Porque el mundo es ciertamente un balón, pero con algo más
que aire dentro.

El Sol, 19 de junio de 1927.

¿MASCULINO, O FEMENINO?

I

No hay duda que nuestro tiempo es tiempo de jóvenes.
El péndulo de la historia, siempre inquieto, asciende ahora por el cuadrante «mocedad». El nuevo estilo de vida ha
comenzado no hace mucho, y ocurre que la generación próxima ya a los cuarenta años ha sido una de las más in-
fortunadas que han existido. Porque cuando era joven rei-
naban todavía en Europa los viejos, y ahora que ha entrado en la madurez encuentra que se ha transferido el
imperio a la mocedad. Le ha faltado, pues, la hora de
triunfo y de dominio, la sazón de grata coincidencia con
el orden reinante en la vida. En suma: que ha vivido
siempre al revés que el mundo y, como el esturión, ha
tenido que nadar sin descanso contra la corriente del tiempo. Los más viejos y los más jóvenes desconocen este duro
destino de no haber flotado nunca; quiero decir de no haberse sentido nunca la persona como llevada por un elemento favorable, sino que un día tras otro y lustro tras
lustro tuvo que vivir en vilo, sosteniéndose a pulso sobre

---

(1) Desde el punto de vista más general, que, por lo tanto, no con-
tradice lo dicho ahora tiene sentido decir que la vida no es sino juventud, o que en la juventud culmina la vida, o que vivir es ser joven y
lo demás es desvivir. Pero esto vale para un concepto más minucioso
de juventud que el usado habitualmente y a que este ensayo se acoge.

el nivel de la existencia. Pero tal vez esta misma imposi-
bilidad de abandonarse un solo instante la ha disciplinado
y purificado sobremanera. Es la generación que ha combatido más, que ha ganado en rigor más batallas y ha gozado menos triunfos (1).

Mas dejemos por ahora intacto el tema de esa generación intermediaria y retengamos la atención sobre el momento actual. No basta decir que vivimos en tiempo de juventud. Con ello no hemos hecho más que definirlo dentro
del ritmo de las edades. Pero a la vera de éste actúa sobre la sustancia histórica el ritmo de los sexos. ¡Tiempo
de juventud! Perfectamente. Pero ¿masculino, o femenino? El problema es más sutil, más delicado —casi indis-
creto. Se trata de filiar el sexo de una época.

Para acertar en ésta, como en todas las empresas de la
psicología histórica, es preciso tomar un punto de vista
elevado y libertarse de ideas angostas sobre lo que es
masculino y lo que es femenino. Ante todo, es urgente
desasirse del trivial error que entiende la masculinidad
principalmente en su relación con la mujer. Para quien
piensa así, es muy masculino el caballero bravucón que se
ocupa ante todo en cortejar a las damas y hablar de las
buenas hembras. Este era el tipo de varón dominante hacia 1890: traje barroco, grandes levitas cuyas haldas ca-
peaban al viento, plastrón, barba de mosquetero, cabello
en volutas, un duelo al mes. (El buen fisonomista de las
modas descubre pronto la idea que inspiraba a ésta: la
ocultación del cuerpo viril bajo una profusa vegetación
de tela y pelambre. Quedaban sólo a la vista manos, nariz
y ojos. El resto era falsificación, literatura textil, peluque-
ría. Es una época de profunda insinceridad: discursos parlamentarios y prosa de «artículo de fondo») (2).

El hecho de que al pensar en el hombre se destaque primeramente su afán hacia la mujer revela, sin más, que en
esa época predominaban los valores de feminidad. Sólo
cuando la mujer es lo que más se estima y encanta tiene
sentido apreciar al varón por el servicio y culto que a
ésta rinde. No hay síntoma más evidente de que lo mascu-

---

(1) Un ejemplo de esos combates en que la victoria efectiva no ha
dado, sin embargo, el triunfo al combatiente puede verse en el orden
público. Los que han combatido y en realidad vencido a la vieja política seudoparlamentaria han sido los «intelectuales» de esa generación.
Y, sin embargo, por razones de curioso espejismo histórico, el triunfo
lo han gozado quienes no combatieron nunca ese régimen mientras fue
poderoso.

(2) El día que se haga en serio la historia del último siglo se verá
que esa generación es la efectivamente culpable del desarreglo actual
de Europa.

lino, como tal, es preterido y desestimado. Porque así como la mujer no puede en ningún caso ser definida sin referirla al varón, tiene éste el privilegio de que la mayor y mejor porción de sí mismo es independiente por completo de que la mujer exista o no. Ciencia, técnica, guerra, política, deporte, etc., son cosas en que el hombre se ocupa con el centro vital de su persona, sin que la mujer tenga intervención sustantiva. Este privilegio de lo masculino, que le permite en amplia medida bastarse a sí mismo, acaso parezca irritante. Es posible que no lo sea. Yo no lo aplaudo ni lo vitupero, pero tampoco lo invento. Es una realidad de primera magnitud con que la naturaleza, inexorable en sus voluntades, nos obliga a contar.

La veracidad, pues, me fuerza a decir que todas las épocas masculinas de la historia se caracterizan por la falta de interés hacia la mujer. Ésta queda relegada al fondo de la vida, hasta el punto de que el historiador, forzado a una óptica de lejanía, apenas si la ve. En el haz histórico aparecen sólo hombre, y, en efecto, los hombres viven a la sazón sólo con hombres. Su trato normal con la mujer queda excluido de la zona diurna y luminosa en que acontece lo más valioso de la vida, y se recoge en la tiniebla, en el subterráneo de las horas inferiores, entregadas a los puros instintos —sensualidad, paternidad, familiaridad—. Egregia ocasión de masculinidad fue el siglo de Pericles, siglo sólo para hombres. Se vive en público: ágora, gimnasio, campamento, trirreme. El hombre maduro asiste a los juegos de los efebos desnudos y se habitúa a discernir las más finas calidades de la belleza varonil, que el escultor va a comentar en el mármol. Por su parte, el adolescente bebe en el aire ático la fluencia de palabras agudas que brota de los viejos dialécticos, sentados en los pórticos con la cayada en la axila. ¿La mujer?... Sí, a última hora, en el banquete varonil, hace su entrada bajo la especie de flautistas y danzarinas que ejecutan sus humildes destrezas al fondo, muy al fondo de la escena, como sostén y pausa a la conversación que languidece. Alguna vez, la mujer se adelanta un poco: Aspasia. ¿Por qué? Porque ha aprendido el saber de los hombres, porque se ha masculinizado.

Aunque el griego ha sabido esculpir famosos cuerpos de mujer, su interpretación de la belleza femenina no logró desprenderse de la preferencia que sentía por la belleza del varón. La Venus de Milo es una figura masculofemínea, una especie de atleta con senos. Y es un ejemplo de cómica insinceridad que haya sido propuesta imagen tal al entusiasmo de los europeos durante el siglo XIX, cuando

más ebrios vivían de romanticismo y de fervor hacia la
pura, extremada feminidad. El canon del arte griego quedó inscrito en las formas del muchacho deportista, y cuando esto no le bastó, prefirió soñar con el hermafrodita. (Es
curioso advertir que la sensualidad primeriza del niño le
hace normalmente soñar con el hermafrodita; cuando más
tarde separa la forma masculina de la femenina sufre
—por un instante— amarga desilusión. La forma femenina le parece como una mutilación de la masculina; por
lo tanto, como algo incompleto y vulnerado) (1).

Sería un error atribuir este masculinismo, que culmina
en el siglo de Pericles, a una nativa ceguera del hombre
griego para los valores de feminidad, y oponerle el pre-
sunto rendimiento del germano ante la mujer. La verdad
es que en otras épocas de Grecia anteriores a la clásica
triunfó lo femenino, como en ciertas etapas del germanis-
mo domina lo varonil. Precisamente aclara mejor que otro
ejemplo la diferencia entre épocas de uno y otro sexo lo
acontecido en la Edad Media, que por sí misma se divide
en dos porciones: la primera, masculina; la segunda, desde el siglo XII, femenina.

En la primera Edad Media la vida tiene el más rudo
cariz. Es preciso guerrear cotidianamente, y a la noche,
compensar el esfuerzo con el abandono y el frenesí de la
orgía. El hombre vive casi siempre en campamentos, solo
con otros hombres, en perpetua emulación con ellos sobre
temas viriles: esgrima, caballería, caza, bebida. El hombre,
como dice un texto de la época, «no debe separarse, hasta
la muerte, de la crin de su caballo y pasará su vida a la
sombra de la lanza». Todavía en tiempos de Dante algunos nobles —los Lamberti, los Soldanieri— conservaban,
en efecto, el privilegio de ser enterrados a caballo (2).

En tal paisaje moral, la mujer carece de papel y no in-
terviene en lo que podemos llamar vida de primera clase.
Entendámonos: en todas las épocas se ha deseado a la mujer, pero no en todas se la ha estimado. Así en esta bronca
edad. La mujer es botín de guerra. Cuando el germano de
estos siglos se ocupa en idealizar la mujer, imagina la val-
quiria, la hembra beligerante, virago musculosa que posee
actitudes y destrezas de varón.

Esta existencia de áspero régimen crea las bases primeras, el subsuelo del porvenir europeo. Merced a ella se ha

(1)   Tengo idea de que Freud se ocupa minuciosamente de este hecho.
Como hace dieciséis años que leí a este autor, no recuerdo bien en qué
obra trata el asunto; pero con alguna probabilidad dirijo al lector hacia la que entonces se titulaba *Tres ensayos sobre teoría sexual.*
(2)   Véase la *Cronaca,* de Fra Salimbene (Parma, 1857, págs. 94-102).

conseguido ya en el siglo XII acumular alguna riqueza, contar con un poco de orden, de paz, de bienestar. Y he aquí que, rápidamente, como en ciertas jornadas de primavera, cambia la faz de la historia. Los hombres empiezan a pulirse en la palabra y en el modal. Ya no se aprecia el ademán bronco, sino el gesto mesurado, grácil. A la continua pendencia sustituye el *solatz e deport* —que quiere decir conversación y juego—. La mutación se debe al ingreso de la mujer en el escenario de la vida pública. La corte de los carolingios era exclusivamente masculina. Pero en el siglo XII las altas damas de Provenza y Borgoña tienen la audacia sorprendente de afirmar, frente al Estado de los guerreros y frente a la Iglesia de los clérigos, el valor específico de la pura feminidad. Esta nueva forma de vida pública, donde la mujer es el centro, contiene el germen de lo que, frente a Estado e Iglesia, se va a llamar siglos más tarde «sociedad». Entonces se llamó «corte»; pero no como la antigua corte de guerra y de justicia, sino, «corte de amor». Se trata, nada menos, de todo un nuevo estilo de cultura y de vida...

El Sol, 26 de junio de 1927.

II

Se trata, nada menos, de todo un nuevo estilo de cultura y de vida. Porque hasta el siglo XII no se había encontrado la manera de afirmar la delicia de la existencia, de lo mundanal frente al enérgico tabú que sobre todo el terreno había hecho caer la Iglesia. Ahora aparece la *cortezia* triunfadora de la *clerezia*. Y la *cortezia* es, ante todo, un régimen de vida que va inspirado por el entusiasmo hacia la mujer. Se ve en ella la norma y el centro de la creación. Sin la violencia del combate o del anatema, suavísimamente, la feminidad se eleva a máximo poder histórico. ¿Cómo aceptan este yugo el guerrero y sacerdote, en cuyas manos se hallaban todos los medios de la lucha? No cabe más claro ejemplo de la fuerza indomable que el «sentir del tiempo» posee. En rigor, es tan poderoso que no necesita combatir. Cuando llega, montado sobre los nervios de una nueva generación, sencillamente se instala en el mundo como en una propiedad indiscutida.

La vida del varón pierde el módulo de la etapa masculina y se conforma al nuevo estilo. Sus armas prefieren al combate, la justicia y el torneo, que están ordenados para ser vistos por las damas. Los trajes de los hombres comienzan a imitar las líneas del traje femenino, se ajustan a la cintura y se descotan bajo el cuello. El poeta deja un poco la gesta en que se canta al héroe varonil y tornea la trova que ha sido inventada

sol per domnas lauzar (1).

El caballero desvía sus ideas feudales hacia la mujer y decide «servir» a una dama, cuya cifra pone en el escudo. De esta época proviene el culto a la Virgen María, que proyecta en las regiones trascendentes la entronización de lo femenino, acontecida en el orden sublunar. La mujer se hace ideal del hombre, y llega a ser la forma de todo ideal. Por eso, en tiempo de Dante, la figura femenina absorbe el oficio alegórico de todo lo sublime, de todo lo aspirado. Al fin y al cabo, consta por el Génesis que la mujer no está hecha de barro como el varón, sino que está hecha de sueño de varón.

Ejercitada la pupila en estos esquemas del pretérito, que fácilmente podríamos multiplicar, se vuelve al panorama actual y reconoce al punto que nuestro tiempo no es sólo tiempo de juventud, sino de juventud masculina. El amo del mundo es hoy el muchacho. Y lo es, no porque lo haya conquistado, sino a fuerza de desdén. La mocedad masculina se afirma a sí misma, se entrega a sus gustos y apetitos, a sus ejercicios y preferencias, sin preocuparse del resto, sin acatar o rendir culto a nada que no sea su propia juventud. Es sorprendente la resolución y la unanimidad con que los jóvenes han decidido no «servir» a nada ni a nadie, salvo a la idea misma de la mocedad. Nada parecería hoy más obsoleto que el gesto rendido y curvo con que el caballero bravucón de 1890 se acercaba a la mujer para decirle una frase galante, retorcida como una viruta. Las muchachas han perdido el hábito de ser galanteadas, y ese gesto en que hace treinta años rezumaban todas las resinas de la virilidad, les olería hoy a afeminamiento.

Porque la palabra «afeminado» tiene dos sentidos muy diversos. Por uno de ellos significa el hombre anormal que fisiológicamente es un poco mujer. Estos individuos monstruosos existen en todos los tiempos, como desviación fisiológica de la especie, y su carácter patológico les impide representar la normalidad de ninguna época. Pero en su otro sentido, «amefinado» significa sencillamente homme à femmes, el hombre muy preocupado de la mujer, que gira

----

(1) «Sólo para alabar a las damas», dice el trovador Giraud de Bornelh.

en torno de ella y dispone sus actitudes y persona en vista
de un público femenino. En tiempos de este sexo, esos hombres parecen muy hombres; pero cuando sobrevienen etapas
de masculinismo se descubre lo que en ellos hay de efectivo afeminamiento, pese a su aspecto de matamoros.

Hoy, como siempre que los valores masculinos han predominado, el hombre estima su figura más que la del sexo
contrario y, consecuentemente, cuida su cuerpo y tiende a
ostentarlo. El viejo «afeminado» llama a este nuevo entusiasmo de los jóvenes por el cuerpo viril y a ese esmero
con que lo tratan, afeminamiento, cuando es todo lo contrario. Los muchachos conviven juntos en los estadios y áreas
de deportes. No les interesa más que su juego y la mayor
o menor perfección en la postura o en la destreza. Conviven, pues, en perpetuo concurso y emulación, que versan
sobre calidades viriles. A fuerza de contemplarse en los
ejercicios donde el cuerpo aparece exento de falsificaciones
textiles, adquieren una fina percepción de la belleza física
varonil, que cobra a sus ojos un valor enorme. Nótese que
sólo se estima la excelencia en las cosas de que se entiende.
Sólo estas excelencias, claramente percibidas, arrastran el
ánimo y lo sobrecogen (1).

De aquí que las modas masculinas hayan tendido estos
años a subrayar la arquitectura masculina del hombre joven, simplificando un tipo de traje tan poco propicio para
ello como el heredado del siglo XIX. Era menester que bajo
los tubos o cilindros de tela en que este horrible traje consiste, se afirmase el cuerpo del futbolista.

Tal vez desde los tiempos griegos no se ha estimado tanto la belleza masculina como ahora. Y el buen observador
nota que nunca las mujeres han hablado tanto y con tal
descaro como ahora de los hombres guapos. Antes, sabían
callar su entusiasmo por la belleza de un varón, si es que
la sentían. Pero, además, conviene apuntar que la sentían
mucho menos que en la actualidad. Un viejo psicólogo habituado a meditar sobre estos asuntos sabe que el entusiasmo de la mujer por la belleza corporal del hombre,
sobre todo por la belleza fundada en la corrección atlé-
tica, no es casi nunca espontáneo. Al oir hoy con tanta
frecuencia el cínico elogio del hombre guapo brotando de labios femeninos, en vez de colegir ingenuamente y sin más:
«A la mujer de 1927 le gustan superlativamente los hombres guapos», hace un descubrimiento más hondo: la mu-

_____

(1) Por esto la estimación del escritor en España es siempre falsa
y más bien obra de la buena voluntad que de sincero entusiasmo. En
cambio, en Francia tiene el escritor un formidable poder social. Simplemente porque los franceses entienden de literatura.

jer de 1927 ha dejado de acuñar los valores por sí misma y acepta el punto de vista de los hombres que en esta fecha sienten, en efecto, entusiasmo por la espléndida figura del atleta. Ve, pues, en ello un síntoma de primera categoría, que revela el predominio del punto de vista varonil.

No sería objeción contra esto que alguna lectora, perescrutando sinceramente en su interior, reconociese que no se daba cuenta de ser influida en su estima de la belleza masculina por el aprecio que de ella hacen los jóvenes. De todo aquello que es un impulso colectivo y empuja la vida histórica entera en una u otra dirección, no nos damos cuenta nunca, como no nos damos cuenta del movimiento estelar que lleva nuestro planeta, ni de la faena química en que se ocupan nuestras células. Cada cual cree vivir por su cuenta, en virtud de razones que supone personalísimas. Pero el hecho es que bajo esa superficie de nuestra conciencia actúan las grandes fuerzas anónimas, los poderosos alisios de la historia, soplos gigantes que nos movilizan a su capricho.

Tampoco sabe bien la mujer de hoy por qué fuma, por qué se viste como se viste, por qué se afana en deportes físicos. Cada una podrá dar su razón diferente, que tendrá alguna verdad, pero no la bastante. Es mucha casualidad que al presente el régimen de la asistencia femenina en los órdenes más diversos coincida siempre en esto: la asimilación al hombre. Si en el siglo XII el varón se vestía como la mujer y hacía bajo su inspiración versitos dulcifluos, hoy la mujer imita al hombre en el vestir y adopta sus ásperos juegos. La mujer procura hallar en su corporeidad las líneas del otro sexo. Por eso lo más característico de las modas actuales no es la exigüidad del encubrimiento, sino todo lo contrario. Basta comparar el traje de hoy con el usado en la época de otro Directorio mayor —1800— para descubrir la esencia variante, tanto más expresiva cuanto mayor es la semejanza. El traje Directorio era también una simple túnica, bastante corta, casi como la de ahora. Sin embargo, aquel desnudo era un perverso desnudo de mujer. Ahora la mujer va desnuda como un muchacho. La dama Directorio acentuaba, ceñía y ostentaba el atributo femenino por excelencia: aquella túnica era el más sobrio tallo para sostener la flor del seno. El traje actual, aparentemente tan generoso en la nudificación, oculta, en cambio, anula, escamotea, el seno femenino.

Es una equivocación psicológica explicar las modas vigentes por un supuesto afán de excitar los sentidos del varón, que se han vuelto un poco indolentes. Esta indolencia es un hecho, y yo no niego que en el talle de la indumentaria y de las actitudes influya ese propósito incitativo; pero las líneas generales de la actual figura femenina están inspiradas por una intención opuesta: la de parecerse un poco al hombre joven. El descaro e impudor de la mujer contemporánea son, más que femeninos, el descaro e impudor de un muchacho que da a la intemperie su carne elástica. Todo lo contrario, pues, de una exhibición lúbrica y viciosa. Probablemente, las relaciones entre los sexos no han sido nunca más sanas, paradisiacas y moderadas que ahora. El peligro está más bien en la dirección inversa. Porque ha acontecido siempre que las épocas masculinas de la historia, desinteresadas de la mujer, han rendido extraño culto al amor dórico. Así en tiempo de Pericles, en tiempo de César, en el Renacimiento.

Es, pues, una bobada perseguir en nombre de la moral la brevedad de las faldas al uso. Hay en los sacerdotes una manía milenaria contra los modistos. A principios del siglo XIII, nota Luchaire, «los sermonarios no cesan de fulminar contra la longitud exagerada de las faldas, que son, dicen, una invención diabólica» (1). ¿En qué quedamos? ¿Cuál es la falda diabólica? ¿La corta, o la larga?

A quien ha pasado su juventud en una época femenina le apena ver la humildad con que hoy la mujer, destronada, procura insinuarse y ser tolerada en la sociedad de los hombres. A este fin acepta en la conversación los temas que prefieren los muchachos y habla de deportes y de automóviles, y cuando pasa la ronda de *cocktails* bebe como un barbián. Esta mengua del poder femenino sobre la sociedad es causa de que la convivencia sea en nuestros días tan áspera. Inventora la mujer de la *cortezia*, su retirada del primer plano social ha traído el imperio de la descortesía. Hoy no se comprenderá un hecho como el acaecido en el siglo XVII con motivo de la beatificación de varios santos españoles —entre ellos, San Ignacio, San Francisco Javier y Santa Teresa de Jesús—. El hecho fue que la beatificación sufrió una larga demora por la disputa surgida entre los cardenales sobre quién habría de entrar primero en la oficial beatitud: la dama Cepeda o los varones jesuitas.

El Sol, 3 de julio de 1927.

---

(1) Achille Luchaire. *La société française au temps de Philippe Auguste*, pág. 376.

ÍNDICE DE AUTORES

DE LA

COLECCIÓN AUSTRAL

ÍNDICE DE AUTORES DE LA COLECCIÓN AUSTRAL

HASTA EL NÚMERO 1336

* Volumen extra

ABENTOFÁIL, Abuchafar
1195-El filósofo autodidacto. *

ABOUT, Edmond
723-El rey de las montañas. *

ABRANTES, Duquesa de
495-Portugal a principios del siglo XIX.

ABREU GÓMEZ, Ermilo
1003-Las leyendas del Popol Vuh.

ABSHAGEN, Karl H.
1303-El almirante Canaris. *

ADLER, Alfredo
775-Conocimiento del hombre. *

AFANASIEV, Alejandro N.
859-Cuentos populares rusos.

AGUIRRE, Juan Francisco
709-Discurso histórico. *

AIMARD, Gustavo
276-Los tramperos del Arkansas. *

AKSAKOV, S. T.
849-Recuerdos de la vida de estudiante.

ALCALÁ GALIANO, Antonio
1048-Recuerdos de un anciano. *

ALFONSO, Enrique
964-...Y llegó la vida. *

ALIGHIERI, Dante
875-El convivio. *
1056-La Divina Comedia. *

ALONSO, Dámaso
595-Hijos de la ira.
1290-Oscura noticia y Hombre y Dios.

ALSINA FUERTES, F., y PRELAT, C. E.
1037-El mundo de la mecánica.

ALTAMIRANO, Ignacio Manuel
108-El Zarco.

ALTOLAGUIRRE, M.
1219-Antología de la poesía romántica española. *

ÁLVAREZ, G.
1157-Mateo Alemán.

ÁLVAREZ QUINTERO, Serafín y Joaquín
124-Puebla de las Mujeres. El genio alegre.
321-Malvaloca. Doña Clarines.

ALLISON PEERS, E.
671-El misticismo español. *

AMADOR DE LOS RÍOS, José
693-Vida del marqués de Santillana.

AMOR, Guadalupe
1277-Antología poética.

ANDREIEV, Leónidas
996-Sachka Yegulev. *
1046-Los espectros.
1159-Las tinieblas.
1226-El misterio y otros cuentos.

ANÓNIMO
5-Poema del Cid. *
59-Cuentos y leyendas de la vieja Rusia.
156-Lazarillo de Tormes. (Prólogo de Gregorio Marañón.)
337-La historia de los nobles caballeros Oliveros de Castilla y Artús Dalgarbe.
359-Libro del esforzado caballero don Tristán de Leonís. *
374-La historia del rey Canamor y del infante Turián, su hijo. La destrucción de Jerusalén.
396-La vida de Estebanillo González. *
416-El conde Partinuples. Roberto el Diablo. Clamades. Clarmonda.
622-Cuentos populares y leyendas de Irlanda.
668-Viaje a través de los mitos irlandeses.
712-Nala y Damayanti. (Episodio del Mahabharata.)
892-Cuentos del Cáucaso.
1197-Poema de Fernán González.
1264-Hitopadeza o Provechosa enseñanza.
1294-El cantar de Roldán.

ANZOÁTEGUI, Ignacio B.
1124-Antología poética.

ARAGO, Domingo F.
426-Grandes astrónomos anteriores a Newton.
543-Grandes astrónomos. (De Newton a Laplace.)

556-Historia de mi juventud. (Viaje por España. 1806-1809.)

ARCIPRESTE DE HITA
98-Libro de buen amor.

ARÈNE, Paul
205-La cabra de oro.

ARISTÓTELES
239-La política. *
296-Moral. (La gran moral. Moral a Eudemo.) *
318-Moral a Nicómaco. *
399-Metafísica. *
803-El arte poética.

ARNICHES, Carlos
1193-El santo de la Isidra. Es mi hombre.
1223-El amigo Melquiades. La señorita de Trevélez.

ARNOLD, Matthew
989-Poesías y poetas ingleses.

ARNOULD, Luis
1237-Almas prisioneras.

ARRIETA, Rafael Alberto
291-Antología poética.
406-Centuria porteña.

ASSOLLANT, Alfredo
386-Aventuras del capitán Corcorán. *

AUNÓS, Eduardo
275-Estampas de ciudades. *

AUSTEN, Jane
823-Persuasión. *
1039-La abadía de Northanger. *
1066-Orgullo y prejuicio. *

AZORÍN
36-Lecturas españolas.
47-Trasuntos de España.
67-Españoles en París.
153-Don Juan.
164-El paisaje de España visto por los españoles.
226-Visión de España.
248-Tomás Rueda.
261-El escritor.
380-Capricho.
420-Los dos Luises y otros ensayos.
461-Blanco en azul. (Cuentos.)
475-De Granada a Castelar.
491-Las confesiones de un pequeño filósofo.

525-María Fontán. (Novela rosa.)
551-Los clásicos redivivos. Los clásicos futuros.
568-El político.
611-Un pueblecito: Riofrío de Ávila.
674-Rivas y Larra.
747-Con Cervantes. *
801-Una hora de España.
830-El caballero inactual.
910-Pueblo.
951-La cabeza de Castilla.
1160-Salvadora de Olbena.
1202-España.
1257-Andando y pensando. Notas de un transeúnte.
1288-De un transeúnte.
1314-Historia y vida. *

BABINI, José
847-Arquímedes.
1007-Historia sucinta de la ciencia. *
1142-Historia sucinta de la matemática.

BAILLIE FRASER, Jaime
1062-Viaje a Persia.

BALMES, Jaime
35-Cartas a un escéptico en materia de religión. *
71-El criterio. *

BALZAC, Honorato de
793-Eugenia Grandet. *

BALLANTYNE, Roberto M.
259-La isla de coral. *
517-Los mercaderes de pieles. *

BALLESTEROS BERETTA, Antonio
677-Figuras imperiales: Alfonso VII el Emperador. Colón. Fernando el Católico. Carlos V. Felipe II.

BARNOUW, A. J.
1050-Breve historia de Holanda. *

BAROJA, Pío
177-La leyenda de Jaun de Alzate.
206-Las inquietudes de Shanti Andía. *
230-Fantasías vascas.
256-El gran torbellino del mundo. *
288-Las veleidades de la fortuna.
320-Los amores tardíos.
331-El mundo es ansí.
346-Zacalaín el aventurero.
365-La casa de Aizgorri.

377-El mayorazgo de Labraz.
398-La feria de los discretos. *
445-Los últimos románticos.
471-Las tragedias grotescas.
605-El Laberinto de las Sirenas. *
620-Paradox, rey. *
720-Aviraneta o La vida de un conspirador. *
1100-Las noches del Buen Retiro. *
1174-Aventuras, inventos y mixtificaciones de Silvestre Paradox.
1203-La obra de Pello Yarza.
1241-Los pilotos de altura. *
1253-La estrella del capitán Chimista. *

BASAVE F. DEL VALLE, Agustín
1289-Filosofía del Quijote. *
1336-Filosofía del hombre. *

BARRIOS, Eduardo
1120-Gran señor y rajadiablos. *

BASHKIRTSEFF, María
165-Diario de mi vida.

BAUDELAIRE, C.
885-Pequeños poemas en prosa. Crítica de arte.

BAYO, Ciro
544-Lazarillo español. *

BEAUMARCHAIS, P. A. Caron de
728-El casamiento de Fígaro.

BÉCQUER, Gustavo A.
3-Rimas y leyendas.
788-Desde mi celda.

BENAVENTE, Jacinto
34-Los intereses creados. Señora ama.
84-La malquerida. La noche del sábado. *
94-Cartas de mujeres.
305-La fuerza bruta. Lo cursi.
450-La comida de las fieras. Al natural.
550-Rosas de otoño. Pepa Doncel.
701-Titania. La infanzona.
1293-Campo de armiño. La ciudad alegre y confiada. *

BENET, Stephen Vincent
1250-Historia sucinta de los Estados Unidos.

BENEYTO, Juan
971-España y el problema de Europa. *

BENITO, José de
1295-Estampas de España e Indias. *

BENOIT, Pierre
1113-La señorita de la Ferté. *
1258-La castellana del Líbano. *

BERCEO, Gonzalo de
344-Vida de Sancto Domingo de Silos. Vida de Sancta Oria, virgen.
716-Milagros de Nuestra Señora.

BERDIAEV, Nicolás
26-El cristianismo y el problema del comunismo.
61-El cristianismo y la lucha de clases.

BERGERAC, Cyrano de
287-Viaje a la Luna e Historia cómica de los Estados e Imperios del Sol. *

BERKELEY, J.
1108-Tres diálogos entre Hilas y Filonús.

BERLIOZ, Héctor
992-Beethoven.

BERNÁRDEZ, Francisco Luis
610-Antología poética. *

BJOERNSON, Bjoernstjerne
796-Synnoeve-Solbakken.

BLASCO IBÁÑEZ, Vicente
341-Sangre y arena. *
351-La barraca. *
361-Arroz y tartana. *
390-Cuentos valencianos. *
410-Cañas y barro. *
508-Entre naranjos. *
581-La condenada y otros cuentos.

BOECIO, Severino
394-La consolación de la filosofía.

BORDEAUX, Henri
809-Yamilé.

BOSSUET, J. B.
564-Oraciones fúnebres. *

BOSWELL, James
899-La vida del doctor Samuel Johnson. *

BOUGAINVILLE, L. A. de
349-Viaje alrededor del mundo. *

BOYD CORREL, A., y MAC DONALD, Philip
1057-La rueda oscura. *

BRET HARTE, Francisco
963-Cuentos del Oeste. *

1126-Maruja.
1156-Una noche en vagón-cama.
BRONTË, Carlota
1182-Jane Eyre. *
BRUNETIÈRE, Fernando
783-El carácter esencial de la literatura francesa.
BUCK, P arl S.
1263-Mujeres sin cielo. *
BURTON, Roberto
669-Anatomía de la melancolía.
BUSCH, Francis X.
1229-Tres procesos célebres. *
BUTLER, Samuel
285-Erewhon. *
BYRON, Lord
111-El corsario. Lara. El sitio de Corinto. Mazeppa.
CABEZAS, Juan Antonio
1183-Rubén Darío. *
1313-«Clarín», el provinciano universal. *
CADALSO, José
1078-Cartas marruecas.
CALDERÓN DE LA BARCA, Pedro
39-El alcalde de Zalamea. La vida es sueño. *
289-El mágico prodigioso. Casa con dos puertas, mala es de guardar.
384-La devoción de la cruz. El gran teatro del mundo.
496-El mayor monstruo del mundo. El príncipe constante.
593-No hay burlas con el amor. El médico de su honra. *
659-A secreto agravio, secreta venganza. La dama duende.
CALVO SOTELO, Joaquín
1238-La visita que no tocó el timbre. Nuestros ángeles.
CAMACHO, Manuel
1281-Desistimiento español en la empresa imperial.
CAMBA, Julio
22-Londres.
269-La ciudad automática.
295-Aventuras de una peseta.
343-La casa de Lúculo.

654-Sobre casi todo.
687-Sobre casi nada.
714-Un año en el otro mundo.
740-Playas, ciudades y montañas.
754-La rana viajera.
791-Alemania. *
1282-Millones al horno.
CAMOENS Luis de
1068-Los Lusiadas. *
CAMPOAMOR, Ramón de
238-Doloras. Cantares. Los pequeños poemas.
CANCELA, Arturo
423-Tres relatos porteños. Tres cuentos de la ciudad.
CANÉ, Miguel
255-Juvenilia y otras páginas argentinas.
CANILLEROS, Conde de
1168-Tres testigos de la conquista del Perú.
CAPDEVILA, Arturo
97-Córdoba del recuerdo.
222-Las invasiones inglesas.
352-Primera antología de mis versos. *
506-Tierra mía.
607-Rubén Darío. «Un Bardo Rei». *
810-El padre Castañeda. *
905-La dulce patria.
970-El hombre de Guayaquil.
CARLYLE, Tomás
472-Los primitivos reyes de Noruega.
906-Recuerdos. *
1009-Los héroes. *
1079-Vida de Schiller.
CARRÈRE, Emilio
891-Antología poética.
CASARES, Julio
469-Crítica profana. Valle-Inclán, Azorín y Ricardo León. *
1305-Cosas del lenguaje. *
1317-**Crítica efímera. *
CASTELLO BRANCO, Camilo
582-Amor de perdición. *
CASTIGLIONE, Baltasar
549-El cortesano. *
CASTILLO SOLÓRZANO
1249-La garduña de Sevilla y Anzuelo de las bolsas. *
CASTRO, Guillén de
583-Las mocedades del Cid. *

CASTRO, Miguel de
924-Vida del soldado español Miguel de Castro. *
CASTRO, Rosalía de
243-Obra poética.
CASTROVIEJO, José María, y CUNQUEIRO, Álvaro
1318-.Viaje por los montes y chimeneas de Galicia. Caza y cocina gallegas.
CATALINA, Severo
1239-La mujer. *
CELA, Camilo José
1141-Viaje a la Alcarria.
CEBES, TEOFRASTO, EPICTETO
733-La tabla de Cebes. Caracteres morales. Enquiridión o máximas.
CERVANTES, Miguel de
29-Novelas ejemplares. *
150-Don Quijote de la Mancha. *
567-Novelas ejemplares. *
686-Entremeses.
774-El cerco de Numancia. El gallardo español.
1065-Los trabajos de Persiles y Sigismunda. *
CÉSAR, Julio
121-Comentario de la guerra de las Galias. *
CICERÓN
339-Los oficios.
CIEZA DE LEÓN, P. de
507-La crónica del Perú. *
CLARÍN (Leopoldo Alas)
444-¡Adiós, «Cordera»!, y otros cuentos.
CLERMONT, Emilio
816-Laura. *
COLOMA, P. Luis
413-Pequeñeces. *
421-Jeromín. *
435-La reina mártir. *
COLÓN, Cristóbal
633-Los cuatro viajes del Almirante y su testamento. *
CONCOLORCORVO
609-El lazarillo de ciegos caminantes. *
CONDAMINE, Carlos María de la
268-Viaje a la América meridional.
CONSTANT, Benjamín
938-Adolfo.
CORNEILLE, Pedro
813-El Cid. Nicomedes.

CORTÉS, Hernán
547-Cartas de relación de la conquista de México. *

COSSÍO, Francisco de
937-Aurora y los hombres.

COSSÍO, José María de
490-Los toros en la poesía.
762-Romances de tradición oral.
1138-Poesía española. (Notas de asedio.)

COSSÍO, Manuel Bartolomé
500-El Greco. *

COUSIN, Víctor
696-Necesidad de la filosofía.

CROWTHER, J. G.
497-Humphry Davy, Michael Faraday. (Hombres de ciencia británicos del siglo XIX.)
509-J. Prescott Joule. W. Thompson. J. Clark Maxwell. (Hombres de ciencia británicos del siglo XIX.) *
518-T. Alva Edison. J. Henry. (Hombres de ciencia norteamericanos del siglo XIX.)
540-Benjamín Franklin. J. Willard Gibbs. (Hombres de ciencia norteamericanos del siglo XIX.) *

CRUZ, Sor Juana Inés de la
12-Obras escogidas.

CUEVA, Juan de la
895-El infamador. Los siete infantes de Lara.

CUI, César
758-La música en Rusia.

CUNQUEIRO, Álvaro, y CASTROVIEJO, José María
1318-Viaje por los montes y chimeneas de Galicia. Caza y cocina gallegas.

CURIE, Eva
451-La vida heroica de María Curie, descubridora del radium, contada por su hija. *

CHAMISSO, Adalberto de
852-El hombre que vendió su sombra.

CHAMIZO, Luis
1269-El miajón de los castúos.

CHATEAUBRIAND, Vizconde de
50-Atala. René. El último Abencerraje.

CHEJOV, Antón P.
245-El jardín de los cerezos.
279-La cerilla sueca.
348-Historia de mi vida.
418-Historia de una anguila.
753-Los campesinos.
838-La señora del perro y otros cuentos.
923-La sala número seis.

CHERBULIEZ, Víctor
1042-El conde Kostia. *

CHESTERTON, Gilbert K.
20-Santo Tomás de Aquino.
125-La esfera y la cruz. *
170-Las paradojas de míster Pond.
523-Charlas. *
625-Alarmas y digresiones.

CHMELEV, Iván
95-El camarero.

CHOCANO, José Santos
751-Antología poética. *

CHRÉTIEN DE TROYES
1308-Perceval o El cuento del grial. *

DANA, R. E.
429-Dos años al pie del mástil.

DAUDET, Alfonso
738-Cartas desde mi molino.
755-Tartarín de Tarascón.
972-Recuerdos de un hombre de letras.

D'AUREVILLY, J. Barbey
968-El caballero Des Touches.

DÁVALOS, Juan Carlos
617-Cuentos y relatos del Norte argentino.

DEFOE, Daniel
1292-Aventuras de Robinsón Crusoe.
1298-Nuevas aventuras de Robinsón Crusoe. *

DELEDDA, Grazia
571-Cósima.

DELFINO, Augusto Mario
463-Fin de siglo.

DELGADO, J. M.
563-Juan María. *

DEMAISON, André
262-El libro de los animales llamados salvajes.

DÍAZ CAÑABATE, Antonio
711-Historia de una taberna. *

DÍAZ DE GUZMÁN, Ruy
519-La Argentina. *

DÍAZ DEL CASTILLO, Bernal
1274-Historia verdadera de la conquista de la Nueva España. *

DÍAZ-PLAJA, Guillermo
297-Hacia un concepto de la literatura española.
1147-Introducción al estudio del romanticismo español. *
1221-Federico García Lorca. *

DICKENS, Carlos
13-El grillo del hogar.
658-El reloj del señor Humphrey.
717-Cuentos de Navidad. *
772-Cuentos de Boz.

DICKSON, C.
757-Murió como una dama. *

DIDEROT, D.
1112-Vida de Séneca. *

DIEGO, Gerardo
219-Primera antología de sus versos.

DIEHL, Carlos
1309-Una república de patricios: Venecia. *
1324-Grandeza y servidumbre de Bizancio. *

DINIZ, Julio
732-La mayorazguita de Los Cañaverales. *

DONOSO, Armando
376-Algunos cuentos chilenos. (Antología de cuentistas chilenos.)

DONOSO CORTÉS, Juan
864-Ensayo sobre el catolicismo, el liberalismo y el socialismo. *

D'ORS, Eugenio
465-El valle de Josafat.

DOSTOYEVSKI, Fedor
167-Stepantchikovo.
267-El jugador.
322-Noches blancas. El diario de Raskolnikov.
1059-El ladrón honrado.
1093-Nietochka Nezvanova.
1254-Una historia molesta. Corazón débil.
1262-Diario de un escritor. *

DROZ, Gustavo
979-Tristezas y sonrisas.

DUHAMEL, Georges
928-Confesión de medianoche.

DUMAS, Alejandro
882-Tres maestros: Miguel Ángel, Ticiano, Rafael.

DUNCAN, David
887-La hora en la sombra.

EÇA DE QUEIROZ, J. M.
209-La ilustre casa de Ramires. *

ECKERMANN, J. P.
973-Conversaciones con Goethe.

ECHAGÜE, Juan Pablo
453-Tradiciones, leyendas y cuentos argentinos.
1005-La tierra del hambre.

EHINGER, H. H.
1092-Clásicos de la música.*

EICHENDORFF, José de
926-Episodios de una vida tunante.

ELIOT, George
949-Silas Marner. *

ELVAS, Fidalgo de
1099-Expedición de Hernando de Soto a Florida.

EMERSON, R. W.
1032-Ensayos escogidos.

ENCINA, Juan de la
1266-Van Gogh. *

EPICTETO, TEOFRASTO, CEBES
733-Enquiridión o máximas. Caracteres morales. La tabla de Cebes.

ERASMO, Desiderio
682-Coloquios. *
1179-Elogio de la locura.

ERCILLA, Alonso de
722-La Araucana.

ERCKMANN-CHATRIAN
486-Cuentos de orillas del Rhin.
912-Historia de un recluta de 1813.
945-Waterloo. *

ESPINA, Antonio
174-Luis Candelas. El bandido de Madrid.
290-Gavinet. El hombre y la obra.

ESPINA, Concha
1131-La niña de Luzmela.
1158-La rosa de los vientos. *
1196-Altar mayor. *
1230-La esfinge maragata. *

ESPINOSA, Aurelio M.
585-Cuentos populares de España. *

ESPINOSA (hijo), Aurelio M.
645-Cuentos populares de Castilla.

ESPRONCEDA, José de
917-Poesías líricas. El estudiante de Salamanca.

ESQUILO
224-La Orestíada. Prometeo encadenado.

ESTÉBANEZ CALDERÓN, S.
188-Escenas andaluzas.

EURÍPIDES
432-Alcestes. Las bacantes. El cíclope.
623-Electra. Ifigenia en Táuride. Las troyanas.
653-Orestes. Medea. Andrómaca. *

EYZAGUIRRE, Jaime
641-Ventura de Pedro de Valdivia.

FALLA, Manuel de
950-Escritos sobre música y músicos.

FARMER, Laurence, y HEXTER, George J.
1137-¿Cuál es su alergia?

FAULKNER, W.
493-Santuario. *

FERNÁN CABALLERO
56-La familia de Alvareda.
364-La gaviota. *

FERNÁNDEZ DE AVELLANEDA, Alonso
603-El Quijote.

FERNÁNDEZ DE VELASCO Y PIMENTEL, B.
662-Deleite de la discreción. Fácil escuela de la agudeza.

FERNÁNDEZ FLÓREZ, Wenceslao
145-Las gafas del diablo.
225-La novela número 13. *
263-Las siete columnas. *
284-El secreto de Barba-Azul. *
325-El hombre que compró un automóvil.

FERNÁNDEZ MORENO, B.
204-Antología 1914-1952. *

FIGUEIREDO, Fidelino de
692-La lucha por la expresión.
741-Bajo las cenizas del tedio.
850-*Historia literaria de Portugal (siglos XII-XX). Introducción histórica. La lengua y literatura portuguesas. (Era medieval.)
861-**Historia literaria de Portugal. (Era clásica: 1502-1825.)
878-***Historia literaria de Portugal. (Era romántica: 1825-actualidad.)

FLAUBERT, Gustavo
1259-Tres cuentos.

FLORO, Lucio Anneo
1115-Gestas romanas.

FORNER, Juan Pablo
1122-Exequias de la lengua castellana.

FÓSCOLO, Hugo
898-Últimas cartas de Jacobo Ortiz.

FOUILLÉ, Alfredo
816-Aristóteles y su polémica contra Platón.

FOURNIER D'ALBE, y JONES, T. W.
663-Efestos. Quo vadimus. Hermes.

FRANKLIN, Benjamín
171-El libro del hombre de bien.

FRAY MOCHO
1103-Tierra de matreros.

FROMENTIN, Eugenio
1234-Domingo. *

FÜLÖP-MILLER, René
548-Tres episodios de una vida.
840-Teresa de Ávila, la santa del éxtasis.
930-Francisco, el santo del amor.
1041-¡Canta, muchacha, cantal
1265-Ignacio, el santo de la voluntad de poder. Agustín, el santo del intelecto.

GÁLVEZ, Manuel
355-El gaucho de los carrillos.
433-El mal metafísico. *
1010-Tiempo de odio y angustia. *
1064-Han tocado a degüello. (1840-1842.) *
1144-Bajo la garra anglofrancesa. *
1205-Y así cayó don Juan Manuel. *

GALLEGOS, Rómulo
168-Doña Bárbara. *
192-Cantaclaro. *
213-Canaima. *
244-Reinaldo Solar. *
307-Pobre negro. *
338-La trepadora. *
425-Sobre la misma tierra. *
851-La rebelión y otros cuentos.
902-Cuentos venezolanos. *
1101-El forastero. *

GANIVET, Ángel
126-Cartas finlandesas. Hombres del Norte.

139-Idearium español. El porvenir de España.

GARCÍA DE LA HUERTA, Vicente
684-Raquel. Agamenón vengado.

GARCÍA GÓMEZ, Emilio
162-Poemas arabigoandaluces.
513-Cinco poetas musulmanes. *
1220-Silla del Moro. Nuevas escenas andaluzas.

GARCÍA ICAZBALCETA, J.
1106-Fray Juan de Zumárraga. *

GARCÍA MERCADAL, J.
1180-Estudiantes, sopistas y pícaros. *

GARCÍA MORENTE, Manuel
1302-Idea de la hispanidad. *

GARCÍA Y BELLIDO, Antonio
515-España y los españoles hace dos mil años, según la geografía de Strabon. *
744-La España del siglo 1 de nuestra era, según P. Mela y C. Plinie. *

GARIN, Nicolás
708-La primavera de la vida.
719-Los colegiales.
749-Los estudiantes.
883-Los ingenieros. *

GASKELL, Isabel C.
935-Mi prima Filis.
1053-María Barton. *
1086-Cranford. *

GELIO, Aulo
1128-Noches áticas. (Selección.)

GÉRARD, Julio
367-El matador de leones.

GIBBON, Edward
915-Autobiografía.

GIL, Martín
447-Una novena en la sierra.

GIRAUDOUX, Jean
1267-La escuela de los indiferentes.

GOBINEAU, Conde de
893-La danzarina de Shamaka y otras novelas asiáticas.
1036-El Renacimiento. *

GOETHE, J. W.
60-Las afinidades electivas. *
449-Las cuitas de Werther.
608-Fausto.

752-Egmont.
1023-Hermann y Dorotes.
1038-Memorias de mi niñez. *
1055-Memorias de la Universidad. *
1076-Memorias del joven escritor. *
1096-Campaña de Francia y Cerco de Maguncia. *

GOGOL, Nicolás
173-Tarás Bulba. Nochebuena.
746-Cuentos ucranios.
907-El retrato y otros cuentos.

GOLDONI, Carlos
1025-La posadera.

GOLDSMITH, Oliverio
869-El vicario de Wakefield. *

GOMES DE BRITO, Bernardo
825-Historia trágico-marítima. *

GÓMEZ DE AVELLANEDA, Gertrudis
498-Antología. (Poesías y cartas amorosas.)

GÓMEZ DE LA SERNA, Ramón
14-La mujer de ámbar.
143-Greguerías. Selección 1910-1960.
308-Los muertos y las muertas.
427-Don Ramón María del Valle-Inclán. *
920-Goya. *
1171-Quevedo. *
1212-Lope viviente.
1299-Piso bajo.
1310-Cartas a las golondrinas. Cartas a mí mismo. *
1321-Caprichos. *
1330-El hombre perdido. *

GOMPERTZ, M., y MASSINGHAM, H. J.
529-La panera de Egipto y La Edad de Oro.

GONCOURT, Edmundo de
873-Los hermanos Zemganno. *

GONCOURT, E., y J. de
853-Renata Mauperin. *
916-Germinia Lacerteux. *

GÓNGORA, Luis de
75-Antología.

GONZÁLEZ DE CLAVIJO, Ruy
1104-Relación de la embajada de Enrique III al gran Tamorlán. *

GONZÁLEZ DE MENDOZA, P., y PÉREZ DE AYALA, M.
689-El Concilio de Trento.

GONZÁLEZ MARTÍNEZ, Enrique
333-Antología poética.

GONZÁLEZ OBREGÓN, L.
494-México viejo y anecdótico.

GONZÁLEZ-RUANO, César
1285-Baudelaire. *

GOSS, Madeleine
587-Sinfonía inconclusa. La historia de Franz Schubert. *

GOSS, Madeleine, y HAVEN SCHAUFER, Robert
670-Brahms. Un maestro en la música. *

GOSSE, Philip
795-Los corsarios berberiscos. Los piratas del Norte. Historia de la piratería.
814-Los piratas del Oeste. Los piratas de Oriente. *

GRACIÁN, Baltasar
49-El héroe. El discreto.
258-Agudeza y arte de ingenio. *
400-El Criticón. *

GRANADA, Fray Luis de
642-Introducción del símbolo de la fe. *
1139-Vida del venerable maestro Juan de Ávila.

GUÉRARD, Alberto
1040-Breve historia de Francia. *

GUERRA JUNQUEIRO, A.
1213-Los simples.

GUEVARA, Antonio de
242-Epístolas familiares.
759-Menosprecio de corte y alabanza de aldea.

GUINNARD, A.
191-Tres años de esclavitud entre los patagones.

GUNTHER, John
1030-Muerte, no te enorgullezcas. *

HARDY, Tomás
25-La bien amada.

HATCH, Alden, y WALSHE, Seamus
1335-Corona de gloria. La vida del papa Pío XII. *

HAVEN SCHAUFER, Robert, y GOSS, Madeleine
670-Brahms. Un maestro en la música.

HAWTHORNE, Nathaniel
819-Cuentos de la Nueva Holanda.
1082-La letra roja. *

HEARN, Lafcadio
217-Kwaidan.
1029-El romance de la Vía Láctea.

HEBBEL, C. F.
569-Los Nibelungos.

HEBREO, León
704-Diálogos de amor. *

HEGEL, G. F.
594-De lo bello y sus formas.
726-Sistemas de las artes. (Arquitectura, escultura, pintura y música.)
773-Poética.

HEINE, Enrique
184-Noches florentinas.
952-Cuadros de viaje. *

HENNINGSEN, C. F.
730-Zumalacárregui. *

HERCZEG, Francisco
66-La familia Gyurkovics. *

HERNÁNDEZ, José
8-Martín Fierro.

HERNÁNDEZ, Miguel
908-El rayo que no cesa.

HESSE, Hermann
925-Gertrudis.
1151-A una hora de medianoche.

HESSEN, J.
107-Teoría del conocimiento.

HEXTER, George J., y FARMER, Laurence
1137-¿Cuál es su alergia?

HEYSE, Paul
982-El camino de la felicidad.

HILL, A. V.; STARK, L. M.; PRICE, G. A., y otros
944-Ciencia y civilización. *

HOFFMANN
863-Cuentos. *

HOMERO
1004-Odisea. *
1207-Ilíada. *

HORACIO
643-Odas.

HOWIE, Edith
1164-El regreso de Nola.

HUARTE, Juan
599-Examen de ingenios para las ciencias. *

HUDSON, G. E.
182-El ombú y otros cuentos rioplatenses.

HUGO, Víctor
619-Hernani. El rey se divierte.
652-Literatura y filosofía.
673-Cromwell. *

HUMBOLDT, Guillermo de
1012-Cuatro ensayos sobre España y América. *

HURET, Jules
1075-La Argentina.

IBARBOUROU, Juana de
265-Poemas.

IBSEN, H.
193-Casa de muñecas. Juan Gabriel Borkmann.

ICAZA, Carmen de
1233-Yo, la reina. *

INSÚA, Alberto
82-Un corazón burlado.
316-El negro que tenía el alma blanca. *
328-La sombra de Peter Wald. *

IRIARTE, Tomás de
1247-Fábulas literarias.

IRIBARREN, Manuel
1027-El príncipe de Viana. *

IRVING, Washington
186-Cuentos de la Alhambra. *
476-La vida de Mahoma. *
765-Cuentos del antiguo Nueva York.

ISAACS, Jorge
913-María. *

ISÓCRATES
412-Discursos histórico-políticos.

JACOT, Luis
1167-El Universo y la Tierra.
1189-Materia y vida. *
1216-El mundo del pensamiento.

JAMESON, Egon
93-De la nada a millonarios.

JAMMES, Francis
9-Rosario al Sol.
894-Los Robinsones vascos.

JANINA, Condesa Olga
782-Los recuerdos de una cosaca.

JENOFONTE
79-La expedición de los diez mil (Anábasis).

JIJENA SÁNCHEZ, Lidia R. de
1114-Poesía popular y tradicional americana. *

JOKAI, Mauricio
919-La rosa amarilla.

JOLY, Henri
812-Obras clásicas de la filosofía. *

JONES, T. W., y FOURNIER D'ALBE
663-Hermes y Efestos. Quo vadimus.

JUAN MANUEL, Infante don
676-El conde Lucanor.

JUNCO, Alfonso
159-Sangre de Hispania.

KANT, Emmanuel
612-Lo bello y lo sublime. La paz perpetua.
648-Fundamentación de la metafísica de las costumbres.

KARR, Alfonso
942-La Penélope normanda.

KELLER, Gottfried
383-Los tres honrados peineros y otras novelas.

KEYSERLING, Conde de
92-La vida íntima.

KIERKEGAARD, Sören
158-Concepto de la angustia.
1132-Diario de un seductor.

KINGSTON, W. H. G.
375-A lo largo del Amazonas. *
474-Salvado del mar. *

KIPLING, Rudyard
821-Capitanes valientes. *

KIRKPATRICK, F. A.
130-Los conquistadores españoles. *

KITCHEN, Fred
831-A la par de nuestro hermano el buey. *

KLEIST, Heinrich von
865-Michael Kohlhaas.

KOESSLER, Berta
1208-Cuentan los araucanos...

KOROLENKO, Vladimiro
1133-El día del juicio. Novelas.

KOTZEBUE, Augusto de
572-De Berlín a París en 1804. *

KSCHEMISVARA y LI HSING-TAO
215-La ira de Cáusica. El círculo de tiza. *

LABIN, Eduardo
575-La liberación de la energía atómica.

LAERCIO, Diógenes
879-Vidas de los filósofos más ilustres.

936-**Vidas de los filósofos más ilustres.
978-***Vidas de los filósofos más ilustres.
LA FAYETTE, Madame de
976-La princesa de Clè-
ves.
LAÍN ENTRALGO, Pedro
784-La generación del 98. *
911-Dos biólogos: Claudio
Bernard y Ramón y
Cajal.
1077-Menéndez Pelayo. *
1279-La aventura de leer. *
LAMARTINE, Alfonso de
858-Graziella.
922-Rafael.
1073-Las confidencias. *
LAMB, Carlos
675-Cuentos basados en el
teatro de Shakespeare.*
LAPLACE, P. S.
688-Breve historia de la astronomía.
LARBAUD, Valéry
40-Fermina Márquez.
LARRA, Mariano José de
306-Artículos de costum-
bres.
LARRETA, Enrique
74-La gloria de don Ra-
miro. *
85-«Zogoibi».
247-Santa María del Buen
Aire. Tiempos ilumi-
nados.
382-La calle de la Vida y
de la Muerte.
411-Tenía que suceder...
Las dos fundaciones de
Buenos Aires.
438-El linyera. Pasión de
Roma.
510-Lo que buscaba Don
Juan. Artemis.
560-Jerónimo y su almoha-
da. Notas diversas.
700-La naranja.
921-Orillas del Ebro. *
1210-Tres films.
1270-Clamor.
1276-El Gerardo. *
LATIMORE, Owen y Eleanor
994-Breve historia de
China. *
LATORRE, Mariano
680-Chile, país de rinco-
nes. *
LEÓN, Fray Luis de
51-La perfecta casada.
522-De los nombres de
Cristo. *
LEÓN, Ricardo
370-Jauja.

391-¡Desperta, Ferro!
481-Casta de hidalgos. *
521-El amor de los amo-
res. *
561-Las siete vidas de Tomás Portolés.
590-El hombre nuevo. *
1291-Alcalá de los Zegríes. *
LEOPARDI
81-Diálogos.
LERMONTOF, M. I.
148-Un héroe de nuestro
tiempo.
LEROUX, Gastón
293-La esposa del Sol. *
378-La muñeca sangrienta.
392-La máquina de asesi-
nar.
LEUMANN, Carlos Alberto
72-La vida victoriosa.
LEVENE, Ricardo
303-La cultura histórica y
el sentimiento de la
nacionalidad. *
702-Historia de las ideas
sociales argentinas. *
1060-Las Indias no eran colonias.
LEVILLIER, Roberto
91-Estampas virreinales
americanas.
419-Nuevas estampas vi-
rreinales: Amor con
dolor se paga.
LÉVI-PROVENÇAL, E.
1161-La civilización árabe
en España.
**LI HSING-TAO y KSCHE-
MISVARA**
215-El círculo de tiza. La
ira de Cáusica.
LINKLATER, Eric
631-María Estuardo.
LISZT, Franz
576-Chopin.
**LISZT, Franz, y WAGNER,
Ricardo**
763-Correspondencia.
LOEBEL, Josef
997-Salvadores de vidas.
LONDON, Jack
766-Colmillo blanco. *
LOPE DE RUEDA
479-Eufemia. Armelina. El
deleitoso.
LOPE DE VEGA, F.
43-Peribáñez y el co-
mendador de Ocaña.
La Estrella de Sevi-
lla. *
274-Poesías líricas. (Selección.)
294-El mejor alcalde, el
rey. Fuenteovejuna.

354-El perro del hortelano.
El arenal de Sevilla.
422-La Dorotea. *
574-La dama boba. La niña
de plata. *
638-El amor enamorado.
El caballero de Ol-
medo.
842-El arte nuevo de hacer
comedias. La discreta
enamorada.
1225-Los melindres de Be-
lisa. El villano en su
rincón. *
LÓPEZ IBOR, Juan José
1034-La agonía del psico-
análisis.
LO TA KANG
787-Antología de cuentis-
tas chinos.
LOTI, Pierre
1198-Ramuncho. *
LOWES DICKINSON, G.
685-Un «banquete» mo-
derno. *
LOZANO, C.
1228-Historias y leyendas.
**LOZOYA, Marqués de; ME-
NÉNDEZ PIDAL, Ramón;
MACHO, Victorio; PE-
MÁN, José María; MARA-
ÑÓN, Gregorio, y MON-
TES, Eugenio**
1297-Seis temas peruanos.
LUCIANO
1175-Diálogos de los dio-
ses. Diálogos de los
muertos.
LUGONES, Leopoldo
200-Antología poética. *
232-Romancero.
LUIS XIV
705-Memorias sobre el arte
de gobernar.
LULIO, Raimundo
889-Libro del Orden de Caballería. Príncipes y
juglares.
LUMMIS, Carlos F.
514-Los exploradores españoles del siglo XVI.
LYTTON, Bulwer
136-Los últimos días de
Pompeya. *
MA CE HWANG
805-Cuentos chinos de tradición antigua.
1214-Cuentos humorísticos
orientales.
**MAC DONALD, Philip, y
BOYD CORREL, A.**
1057-La rueda oscura. *
MACHADO, Antonio
149-Poesías completas. *

MACHADO, Manuel
131-Antología.
MACHADO, Manuel y Antonio
260-La duquesa de Benamejí. La prima Fernanda. Juan de Mañara. *
706-Las adelfas. El hombre que murió en la guerra.
1011-La Lola se va a los puertos. Desdichas de la fortuna, o Julianillo Valcárcel. *
MACHADO ÁLVAREZ, Antonio
745-Cantares flamencos.
MACHADO DE ASÍS, José M.
1246-Don Casmurro. *
MACHO, Victorio; MENÉNDEZ PIDAL, Ramón; LOZOYA, Marqués de; PEMÁN, José María; MARAÑÓN, Gregorio, y MONTES, Eugenio
1297-Seis temas peruanos.
MAEZTU, María de
330-Antología. Siglo xx. Prosistas españoles. *
MAEZTU, Ramiro de
31-Don Quijote, Don Juan y La Celestina.
777-España y Europa.
MAGDALENO, Mauricio
844-La tierra grande. *
931-El resplandor. *
MAISTRE, Javier de
345-Las veladas de San Petersburgo. *
962-Viaje alrededor de mi cuarto.
MALLEA, Eduardo
102-Historia de una pasión argentina.
202-Cuentos para una inglesa desesperada.
402-Rodeada está de sueño.
502-Todo verdor perecerá.
602-El retorno.
MANACORDA, Telmo
613-Fructuoso Rivera.
MANRIQUE, Gómez
665-Regimiento de príncipes y otras obras.
MANRIQUE, Jorge
135-Obra completa. *
MANSILLA, Lucio V.
113-Una excursión a los indios ranqueles. *
MANTOVANI, Juan
967-Adolescencia. Formación y cultura.

MANZONI, Alejandro
943-El conde de Carmagnola.
MAÑACH, Jorge
252-Martí, el apóstol. *
MAQUIAVELO
69-El príncipe. (Comentado por Napoleón Bonaparte.)
MARAGALL, Juan
998-Elogios.
MARAÑÓN, Gregorio
62-El conde-duque de Olivares. *
129-Don Juan.
140-Tiempo viejo y tiempo nuevo.
185-Vida e historia.
196-Ensayo biológico sobre Enrique IV de Castilla y su tiempo.
360-El «Empecinado» visto por un inglés.
408-Amiel. *
600-Ensayos liberales.
661-Vocación y ética y otros ensayos.
710-Españoles fuera de España.
1111-Raíz y decoro de España.
1201-La medicina y nuestro tiempo.
MARAÑÓN, Gregorio; MENÉNDEZ PIDAL, Ramón; MACHO, Victorio; LOZOYA, Marqués de; PEMÁN, José María, y MONTES, Eugenio
1297-Seis temas peruanos.
MARCO AURELIO
756-Soliloquios o reflexiones morales. *
MARCOY, Paul
163-Viaje por los valles de la quina. *
MARCU, Valeriu
530-Maquiavelo. *
MARECHAL, Leopoldo
941-Antología poética.
MARÍAS, Julián
804-Filosofía española actual.
991-Miguel de Unamuno. *
1071-El tema del hombre. *
1206-Aquí y ahora.
MARICHALAR, Antonio
78-Riesgo y ventura del duque de Osuna.
MARÍN, Juan
1090-Lao-Tsze o El universismo mágico.

1165-Confucio o El humanismo didactizante.
1188-Buda o La negación del mundo. *
MARMIER, Javier
592-A través de los trópicos. *
MÁRMOL, José
1018-Amalia. *
MARQUINA, Eduardo
1140-En Flandes se ha puesto el sol. Las hijas del Cid. *
MARRYAT, Federico
956-Los cautivos del bosque. *
MARTÍ, José
1163-Páginas escogidas. *
MARTÍNEZ SIERRA, Gregorio
1190-Canción de cuna.
1231-Tú eres la paz. *
1245-El amor catedrático. *
MASSINGHAM, H. J., y GOMPERTZ, M.
529-La Edad de Oro y La panera de Egipto.
MAURA, Antonio
231-Discursos conmemorativos.
MAURA GAMAZO, Gabriel
240-Rincones de la historia. *
MAUROIS, André
2-Disraeli. *
750-Diario. (Estados Unidos, 1946.)
1204-Siempre ocurre lo inesperado.
1255-En busca de Marcel Proust. *
1261-La comida bajo los castaños. *
MAYORAL, Francisco
897-Historia del sargento Mayoral.
MEDRANO, S. W.
960-El libertador José de San Martín. *
MELVILLE, Herman
953-Taipi. *
MÉNDEZ PEREIRA, O.
166-Núñez de Balboa. El tesoro del Dabaibe.
MENÉNDEZ PELAYO, Marcelino
251-San Isidoro, Cervantes y otros estudios.
350-Poetas de la corte de don Juan II. *
597-El abate Marchena. *
691-La Celestina. *
715-Historia de la poesía argentina.

820-Las cien mejores poesías líricas de la lengua castellana. *

MENÉNDEZ PIDAL, Ramón
28-Estudios literarios. *
55-Los romances de América y otros estudios.
100-Flor nueva de romances viejos. *
110-Antología de prosistas españoles. *
120-De Cervantes y Lope de Vega.
172-Idea imperial de Carlos V.
190-Poesía árabe y poesía europea.
250-El idioma español en sus primeros tiempos.
280-La lengua de Cristóbal Colón.
300-Poesía juglaresca y juglares. *
501-Castilla. Tradición. Idioma. *
800-Tres poetas primitivos.
1000-El Cid Campeador. *
1051-De primitiva lírica española y antigua épica.
1110-Miscelánea histórica literaria.
1260-Los españoles en la historia. *
1268-Los Reyes Católicos y otros estudios.
1271-Los españoles en la literatura.
1275-Los godos y la epopeya española. *
1280-España, eslabón entre la Cristiandad y el Islam.
1286-El Padre Las Casas y Vitoria, con otros temas de los siglos XVI y XVII.
1301-En torno a la lengua vasca.
1312-Estudios de lingüística.

MENÉNDEZ PIDAL, Ramón; MACHO, Victorio; LOZOYA, Marqués de; PEMÁN, José María; MARAÑÓN, Gregorio, y MONTES, Eugenio
1297-Seis temas peruanos.

MERA, Juan León
1035-Cumandá. *

MEREJKOVSKY, Dimitri
30-Vida de Napoleón. *
737-El misterio de Alejandro I. *

764-El fin de Alejandro I. *
884-Compañeros eternos. *

MÉRIMÉE, Próspero
152-Mateo Falcone.
986-La Venus de Ille.
1063-Crónica del reinado de Carlos IX. *
1143-Carmen. Doble error.

MESA, Enrique de
223-Antología poética.

MEUMANN, E.
578-Introducción a la estética actual.
778-Sistema de estética.

MIELI, Aldo
431-Lavoisier y la formación de la teoría química moderna.
485-Volta y el desarrollo de la electricidad.
1017-Breve historia de la biología.

MILTON, John
1013-El paraíso perdido.

MILL, Stuart
83-Autobiografía.

MILLAU, Francisco
707-Descripción de la provincia del Río de la Plata.

MIQUELARENA, Jacinto
854-Don Adolfo el libertino.

MIRLAS, León
1227-Helen Keller.

MIRÓ, Gabriel
1102-Glosas de Sigüenza.

MISTRAL, Federico
806-Mireya.

MISTRAL, Gabriela
503-Ternura.
1002-Desolación. *

MOLIÈRE
106-El ricachón en la corte. El enfermo de aprensión.
948-Tartufo. Don Juan o El convidado de piedra.

MOLINA, Tirso de
73-El vergonzoso en Palacio. El burlador de Sevilla. *
369-La prudencia en la mujer. El condenado por desconfiado.
442-La gallega Mari-Hernández. La firmeza en la hermosura.

MONCADA, Francisco de
405-Expedición de los catalanes y aragoneses contra turcos y griegos.

MONTERDE, Francisco
870-Moctezuma II, señor de Anáhuac.

MONTES, Eugenio; MENÉNDEZ PIDAL, Ramón; MACHO, Victorio; LOZOYA, Marqués de; PEMÁN, José María, y MARAÑÓN, Gregorio
1297-Seis temas peruanos.

MONTESQUIEU, Barón de
253-Grandeza y decadencia de los romanos.
862-Ensayo sobre el gusto.

MOORE, Tomás
1015-El epicúreo.

MORAND, Paul
16-Nueva York.

MORATÍN, Leandro Fernández de
335-La comedia nueva. El sí de las niñas.

MORETO, Agustín
119-El lindo don Diego. No puede ser el guardar una mujer.

MOURE-MARIÑO, Luis
1306-Fantasías reales. Almas de un protocolo. *

MUÑOZ, Rafael F.
178-Se llevaron el cañón para Bachimba.
896-¡Vámonos con Pancho Villa! *

MURRAY, Gilbert
1185-Esquilo. *

MUSSET, Alfredo de
492-Cuentos: Mimí Pinson. El lunar. Croisles. Pedro y Camila.

NAPOLEÓN III
798-Ideas napoleónicas.

NAVARRO Y LEDESMA, F.
401-El ingenioso hidalgo Miguel de Cervantes Saavedra. *

NERUDA, Jan
397-Cuentos de la Malá Strana.

NERVAL, Gerardo de
927-Silvia. La mano encantada. Noches de octubre.

NERVO, Amado
32-La amada inmóvil.
175-Plenitud.
211-Serenidad.
311-Elevación.
373-Poemas.
434-El arquero divino.
458-Perlas negras. Místicas.

NEWTON, Isaac
334-Selección.
NIETZSCHE, Federico
356-El origen de la tragedia.
NODIER, Carlos
933-Recuerdos de juventud.
NOEL, Eugenio
1327-España nervio a nervio. *
NOVALIS
1008-Enrique de Ofterdingen.
NOVÁS CALVO, Lino
194-Pedro Blanco, el Negrero. *
573-Cayo Canas.
NOVO, Salvador
797-Nueva grandeza mexicana.
NÚÑEZ CABEZA DE VACA, Álvar.
304-Naufragios y comentarios. *
OBLIGADO, Carlos
257-Los poemas de Edgar Poe.
848-Patria. Ausencia.
OBLIGADO, Pedro Miguel
1176-Antología poética.
OBLIGADO, Rafael
197-Poesías.
OBREGÓN, Antonio de
1194-Villon, poeta del viejo París. *
O'HENRY
1184-Cuentos de Nueva York.
1256-El alegre mes de mayo y otros cuentos. *
OPPENHEIMER, R., y otros
987-Hombre y ciencia. *
ORDÓÑEZ DE CEBALLOS, Pedro
695-Viaje del mundo. *
ORTEGA Y GASSET, José
1-La rebelión de las masas.
11-El tema de nuestro tiempo.
45-Notas.
101-El libro de las misiones.
151-Ideas y creencias. *
181-Tríptico: Mirabeau o El político. Kant. Goethe.
201-Mocedades.
1322-Velázquez. *
1328-La caza y los toros.
1333-Goya.

OSORIO LIZARAZO, J. A.
947-El hombre bajo la tierra. *
OVIDIO, Publio
995-Las heroidas. *
1326-Las metamorfosis. *
OZANAM, Antonio F.
888-Poetas franciscanos de Italia en el siglo XIII.
939-Una peregrinación al país del Cid y otros escritos.
PALACIO VALDÉS, Armando
76-La hermana San Sulpicio. *
133-Marta y María. *
155-Los majos de Cádiz. *
189-Riverita. *
218-Maximina. *
266-La novela de un novelista. *
277-José.
298-La alegría del capitán Ribot.
368-La aldea perdida. *
588-Años de juventud del doctor Angélico. *
PALMA, Ricardo
52-Tradiciones peruanas (1.ª selección).
132-Tradiciones peruanas (2.ª selección).
309-Tradiciones peruanas (3.ª selección).
PAPP, Desiderio
443-Más allá del Sol. (La estructura del Universo.)
980-El problema del origen de los mundos.
PARDO BAZÁN, Condesa de
760-La sirena negra.
1243-Insolación.
PARRY, William E.
537-Tercer viaje para el descubrimiento de un paso por el Noroeste.
PASCAL
96-Pensamientos.
PELLICO, Silvio
144-Mis prisiones.
PEMÁN, José María
234-Noche de levante en calma. Julieta y Romeo.
1240-Antología de poesía lírica.
PEMÁN, José María; MENÉNDEZ PIDAL, Ramón; MACHO, Victorio; LOZOYA, Marqués de; MARAÑÓN, Gregorio, MONTES, Eugenio
1297-Seis temas peruanos.

PEPYS, Samuel
1242-Diario. *
PEREYRA, Carlos
236-Hernán Cortés. *
PÉREZ DE AYALA, Martín, y GONZÁLEZ DE MENDOZA, Pedro
689-El Concilio de Trento.
PÉREZ DE AYALA, Ramón
147-Las máscaras. *
183-La pata de la raposa. *
198-Tigre Juan.
210-El curandero de su honra.
249-Poesías completas. *
PÉREZ DE GUZMÁN, Fernán
725-Generaciones y semblanzas.
PÉREZ FERRERO, Miguel
1135-Vida de Antonio Machado y Manuel. *
PÉREZ MARTÍNEZ, Héctor
531-Juárez el Impasible.
807-Cuauhtemoc. (Vida y muerte de una cultura.) *
PFANDL, Ludwig
17-Juana la Loca.
PIGAFETTA, Antonio
207-Primer viaje en torno al globo.
PLA, Cortés
315-Galileo Galilei.
533-Isaac Newton. *
PLATÓN
44-Diálogos. *
220-La República o el Estado. *
639-Apología de Sócrates. Critón o. El deber del ciudadano.
PLOTINO
985-El alma, la belleza y la contemplación.
PLUTARCO
228-Vidas paralelas: Alejandro-Julio César.
459-Vidas paralelas: Demóstenes-Cicerón. Demetrio-Antonio.
818-Vidas paralelas: Teseo-Rómulo. Licurgo-Numa.
843-Vidas paralelas: Solón-Publícola. Temístocles-Camilo.
868-Vidas paralelas: Pericles-Fabio Máximo. Alcibíades-Coriolano.
918-Vidas paralelas: Arístides-Marco Catón. Filopemen-Tito Quincio Flaminino.

946-Vidas paralelas: Pirro-Cayo Mario. Lisandro-Sila.

969-Vidas paralelas: Simón-Lúculo. Nicias-Marco Craso.

993-Vidas paralelas: Sertorio-Eumenes. Foción-Catón el Menor.

1019-Vidas paralelas: Agis-Cleomenes. Tiberio-Cayo Graco.

1043-Vidas paralelas: Dion-Bruto.

1095-Vidas paralelas: Timoleón-Paulo Emilio. Pelópidas-Marcelo.

1123-Vidas paralelas: Agesilao-Pompeyo.

1148-Vidas paralelas: Artajerjes-Arato. Galba-Otón.

POE, Edgard Allan
735-Aventuras de Arturo Gordon Pym. *

POINCARÉ, Henri
379-La ciencia y la hipótesis. *
409-Ciencia y método. *
579-Últimos pensamientos. *
628-El valor de la ciencia.

POLO, Marco
1052-Viajes. *

PORTNER KÖHLER, R.
734-Cadáver en el viento. *

PRAVIEL, Armando
21-La vida trágica de la emperatriz Carlota.

PRELAT, Carlos E., y ALSINA FUERTES, F.
1037-El mundo de la mecánica.

PRÉVOST, Abate
89-Manon Lescaut.

PRÉVOST, Marcel
761-El arte de aprender.

PRICE, G. A.; STARK, L. M.; HILL, A. V., y otros
944-Ciencia y civilización. *

PRIETO, Jenaro
137-El socio.

PUIG, Ignacio
456-¿Qué es la física cósmica? *
990-La edad de la Tierra.

PULGAR, Fernando del
832-Claros varones de Castilla.

PUSCHKIN, A. S.
123-La hija del capitán. La nevasca.

1125-La dama de los tres naipes y otros cuentos.

1136-Dubrovsky. La campesina señorita.

QUEVEDO, Francisco de
24-Historia de la vida del Buscón.
362-Antología poética.
536-Los sueños. *
626-Política de Dios y gobierno de Cristo. *
957-Vida de Marco Bruto.

QUILES, S. I., Ismael
467-Aristóteles. Vida. Escritos y doctrina.
527-San Isidoro de Sevilla.
874-Filosofía de la religión.
1107-Sartre y su existencialismo.

QUINCEY, Tomás de
1169-Confesiones de un comedor de opio inglés.*

QUINTANA, Manuel José
388-Vida de Francisco Pizarro.
826-Vidas de españoles célebres: El Cid. Guzmán el Bueno, Roger de Lauria.

RACINE, Juan
839-Athalia. Andrómaca.

RAINIER
724-África del recuerdo. *

RAMÍREZ CABAÑAS, J.
358-Antología de cuentos mexicanos.

RAMÓN Y CAJAL, Santiago
90-Mi infancia y juventud. *
187-Charlas de café. *
214-El mundo visto a los ochenta años. *
227-Los tónicos de la voluntad. *
241-Cuentos de vacaciones. *
1200-La psicología de los artistas.

RAMOS, Samuel
974-Filosofía de la vida artística.
1080-El perfil del hombre y la cultura en México.

RANDOLPH, Marion
817-La mujer que amaba las lilas.
837-El buscador de su muerte. *

RAVAGE, M. E.
489-Cinco hombres de Francfort. *

REGA MOLINA, Horacio
1186-Antología poética.

REID, Mayne
317-Los tiradores de rifle. *

REISNER, Mary
664-La casa de telarañas. *

RENARD, Jules
1083-Diario.

RENOUVIER, Charles
932-Descartes.

REY PASTOR, Julio
301-La ciencia y la técnica en el descubrimiento de América.

REYES, Alfonso
901-Tertulia de Madrid.
954-Cuatro ingenios.
1020-Trazos de historia literaria.
1054-Medallones.

REYLES, Carlos
88-El gaucho florido.
208-El embrujo de Sevilla.

REYNOLDS, Amelia
718-La sinfonía del crimen.
977-Crimen en tres tiempos.
1187-El manuscrito de Poe.

RICKERT, H.
347-Ciencia cultural y ciencia natural. *

RIVADENEYRA, Pedro de
634-Vida de Ignacio de Loyola. *

RIVAS, Duque de
46-Romances.
656-Sublevación de Nápoles capitaneada por Masaniello. *
1016-Don Álvaro o La fuerza del sino.

ROCHEFOUCAULD, F. de la
929-Memorias.

RODENBACH, Jorge
829-Brujas, la muerta.

RODEZNO, Conde de
841-Carlos VII, duque de Madrid.

RODÓ, José Enrique
866-Ariel.

ROJAS, Fernando de
195-La Celestina.

ROJAS, Francisco de
104-Del rey abajo, ninguno. Entre bobos anda el juego.

ROMANONES, Conde de
770-Doña María Cristina de Habsburgo y Lorena.
1316-Salamanca. Conquistador de riqueza, gran señor.

ROMERO, Francisco
940-El hombre y la cultura.

ROMERO, José Luis
1117-De Herodoto a Polibio.

ROSENKRANTZ, Palle
534-Los gentiles hombres de Lindenborg. *

ROSTAND, Edmundo
1116-Cyrano de Bergerac. *

ROUSSELET, Luis
327-Viaje a la India de los maharajahs.

ROUSSELOT, Xavier
965-San Alberto, Santo Tomás y San Buenaventura.

RUIZ DE ALARCÓN, Juan
68-La verdad sospechosa. Los pechos privilegiados.

RUIZ GUIÑAZÚ, Enrique
1155-La traición de América. *

RUSSELL, Bertrand
23-La conquista de la felicidad.

RUSKIN, John
958-Sésamo y lirios.

RUSSELL WALLACE, A. de
313-Viaje al archipiélago malayo.

SÁENZ HAYES, Ricardo
329-De la amistad en la vida y en los libros.

SAID ARMESTO, Víctor
562-La leyenda de Don Juan. *

SAINTE-BEUVE, Carlos de
1045-Retratos contemporáneos.
1069-Voluptuosidad. *
1109-Retratos de mujeres.

SAINT-PIERRE, Bernardino de
393-Pablo y Virginia.

SÁINZ DE ROBLES
114-El «otro» Lope de Vega.

SALINAS, Pedro
1154-Poemas escogidos.

SALOMÓN
464-El cantar de los Cantares. (Versión de fray Luis de León.)

SALTEN, Félix
363-Los hijos de Bambi.
371-Bambi. (Historia de una vida del bosque.)
395-Renni «el salvador». *

SALUSTIO, Cayo
366-La conjuración de Catilina. La guerra de Jugurta.

SAMANIEGO, Félix María
632-Fábulas.

SAN AGUSTÍN
559-Ideario. *
1199-Confesiones. *

SAN FRANCISCO DE ASÍS
468-Las florecillas. El cántico del Sol. *

SAN FRANCISCO DE CAPUA
678-Vida de Santa Catalina de Siena. *

SAN JUAN DE LA CRUZ
326-Obras escogidas.

SÁNCHEZ-SÁEZ, Braulio
596-Primera antología de cuentos brasileños. *

SANDERS, George
657-Crimen en mis manos. *

SANTA CRUZ DE DUEÑAS, Melchor de
672-Floresta española.

SANTA MARINA, Luys
157-Cisneros.

SANTA TERESA DE JESÚS
86-Las moradas.
372-Su vida. *
636-Camino de perfección.
999-Libro de las fundaciones. *

SANTILLANA, Marqués de
552-Obras.

SANTO TOMÁS DE AQUINO
310-Suma teológica. (Selección.)

SANTO TOMÁS MORO
1153-Utopía.

SANZ EGAÑA, Cesáreo
1283-Historia y bravura del toro de lidia. *

SARMIENTO, Domingo F.
1058-Facundo. *

SCOTT, Walter
466-El pirata. *
877-El anticuario. *
1232-Diario.

SCHIAPARELLI, Juan V.
526-La astronomía en el Antiguo Testamento.

SCHILLER, J. C. F.
237-La educación estética del hombre.

SCHLESINGER, E. C.
955-La zarza ardiente. *

SCHMIDL, Ulrico
424-Derroteró y viaje a España y las Indias.

SCHULTEN, Adolf
1329-Los cántabros y astures y su guerra con Roma. *

SÉNECA
389-Tratados morales.

SHAKESPEARE, William
27-Hamlet.
54-El rey Lear. Pequeños poemas.
87-Otelo. Romeo y Julieta.

109-El mercader de Venecia. Macbeth.
116-La tempestad. La doma de la bravía.
127-Antonio y Cleopatra.
452-Las alegres comadres de Windsor. La comedia de las equivocaciones.
488-Los dos hidalgos de Verona. Sueño de una noche de San Juan.
635-A buen fin no hay mal principio. Trabajos de amor perdidos. *
736-Coriolano.
769-El cuento de invierno.
792-Cimbelino.
828-Julio César. Pequeños poemas.
872-A vuestro gusto.

SHAW, Bernard
615-El carro de las manzanas.
630-Héroes. Cándida.
640-Matrimonio desigual. *

SHELLEY, Percy B.
1224-Adonais y otros poemas breves.

SHEEN, Monseñor Fulton J.
1304-El comunismo y la conciencia occidental. *

SIBIRIAK, Mamin
739-Los millones. *

SIENKIEWICZ, Enrique
767-Narraciones. *
845-En vano.
886-Hania. Orso. El manantial.

SIGÜENZA Y GÓNGORA, Carlos de
1033-Infortunios de Alonso Ramírez.

SILIÓ, César
64-Don Álvaro de Luna. *

SILVA, José Asunción
827-Poesías.

SILVA VALDÉS, Fernán
538-Cuentos del Uruguay. *

SIMMEL, Georges
38-Cultura femenina y otros ensayos.

SLOCUM, Joshua
532-A bordo del «Spray». *

SÓFOCLES
835-Ayante. Electra. Las traquinianas.

SOFOVICH, Luisa
1162-Biografía de la Gioconda.

SOLALINDE, Antonio G.
154-Cien romances escogidos.

169-Antología de Alfonso X el Sabio. *

SOLÍS, Antonio
699-Historia de la conquista de México. *

SOPEÑA, Federico
1217-Vida y obra de Franz Liszt.

SOREL, Cecilia
1192-Las bellas horas de mi vida. *

SOUBRIER, Jacques
867-Monjes y bandidos. *

SOUVIRON, José María
1178-La luz no está lejos. *

SPENGLER, O.
721-El hombre y la técnica.
1323-Años decisivos. *

SPINELLI, Marcos
834-Misión sin gloria. *

SPRANGER, Eduardo
824-*Cultura y educación. (Parte histórica.)
876-**Cultura y educación. (Parte temática.)

STAËL, Madame de
616-Reflexiones sobre la paz.
655-Alemania.
742-Diez años de destierro. *

STARK, L. M.; PRICE, G. A.; HILL, A. V., y otros
944-Ciencia y civilización. *

STENDHAL
815-*Historia de la pintura en Italia. (Escuela florentina. Renacimiento. De Giotto a Leonardo. Vida de Leonardo de Vinci.)
855-**Historia de la pintura en Italia. (De la belleza ideal en la antigüedad. De lo bello ideal moderno. Vida de Miguel Ángel.) *
909-Vida de Rossini.
1152-Vida de Napoleón. (Fragmento.) *
1248-Diario.

STEVENSON, Robert L.
7-La isla del tesoro.
342-Aventuras de David Balfour. *
566-La flecha negra. *
627-Cuentos de los mares del Sur.
666-A través de las praderas.

776-El extraño caso del doctor Jekyll y míster Hyde. Ólalla.
1118-El príncipe Otón. *
1146-El muerto vivo. *
1222-El tesoro de Franchard. Las desventuras de John Nicholson.

STORNI, Alfonsina
142-Antología poética.

STOKOWSKI, Leopoldo
591-Música para todos nosotros. *

STONE, I. P. de
1235-Burbank, el mago de las plantas.

STORM, Theodor
856-El lago de Immen.

STRINDBERG, Augusto
161-El viaje de Pedro el Afortunado.

SUÁREZ, S. J., Francisco
381-Introducción a la metafísica. *
1209-Investigaciones metafísicas. *
1273-Guerra. Intervención. Paz internacional. *

SWIFT, Jonatán
235-Viajes de Gulliver. *

SYLVESTER, E.
483-Sobre la índole del hombre.
934-Yo, tú y el mundo. *

TÁCITO
446-Los Anales: Augusto-Tiberio. *
462-Historias. *
1085-Los Anales: Claudio-Nerón. *

TAINE, Hipólito A.
115-*Filosofía del arte.
448-Viaje a los Pirineos. *
505-**Filosofía del arte. *
1177-Notas sobre París. *

TALBOT, Hake
690-Al borde del abismo. *

TASSO, Torcuato
966-Noches.

TEJA ZABRE, A.
553-Morelos. *

TELEKI, José
1026-La corte de Luis XV.

TEOFRASTO, EPICTETO, CEBES
733-Caracteres morales. Enquiridión o máximas. La tabla de Cebes.

TERENCIO AFER, Publio
729-La Adriana. La suegra. El atormentador de sí mismo.
743-Los hermanos. El eunuco. Formión.

TERTULIANO, Q. S.
768-Apología contra los gentiles.

THACKERAY, W. M.
542-Catalina.
1098-El viudo Lovel.
1218-Compañeras del hombre. *

THIERRY, Agustín
589-Relatos de los tiempos merovingios. *

THOREAU, Henry D.
904-Walden o Mi vida entre bosques y lagunas. *

TICKNOR, Jorge
1089-Diario.

TIEGHEM, Paul van
1047-Compendio de historia literaria de Europa. *

TIMONEDA, Juan
1129-El patrañuelo.

TOEPFFER, R.
779-La biblioteca de mi tío.

TOLSTOI, León
554-Los cosacos.
586-Sebastopol.

TORRES BODET, Jaime
1236-Poesías escogidas.

TORRES VILLARROEL
822-Vida. *

TOVAR, Antonio
1272-Un libro sobre Platón.

TURGUENEFF, Iván
117-Relatos de un cazador.
134-Anuchka. Fausto.
482-Lluvia de primavera. Remanso de paz. *

TWAIN, Mark
212-Las aventuras de Tom Sawyer.
649-El hombre que corrompió una ciudad.
679-Fragmentos del diario de Adán. Diario de Eva.
698-Un reportaje sensacional y otros cuentos.
713-Nuevos cuentos.
1049-Tom Sawyer, detective. Tom Sawyer, en el extranjero.

UNAMUNO, Miguel de
33-Vida de Don Quijote y Sancho. *
70-Tres novelas ejemplares y un prólogo.
99-Niebla.
112-Abel Sánchez.
122-La tía Tula.
141-Amor y pedagogía.
160-Andanzas y visiones españolas. *
179-Paz en la guerra. *
199-El espejo de la muerte.

221-Por tierras de Portugal y de España.
233-Contra esto y aquello.
254-San Manuel Bueno, mártir, y tres historias más.
286-Soliloquios y conversaciones.
299-Mi religión y otros ensayos breves.
323-Recuerdos de niñez y de mocedad.
336-De mi país.
403-En torno al casticismo.
417-El caballero de la Triste Figura.
440-La dignidad humana.
478-Viejos y jóvenes.
499-Almas de jóvenes.
570-Soledad.
601-Antología poética.
647-El otro. El hermano Juan.
703-Algunas consideraciones sobre la literatura hispanoamericana.
781-El Cristo de Velázquez.
900-Visiones y comentarios.

UP DE GRAFF, F. W.
146-Los cazadores de cabezas del Amazonas. *

URIBE PIEDRAHÍTA, César
314-Toá.

VALDÉS, Juan de
216-Diálogo de la lengua.

VALLE, R. H.
477-Imaginación de México.

VALLE-ARIZPE, Artemio de
53-Cuentos del México antiguo.
340-Leyendas mexicanas.
881-En México y en otros siglos.
1067-Fray Servando. *
1278-De la Nueva España.

VALLE-INCLÁN, Ramón del
105-Tirano Banderas.
271-Corte de amor.
302-Flor de santidad. El marqués de Bradomín.
415-Voces de gesta. Cuento de abril.
430-Sonata de primavera y Sonata de estío.
441-Sonata de otoño y Sonata de invierno.
460-Los cruzados de la Causa.
480-El resplandor de la hoguera.
520-Gerifaltes de antaño.
555-Jardín umbrío.

621-Claves líricas.
651-Cara de plata.
667-Águila de blasón.
681-Romance de lobos.
811-La lámpara maravillosa.
1296-La corte de los milagros. *
1300-Viva mi dueño. *
1307-Luces de bohemia. *
1311-Baza de espadas. *
1315-Tablado de marionetas. *
1320-Divinas palabras.
1325-Retablo de la avaricia, la lujuria y la muerte. *
1331-La marquesa Rosalinda.

VALLERY-RADOT, René
470-Madame Pasteur. (Elogio de un librito, por Gregorio Marañón.)

VAN DINE
176-La serie sangrienta.

VARIOS
319-Frases.
1166-Relatos diversos de cartas de jesuitas.
1332-Poetas líricos griegos.

VASCONCELOS, José
802-La raza cósmica. *
961-La sonata mágica.
1091-Filosofía estética.

VÁZQUEZ, Francisco
512-Jornada de Omagua y Dorado. (Historia de Lope de Aguirre, sus crímenes y locuras.)

VEGA, El inca Garcilaso de la
324-Comentarios reales. (Selección.)

VEGA, Garcilaso de la
63-Obras.

VEGA, Ventura de la
484-El hombre de mundo. La muerte de César. *

VELA, Fernando
984-El grano de pimienta.

VÉLEZ DE GUEVARA, Luis
975-El Diablo Cojuelo.

VERGA, G.
1244-Los Malàsangre. *

VERLAINE, Paul
1088-Fiestas galantes. Romanzas sin palabras. Sensatez.

VICO, Giambattista
836-Autobiografía.

VIGNY, Alfredo de
278-Servidumbre y grandeza militar.
748-Cinq-Mars. *
1173-Stello. *

VILLALÓN, Cristóbal de
246-Viaje de Turquía. *
264-El crotalón. *

VILLA-URRUTIA, Marqués de
57-Cristina de Suecia.

VILLEBOEUF, André
1284-Serenatas sin guitarra. *

VILLIERS DE L'ISLE-ADAM, Conde de
833-Cuentos crueles. *

VINCI, Leonardo de
353-Aforismos.
650-Tratado de la pintura. *

VIRGILIO
203-Églogas. Geórgicas.
1022-La Eneida. *

VITORIA, Francisco de
618-Relecciones sobre los indios y el derecho de guerra.

VIVES, Luis
128-Diálogos.
138-Instrucción de la mujer cristiana.
272-Tratado del alma. *

VOSSLER, Carlos
270-Algunos caracteres de la cultura española.
455-Formas literarias en los pueblos románicos.
511-Introducción a la literatura española del Siglo de Oro.
565-Fray Luis de León.
624-Estampas del mundo románico.
644-Jean Racine.
694-La Fontaine y sus fábulas.
771-Escritores y poetas de España.

WAGNER, Ricardo
785-Epistolario a Matilde Wasendonk.
1145-La poesía y la música en el drama del futuro.

WAGNER, Ricardo, y LISZT, Franz
763-Correspondencia.

WAKATSUKI, Fukuyiro
103-Tradiciones japonesas.

WALSH, William Thomas
504-Isabel la Cruzada. *

WALSHE, Seamus, y HATCH, Alden
1335-Corona de gloria. La vida del papa Pío XII. *

WALLON, H.
539-Juana de Arco. *
WASSILIEW, A. T.
229-Ochrana. *
WAST, Hugo
80-El camino de las llamas. *
WATSON WATT, R. A.
857-A través de la casa del tiempo o El viento, la lluvia y seiscientas millas más arriba.
WECHSBERG, Joseph
697-Buscando un pájaro azul. *
WELLS, H. G.
407-La lucha por la vida. *
WHITNEY, Phyllis A.
584-El rojo es para el asesinato. *
WILDE, José Antonio
457-Buenos Aires desde setenta años atrás.
WILDE, Óscar
18-El ruiseñor y la rosa.
65-El abanico de lady Windermere. La importancia de llamarse Ernesto.

604-Una mujer sin importancia. Un marido ideal. *
629-El crítico como artista. Ensayos. *
646-Balada de la cárcel de Reading. Poemas.
683-El fantasma de Canterville.
WILSON, Mona
790-La reina Isabel.
WILSON, Sloan
780-Viaje a alguna parte. *
WISEMAN, Cardenal
1028-Fabiola. *
WYNDHAM LEWIS, D. B.
42-Carlos de Europa, emperador de Occidente. *
WYSS, Juan Rodolfo
437-El Robinsón suizo. *
YÁÑEZ, Agustín
577-Melibea, Isolda y Alda en tierras cálidas.
YEBES, Condesa de
727-Spínola el de las lanzas y otros retratos históricos. Ana de Austria. Luisa Sigea. Rosmithal.

ZAMORA VICENTE, Alonso
1061-Presencia de los clásicos.
1287-Voz de la letra.
ZUNZUNEGUI, Juan Antonio de
914-El barco de la muerte. *
981-La úlcera. *
1084-Las novelas de la quiebra: * Ramón o La vida baldía. *
1097-Las novelas de la quiebra: ** Beatriz o La vida apasionada. *
1319-El chiplichandle. (Acción picaresca.) *
ZWEIG, Stefan
273-Brasil. *
541-Una partida de ajedrez. Una carta.
1149-La curación por el espíritu. Introducción. Mesmer.
1172-Nuevos momentos estelares.
1181-La curación por el espíritu: Mary Baker-Eddy S. Freud. *